U0877466

国家科学技术学术著作出版基金资助出版

大规模定制下客户需求识别与产品智能配置

但　斌　经有国/著

科学出版社

北　京

内 容 简 介

本书介绍大规模定制的基本概念，建立大规模定制产品智能配置的框架结构，提出和建立大规模定制下客户需求信息识别与产品智能配置的方法和关键技术，包括客户需求信息的分类模型与表达方法、考虑客户需求表达能力异质的客户需求信息获取方法、半结构化客户需求信息的转换处理方法、非结构化客户需求信息的结构化处理方法、客户需求的映射与转换方法、产品平台扩展策略及优化分析、基于GBOM的产品智能配置方法、基于本体映射面向模糊客户需求的产品配置方法，最后以基于Web的定制产品智能配置系统阐述这些方法的应用。

本书内容系统全面，结构合理，紧密结合企业实际，反映大规模定制领域的最新研究成果，对从事大规模定制研究和实践的企业领导、管理人员、技术人员、科研机构的研究人员、高等院校的教师和学生都有重要的参考价值。

图书在版编目（CIP）数据

大规模定制下客户需求识别与产品智能配置 / 但斌，经有国著. —北京：科学出版社，2014

ISBN 978-7-03-041961-3

Ⅰ. ①大… Ⅱ. ①但… ②经… Ⅲ. ①顾客需求–识别 ②产品开发–智能设计 Ⅳ. ①F713.53 ②F273.2

中国版本图书馆 CIP 数据核字（2014）第 222722 号

责任编辑：徐 倩 / 责任校对：韩 杨
责任印制：霍 兵 / 封面设计：无极书装

科学出版社 出版
北京东黄城根北街 16 号
邮政编码：100717
http://www.sciencep.com

北京凌奇印刷有限责任公司 印刷
科学出版社发行 各地新华书店经销
*
2014年10月第 一 版 开本：720 × 1000 1/16
2014年10月第一次印刷 印张：16 1/2
字数：332 000

POD定价： 68.00元
（如有印装质量问题，我社负责调换）

前　言

本书是作者在国家自然科学基金管理科学部项目“大规模定制环境下的客户需求信息识别与产品智能配置方法研究”（70671011）“面向大规模定制生产模式的产品族数据管理”（70271043）和国家 863 计划目标导向课题“面向典型离散制造行业的快速响应客户的产品开发平台”（2007AA04Z1B1）资助下的研究成果总结。

大规模定制需要有效满足众多客户的个性化需求，实现范围经济。如何低成本、高效率地获取与准确理解众多客户的个性化需求信息，然后基于企业（及其供应链）的能力以尽可能低的成本快速提供满足客户需求（customer need，CN）的产品，是成功实施大规模定制的关键，也是众多企业亟待解决的问题。因此，本书力图建立一种能够解决上述问题的客户需求信息识别与产品智能配置方法，提供大规模定制环境下的客户个性化需求信息识别与表达方法、多类型客户需求与产品族的映射关系、面向多类型客户需求的产品智能配置方法等关键问题的解决方案。

全书共 11 章，各章之间的关系及各章的内容梗概如下。

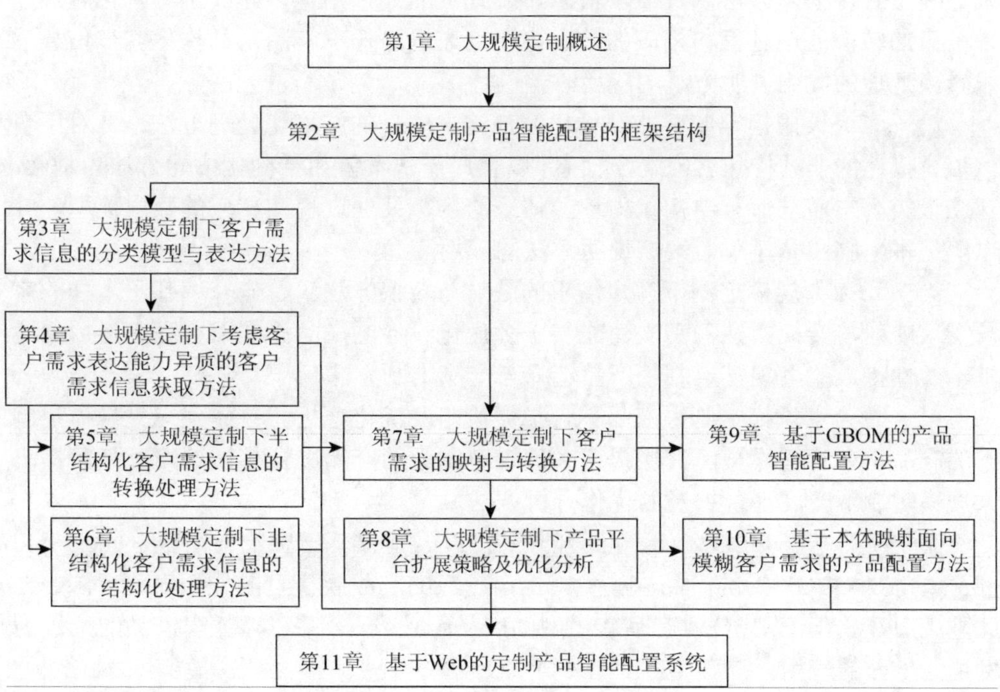

第 1 章为大规模定制概述。在介绍大规模定制概念、特征和类型之后，阐述大规模定制的目标、实施的使能技术和约束条件，基于产品生命周期和价值链分析大规模定制的运作过程。

第 2 章为大规模定制产品智能配置的框架结构。首先提出大规模定制产品智能配置的框架结构模型，接着介绍基于 Web 的客户需求识别与表达、基于质量功能配置（quality function deployment，QFD）和公理化设计（axiomatic design，AD）的客户需求映射与转换的基本思路和方法，最后阐述产品族模型和基于产品族模型的定制产品配置框架与流程。

第 3 章为大规模定制下客户需求信息的分类模型与表达方法。首先提出大规模定制环境下的客户需求信息分类模型，在此基础上建立客户需求信息表达的框架模型，然后阐述多类型客户需求信息的形式化描述、大规模定制客户需求本体和基于本体的客户需求知识库模型等客户需求表达的关键技术。

第 4 章为大规模定制下考虑客户需求表达能力异质的客户需求信息获取方法。首先建立考虑客户需求表达能力异质的客户需求信息获取的体系结构，接着提出该体系结构的实现过程、具体步骤和相应的数学模型，最后以摩托车为案例说明方法的应用。

第 5 章为大规模定制下半结构化客户需求信息的转换处理方法。针对包含模糊词汇（或词组）描述的半结构化客户需求信息，提出此类客户需求信息的数学描述和形式化描述方法以及需求信息转换处理的体系结构，建立半结构化客户需求信息的转换处理过程和相应的数学模型，通过摩托车产品半结构化客户信息需求转换处理的案例说明方法的应用。

第 6 章为大规模定制下非结构化客户需求信息的结构化处理方法。针对用自然语言描述的非结构化客户需求信息，以客户需求本体和结构化描述方法为基础，建立该类客户需求信息结构化处理的体系结构、处理过程和相应的数学模型，并以笔记本电脑和摩托车为案例说明方法的应用。

第 7 章为大规模定制下客户需求的映射与转换方法。首先介绍基于本体的客户需求映射与转换方法，其次建立基于公理化设计的产品族映射方程，最后阐述基于柔性指数的大规模定制基产品选择与产品定制方法。

第 8 章为大规模定制下产品平台扩展策略及优化分析。首先建立大规模定制下的产品平台管理模型，其次提出大规模定制下的产品平台扩展策略，最后提出大规模定制下产品平台扩展的优化分析方法。

第 9 章为基于 GBOM 的产品智能配置方法。建立基于类物料清单（generic bill of material，GBOM）的产品族模型，提出相应的产品族模型的知识表达方法，在此基础上建立基于 GBOM 产品族模型的产品配置方法，并以摩托车产品的配置为例说明方法的应用。

第 10 章为基于本体映射面向模糊客户需求的产品配置方法。建立基于本体映射的定制产品配置总体框架，提出面向模糊客户需求的产品配置知识本体表达方法和基于本体映射的定制产品配置方法，以摩托车产品的配置为例说明方法的应用。

第 11 章为基于 Web 的定制产品智能配置系统。首先给出基于 Web 的定制产品智能配置系统的架构，介绍系统功能，然后详细阐述系统的信息流程和业务流程以及系统主要功能的实现方法与关键技术。

由于时间仓促及作者水平有限，本书存在疏漏之处在所难免，敬请读者批评指正。

但　斌　经有国

2014 年 5 月

目　　录

第 1 章　大规模定制概述

近年来，越来越丰富的商品供应带来了越来越激烈的市场竞争，同时也促进了客户需求的多样化和市场的进一步细分。面对多样化的客户需求和不断细分的市场，从 20 世纪 80 年代开始，国外一些制造商开始尝试采用大规模定制模式，力求以接近大批量生产的成本和效率提供满足客户个性化和定制化需求的产品（Davis，1987；Pine，1993）。大规模定制在 90 年代得到快速发展，许多产品（包括汽车、自行车、计算机、家电、软件、通信器材、建筑与装饰、汽轮机、仪器仪表、服饰、眼镜、玩具、体育用品、书籍、音像制品、陶瓷、家具、食品等）被成功地定制。到 21 世纪初，美国含定制产品或服务的订单已经占到了 36%（Suh，2001a）；在英国，购买定制汽车的客户已从 90 年代初的 25%增加到了 75%（Svensson and Barfod，2002）。许多制造企业和服务企业，如惠普、丰田汽车、戴尔（Dell）、耐克（Nike）、摩托罗拉、美泰（Mattel）、宝洁、海尔、微软、UPS 和恒生银行等成功地实施了大规模定制模式，取得了巨大的成功（Alford et al.，2000；Feitzinger and Lee，1997；Magretta，1998；Pine，1993；Wilson，1999；但斌，2004a；祁国宁等，2003）。

大规模定制为这些企业带来了超额利润和竞争优势，并逐渐成为其核心竞争力。作为一种新的生产模式，大规模定制受到学术界和工业界越来越多的关注。美国《财富》杂志曾经预言，大规模定制模式将改变 21 世纪的制造业，正如大批量生产模式改变 20 世纪的制造业一样（Schonfeld，1998）。

1.1　大规模定制的概念和内涵

1.1.1　大规模定制概念的产生和发展

1971 年，美国著名未来学家 Alvin Toffler 在他的著作 *Future Shock*（《未来的冲击》）中曾经预言："未来的社会将要提供的并不是有限的、标准化的商品，而是有史以来最大多样化、非标准化的商品和服务。"

1987 年，Davis 在 *Future Perfect*（《未来的理想》）一书中将大规模（mass）和定制（customization）合成，提出了大规模定制（mass customization，又称为大批量定制）的概念。他认为大规模定制新模式克服了部分（定制）和整体（大规模）只能取其一的矛盾，同时获得过去不可兼得的定制和大规模。大规模定制蕴涵的哲理是应该接受定制和大规模这对矛盾的共存而不是企图消除这对矛盾，但在大批量生产模式下，这是不可能的。新技术的出现使企业能够追求以前的技术难以区分的关于部分的细节，快速运作使企业可以考虑并行处理多个部分。速度和特异性是这些新技术的标志，也是产品和服务大规模定制的基础。

Kay（1993）认为大规模定制是一种驱动产品和服务的生产与递送的信息技术，这些产品和服务是在大批量生产的成本范围内有效地满足个性化的客户需求。大规模定制是一个整体的概念，不是应用于产品功能与特征的一个狭义的概念。它强调产品的开发、制造和递送的所有方面以及组织的管理结构。大规模定制可以看成是20世纪七八十年代出现的以客户为中心、精益生产、多样化、短的开发周期和扁平的授权管理文化等一系列管理创新的综合。

美国著名大规模定制专家Joseph Pine指出，大规模定制是指在大规模的基础上生产和销售定制产品和服务，它是制造业和服务业的新范式，是透视企业竞争的新方法，它将识别并满足个性化客户的需求作为重点，同时不放弃效率、效力和低成本。1993年，Pine在他的著作*Mass Customization: The New Frontier in Business Competition*（《大规模定制：企业竞争的新前沿》）中通过大量的事例诠释和论证了大规模定制的生产模式，从而揭开了在全球广泛深入研究和实践大规模定制生产模式及其相关技术的序幕。

Tseng和Jiao（1996，2001）认为，大规模定制是以接近大批量生产的效率生产商品和服务来满足个性化的客户需求，其目标是通过增加多样化和定制化提供令客户满意的商品和服务，但并不相应地增加成本和交货期。大规模定制可以获得更高的利润边际，因此更具有竞争优势。通过增加现代制造系统的柔性、可编程计算能力和通信技术，中低生产规模的企业可以通过实施大规模定制取得超越竞争对手的优势。大规模定制能够更好地匹配生产者的能力和客户的需求，使客户获得更好的产品和服务，这需要通过开发企业的产品、服务、装备和技能以响应市场需求或将客户引向企业的总能力范围来实现。

综上所述，大规模定制的概念可以从广义和狭义两个方面理解。

广义地，大规模定制作为一种现代生产和管理模式，面向多元化、细分的市场和个性化的客户需求，在大规模的基础上生产和销售定制产品与服务，它代表通过高度的过程敏捷性、柔性和集成性向每个客户提供个性化产品和服务，获得范围经济（economy of scope）的能力。

狭义地，大规模定制作为一种方法和技术，被看成是利用信息技术、柔性的过程和敏捷的组织结构，以接近大批量生产的效率和成本提供能满足各个客户特殊需求的一系列产品和服务。它是一个贯穿营销、开发、生产和递送（即从客户提出需求到收到最终产品）全过程的系统的概念。

1.1.2　大规模定制的特征

大规模定制模式的关键特征为多样化和个性化的需求，多元化的细分市场，低成本、高质量、定制化的产品和服务，短的产品开发周期，以及短的产品生命周期。

1. 多样化和个性化的需求

买方市场、市场全球化、需求分层和多样化的用途是造成多样化和个性化的需求的主要原因。

随着商品供应的日益丰富，出现了供过于求的现象。市场环境由卖方市场转向买方市场，客户有了更多的权力去选择他们喜好的商品。过去，客户只能调整和克制自己个性化的需求去适应标准化的产品；而现在，制造商需要了解和满足客户个性化的喜好以赢得和留住客户。

市场全球化的趋势给许多公司特别是跨国公司带来了前所未有的机遇，但它们也要面对各个国家不同的市场和不同需求的消费者。不同的国家有不同的国家标准、消费水平、习惯和文化背景，制造商只有充分了解这些不同的需求和要求，进而提供满足这些需求和要求的产品和服务，才能在全球化市场中赢得市场份额和客户。随着产品应用范围的扩展，不同的用途也会造成多样化的需求。例如，打印机最初用于办公室的文字打印，后来应用范围逐渐扩展到家庭、外出、票据打印、图形打印和照片打印等。对打印机的需求也从简单的文本打印向着多样化和个性化的方向发展，需要能够打印出各种图片和照片，要求打印的效果更出色、更逼真，外形更轻巧，便于携带，甚至需要打印机能够脱离计算机，成为能直接和数码相机相连的独立产品。

2. 多元化的细分市场

需求的多样化和个性化使以往统一稳定的大市场日益多元化，逐渐变成许多不同层次和不同区段的细分市场，市场呈现出总额在逐渐增大但每个细分市场在逐渐缩小的趋势。企业要想赢得市场竞争，就应该追随这些具有个性化需求的细分市场，并尽量满足细分市场中不断变化的需求；要想获得更大的市场份额，又必须占领和覆盖尽可能多的细分市场。但是，现在没有一种产品和服务是适应所有细分市场的“万灵药”，即便有标准化的通用产品和服务能够覆盖多个细分市场，竞争对手专门针对细分市场的产品和服务也会使这些通用产品和服务相形见绌。20 世纪 80 年代初的个人计算机市场还是统一的大市场，到 80 年代末逐渐分解为工业控制、科学计算、办公和家庭、便携式等多个细分市场；到 90 年代又进一步细分，办公和家庭计算机市场分解为日常办公、辅助教学、家庭娱乐等细分市场，便携式计算机市场分解为笔记本、掌上机、可穿戴式等细分市场，并且可分为高端、中端和低端等更细小的市场；在每个细小的市场，还有不同品牌和不同配置的计算机。

不断细分的市场使企业陷入专注于更细小的市场和扩大总市场份额的矛盾中。幸运的是，这些细分的市场并不是孤立的，而是存在着内在的联系和许多相似的需求。因此，找到这些内在联系和相似需求，同时发现每个细分市场的特殊性和个性化的需求，是企业采用大规模定制模式生产定制化产品和服务满足客户多样化和个性化需求的先决条件。

3. 低成本、高质量、定制化的产品和服务

细分市场还会给企业带来另一对矛盾。市场不断地细分，使企业所在的细分市场的需求量逐渐减少，从而导致产品生产批量的下降，造成生产成本升高的压力，但是需求量的减少又会导致市场价格的下降。采用大批量生产模式的企业在不断细分的市场环境中会逐渐陷入困境。既能以小批量甚至单件生产和提供满足细分市场中个性化需求的定制化产品和服务，又能够保持低成本的企业才能赢得市场竞争。要做到这一点，企业需要在不增加固定成本的前提下生产和提供大量不同品种的定制化产品，在满足不同细分市场需求的同时保持高的生产总量。例如，20 世纪 80 年代，惠普公司开发了喷墨打印机，为了取得竞争优势，惠普公司陆续推出了一系列面向不同细分市场的喷墨打印机，如面向低端市场的单色打印机 Deskjet 500、彩色打印机 Deskjet 500C 和双笔打印机 Deskjet 550C，便携式单色打印机 Deskjet 300 和彩色打印机 Deskjet 340C，面向中端市场的高清晰彩色打印机 Deskwriter 600C 和双笔打印机 Deskwriter 660C，面向高端市场的高速高清晰双笔打印机 Deskjet 850C 等，并且在价格上颇具竞争力。当时的点阵打印机价格在 350 美元左右，而 Deskjet 500 的价格在 400 美元以下，接着推出的 Deskjet 500C 的价格在 350 美元左右，后来推出的 Deskwriter 600C、Deskwriter 660C 和 Deskjet 850C 的价格大约分别为 250 美元、350 美元和 500 美元（Meyer and Lehnerd，1997）。

面对多样化和个性化的客户需求，质量的意义不再是大批量生产模式下的废品率和故障率等统计概念，而是恰如其分地满足客户的期望需求和潜在需求。质量不再仅是“遵循标准”或“消除误差”，而是在使客户满意和喜悦中获得的。高质量意味着生产正确的产品，并在正确的时间、正确的地点递送到需要它的客户手中。

4. 短的产品开发周期

多样化的客户需求和多元化的市场需要大量不同的产品来满足，要求企业开发多品种的产品。而个性化需求和细分市场很不稳定，不断变化，只有不断地以

更快的速度开发出满足客户需求的产品才能获得成功。这两个方面因素都要求企业缩短开发周期。另外，新的产品技术和过程技术的不断涌现使得产品不仅能更快地开发出来，还可以高效地制造出来。这些因素综合到一起，就加快了新产品推出的速度。英特尔公司的创办人 Gordon Moore 于 1964 年提出了著名的摩尔定律："集成电路的集成度每隔 18 个月要翻一番。"半个世纪以来，电子和计算机行业的技术和产品一直沿着 Gordon Moore 预测的轨道飞速发展。而在其他的许多行业中也都存在类似的发展情况。

5. 短的产品生命周期

不稳定的个性化需求和细分市场会造成产品生命周期的缩短。新的替代产品的迅速推出也加速了老产品生命周期的终结。现代消费者不但要求产品的样式选择多样化，同时其需求的变化速度之快更令人吃惊。许多受市场欢迎的新产品推出后，往往"蜜月期"还没结束，就在众多更新型竞争品牌的攻击下被迫降价。以女装为例，过去，妇女和姑娘们的服装主要分为夏季和冬季两季。随着时尚意识的增强，她们花在服装上的钱更多了，衣橱里的衣服越来越多，她们的需求变化也越来越快。为了响应需求变化，制衣业和零售业增加了春、秋季的服装系列，近来又增加了一年中的额外"季节"，进一步把一年划分成了六七个，甚至八个时间段，每个时间段都有相应的服装系列。像 The Limited 这样的公司，要对每个新季节的前一两个星期什么产品好卖、什么产品不好卖进行预测，然后修改公司的生产计划，以便紧跟潮流。

1.1.3　大规模定制的分类

关于大规模定制，存在多种分类方法。这里从两个角度来讨论大规模定制的分类：一是根据产品或服务的生产活动中的定制特征进行分类；二是从营销的角度对大规模定制的产品和服务进行分类。

1. 根据生产活动分类

应用大规模定制生产方式的企业并非所有的生产环节都是按客户的定制化需求生产。实际上，绝大多数企业采用的是大批量生产和定制生产相结合的混合模式，即大批量生产通用、模块化的零部件，然后根据客户订单形成定制化的最终产品。这里通过引入客户订单分离点（customer order discoupling point，CODP）来说明大规模定制的分类。

企业根据市场预测进行有库存的大批量生产，当接到客户订单时，在库存原材料或预制零部件的基础上，开始进行满足客户需求的定制生产。所谓 CODP 就是指在企业生产活动（或价值链）中由基于预测的面向库存的制造（make-to-stock，

MTS，或称备货生产）转向响应客户需求的定制生产的转换点。如图 1.1 所示，企业满足客户需求的生产活动（或价值链）的主要过程为设计、制造、装配、递送和销售，图 1.1 中“▽”所示的点为 CODP。根据 CODP 在生产活动中的不同阶段，大规模定制可以分为按订单销售、按订单装配、按订单制造和按订单设计四种类型（Wortmann and Muntslag，1997；李仁旺等，2001；祁国宁等，2000）。

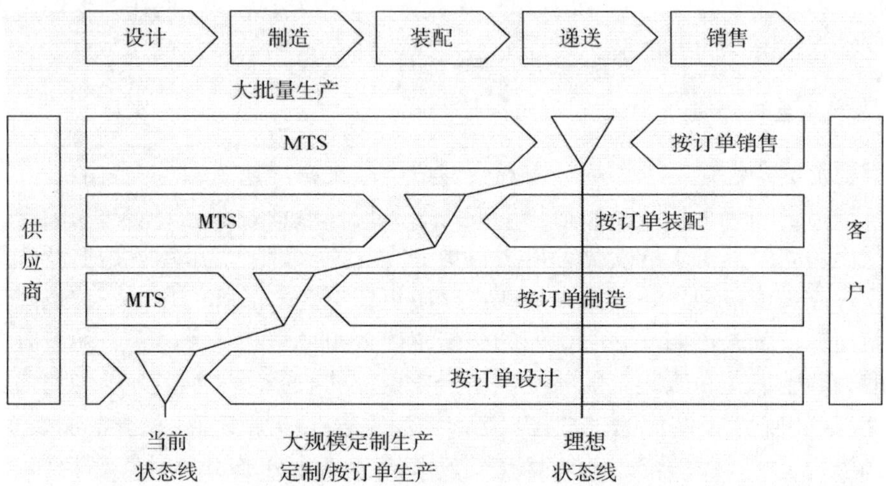

图 1.1 生产活动及其分离点（Wortmann and Muntslag，1997）

1）按订单销售

按订单销售（sale-to-order，STO）是指根据客户订单的需求量出库。在这种生产方式中，CODP 在销售或递送活动处，只有销售活动是客户订单驱动的。客户需求的改变仅仅影响产品库存，对生产活动没有影响。

按订单销售又分为两种情况。一种情况是面向库存生产出最终产品，然后按客户订单发货。这实质上是一种大批量生产方式，不能算是大规模定制。在这种方式中，销售活动不对产品产生任何实质性的改变。如日常生活品、普通家用电器、金属材料等就是按这种方式生产和销售。

另一种情况是根据客户订单包装或加工出库。虽然产品没有发生变化，却可以满足客户个性化的需求。这是一种流通加工的方式，是大规模定制的最简单形式。一些液体或散状固体物品可以按这种方式进行生产和销售。例如，消毒液的销售门市可以根据客户的实际需要，将消毒剂和水配置成不同浓度的消毒液以满足不同性质的消毒用途；分销中心根据零售门市的需求将散装食品包装成不同分量的袋装食品后发货。对于另一些商品，可以把一些简单的最后工序放到获知最终客户需求后再完成。例如，一些服装商店可以根据最终客户的实际需要完成裤脚的缝制，使裤长充分适合客户。

2）按订单装配

按订单装配（assemble-to-order，ATO，或称面向订单的装配）是指接到客户订单后，将企业中已有的零部件经过再配置后向客户提供定制产品的生产方式。在这种生产方式中，CODP 在装配活动处，装配活动及其下游的活动是由客户订单驱动的。客户需求的改变主要影响企业的零部件库存，而对产品制造过程几乎没有影响。模块化程度高的产品（如汽车、计算机、打印机和软件等）比较适合采用按订单装配的方式。另一种情况是由单个产品配置而成的套件，可以采用按订单配套的方式。如陶瓷企业（或经销商）根据客户订单配置陶瓷套具。它既可看成是按订单装配，也可看成是按订单包装销售。

3）按订单制造

按订单制造（make-to-order，MTO，或称面向订单的制造）是指接到客户订单后，在已有零部件的基础上进行变型设计、制造和装配，最终向客户提供定制产品的生产方式。在这种生产方式中，CODP 在制造活动处，变型设计及其下游的活动是由客户订单驱动的。客户需求的改变直接影响到产品制造阶段，此时产品的制造不再仅仅是企业单方面的事，而是需要客户的参与，有时甚至还需要零部件供应商的参与。例如，客户直接参与产品物料清单（bill of material，BOM）的确定等。许多大型设备或模块化程度不太高的产品（如飞机、大部分机械产品、家具和服装等）需要按这种方式生产。

4）按订单设计

按订单设计（engineer-to-order，ETO）是指按照客户订单中的特殊需求，重新设计能满足特殊需求的新零部件或整个产品，在此基础上向客户提供定制产品的生产方式。在这种生产方式中，CODP 在设计活动处开发设计及其下游的活动是由客户订单驱动的。此时产品的设计由客户和企业共同完成，多数情况下还需要零部件供应商的参与。一些大型设备（如化工设备、水轮发电机）、特制的纪念品等可以采用这种方式。

在图 1.1 中，随着 CODP 从右向左移动，产品的可定制化程度由低到高。可定制化太低，产品就难以适应客户个性化的需求和不断变化的市场。可定制化程度越高，就意味着产品可以更接近客户的真实需求，但随着 CODP 的左移，零部件又会变得越来越专用，生产批量减少，实现范围经济将变得困难，生产活动的复杂性、产品的成本和交货提前期也会相应地增加。因此，在大规模定制生产模式的实际应用中，企业往往要在产品可定制化和零部件生产批量上进行一定的折中。目前，按订单装配和按订单制造是主要的大规模定制生产方式。

虽然上述类型是根据离散型生产企业生产活动的特征进行的分类，但是对连续性生产企业和服务型企业也有借鉴作用。

2. 从营销角度分类

从市场营销或客户需求获取与满足的角度，大规模定制也可分为四种类型：合作定制、适应定制、装饰定制和透明定制（Gilmore and Pine，1997）。

1）合作定制

合作定制（collaborative customization）是指企业通过与每个客户对话和交流帮助他们清楚地表达自己的需求，确定能够准确满足这些需求的产品和服务，并为他们定制这些产品和服务。在合作定制中，客户作为合作者参与定制产品的设计，即客户的产品由客户设计（design by customer）。合作定制可以有两种方式，即选择型合作定制和描述型合作定制。

选择型合作定制将产品的定制转化成多个特征的选择，对于每个特征提供给客户预置的多种选项，客户通过分步选择这些选项获得自己需要的产品类型。这种定制方式的优点是过程简单并且产品组件有通用性，客户可以在没有专业人员帮助的情况下完成定制产品选型，使企业获得低成本、高效率和范围经济的优势，因此这种定制方式往往是企业优先选择采用的方式。这种定制方法比较适合产品特征的各个选项容易分段描述且数目不多的情况。例如，美泰公司提供的芭比娃娃定制设计就是采用选择型合作定制方式。

当通过选项难以清楚地表达客户的真实需求或在过多的选项中进行选择会使客户感到困惑和沮丧时，可以采用描述型合作定制方式。一种情况是客户对特征进行描述，适用于有较高精度要求或特殊要求但表达比较容易的特征描述，如填写需要的实际尺寸或纪念性的文字等。这种方式的产品设计也不需要专业人员帮助，但客户所选择的这些特征不具有通用性，在生产中可能对设备的柔性和工人的技能有较高的要求。另一种情况需要企业的设计或销售人员与客户共同完成个性化需求的描述，主要针对既复杂又特殊的个性化需求，如定制适合客户脚型的鞋、适合客户脸型的眼镜、适合女士身体曲线的服装和适合房间的家具等。

有时，企业可以将两种合作定制方式综合起来应用，对易于分段的特征采用选择型，对不适合用选项描述的特征采用描述型。这样既可以更确切地描述客户的个性化需求，又可以保持更大程度的产品组件通用性。例如，Shirts.com 使客户可以选择加描述设计自己的个性化 T 恤衫，客户可以选择 T 恤衫的样式、颜色、尺寸，选择印在 T 恤衫的图案，写上一些文字并选择字体、字号和颜色。

2）适应定制

适应定制（adaptive customization）提供一个标准化但可定制的产品，这个产品的设计使客户可以在使用时进行个性化的选择。适应定制是将客户在不同场合需要的不同用途集成在一个产品中，允许客户在使用时通过选择产品中预置的定制功能获得定制效果。当完全满足客户个性化需求会产生太多应用范围狭窄的最终产品或零部件，而将客户在不同场合的需求或不同客户的需求集成到一个可选择功能的产品中能够取得规模经济时，适合采用适应定制方式。采用这种方式，微软公司的 Office 软件使客户可以在使用时根据自己的需要随心所欲地定制 Office 软件的桌面快捷按钮；Lutron 电子公司的 Grafik Eye 系统允许客户预先将房间的组灯设定成照明、聚会、浪漫时分或适合阅读的宁静等情形，在不同的场合方便地选择不同用途（Spira，1993）。

3）装饰定制

装饰定制（cosmetic customization）是将标准化的产品或服务有区别地呈现给不同的客户，可以看成是标准化产品加上定制化表现形式。当客户需要的产品用途相同而仅仅需要用不同方式呈现时，则可以将标准化的产品特别包装后提供给不同的客户，而无需提供定制化或可定制的产品。装饰定制的一个例子是给标准化产品加上客户化的包装或私人标签等。另一个例子是在特定的交货时间和（或）地点交付标准化产品，这可看成是标准化产品加上定制化服务。而这样的结果是使每个客户都体验到看见“只为我一个”（just for me）的个性化项目的自我满足感。例如，Nabisco 的一个子公司 Planters 根据 Wal-Mart、Safeway、7-Eleven、Jewel 和 Dominick 等零售商对其花生和混合坚果的不同需求，提供不同分量包装和不同标签的产品，采用不同的发运方式快速响应每一个零售商的需求。

4）透明定制

透明定制（transparent customization）是将定制的产品或服务提供给各个客户，但并不让他们明显地知道这些产品和服务是为他们定制的。当客户的特殊需求是可预测的或能够容易地推断出时，特别是当客户不想重复地陈述其需求时，可以采用透明定制方式为客户提供定制的产品或服务。企业观察客户行为但并不直接与客户交互，然后不引人注意地用标准化的包装提供给客户定制化的产品。Chemstation 是一个生产和分销工业清洁剂的公司，根据其客户用于洗车及清洁仓库、餐馆的厨房和工厂的地面等不同用途，应用其专利技术和独特的工艺，为客户在浓度、pH 值、酶浓度、发泡度、颜色和气味等方面定制成适合的皂液，然后采用统一的罐装发送给不同的客户，给客户的印象更多的是 Chemstation 的产品好用，而不是去关心产品的特殊性。Ritz-Carlton 宾馆在客户数据库中存储每一个客户的信息，以便在这些客户多次光临时，为他们提供更多的定制商品和服务。

如图 1.2 所示，在合作定制方式中，产品及其表现形式都将发生改变，这需要企业有较强的客户沟通能力和快速获取客户需求信息的能力；适应定制的产品及其表现形式都不发生改变，这实际上是在充分预测客户需求的基础上，生产集成多样化需求的高柔性的可定制产品；装饰定制的产品不变，只是表现形式发生改变；而透明定制恰恰与之相反，其产品改变，表现形式不变。

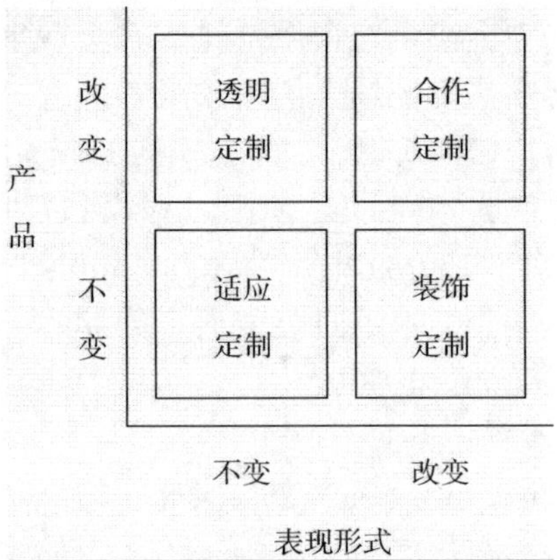

图 1.2 四种定制方式的比较（Gilmore and Pine，1997）

在向客户提供定制化的产品和服务时，企业应该根据客户的需求情况选择适当的定制方式。为了给客户提供更好的定制化产品或服务，企业也可以选择多种方式相结合，或在不同阶段、或针对不同客户或不同产品选择不同的定制方式。例如，Lutron 是一个杰出的适应定制产品制造商，但也会与客户合作，根据客户的墙面选择匹配的产品颜色，或将灯光控制与安全系统集成在一起。同样，Planters 主要采用装饰定制方式，但也会定期与零售商合作以改变坚果（nut）的混合方式。

3. 两种分类的关系

根据生产活动分类和从营销角度分类是大规模定制的两种典型的分类方法，这两种分类方法之间又存在内在联系，如表 1.1 所示，“√”表示相关。分析它们之间的关系，有助于建立企业在大规模定制模式下的营销活动与生产活动之间的有机联系。

表 1.1 两种分类的关系

根据生产活动分类	从营销角度分类			
	合作定制	适应定制	装饰定制	透明定制
按订单销售		√	√	√
按订单装配	√			√
按订单制造	√			
按订单设计	√			

合作定制覆盖按订单装配、按订单制造和按订单设计三个区域。如果是选择型合作定制，则生产活动中的 CODP 在装配阶段，即对应于按订单装配的定制方

式。如果是无需企业人员参与的描述型合作定制，则很可能需要按订单制造来完成客户需要的产品。如果是需要企业人员参与的描述型合作定制，则往往需要按订单设计才能满足客户的个性化需求。

适应定制和装饰定制都是对应于按订单销售。但适应定制是按订单销售标准化的产品；而装饰定制则是将标准化的产品进行不同包装后递送给不同的客户。

透明定制一般根据预计的客户需求，将已有的原料配制成最终产品或将已有零部件装配成最终产品，或将已有的单件产品配成套具，然后采用相同的表现方式提交给客户。因此，透明定制覆盖了按订单销售和按订单装配两个区域。如果这种配制或配套过程比较简单，可以在销售点或配送中心完成，则属于按订单销售范围；如果配置或配套比较复杂，或需要将零部件装配成产品，这些工作需要在专门的制剂车间或装配车间完成，则属于按订单装配（或配置）的范围。

1.2　大规模定制的实施要素

1.2.1　大规模定制的目标

大规模定制旨在以接近大批量生产的成本和效率提供满足客户需求的多样化和个性化的产品和服务，因此多样性（variety）、时间和成本是大规模定制的三大目标。

1. 多样性

产品（或服务）的多样性是指一个制造（或服务）企业向市场提供产品或服务的变化和差异性。产品（或服务）的多样化有两种类型，即功能多样性（functional variety）和技术多样性（technical variety）。功能多样性是指与产品（或服务）功能相关属性的各种差异性，这种差异性可以给客户带来利益，是客户可见的产品（或服务）外部多样性（external variety）。技术多样性涉及为了获得客户所需产品（或服务）的特殊功能所需要的不同的技术、方法、过程、模块和组件等，是客户不可见的内部多样性（internal variety）。功能多样性是从市场营销的角度观察的多样性，它与客户满意度密切相关；技术多样性是从工程的角度观察的多样性，它与复杂性和成本有关。通常功能多样性是好的，但并非总是如此；而技术多样性则总是不好的（Tseng and Jiao，2001；安德森和派恩，1999）。

功能多样性分为两种。一种是客户欢迎的、有用的多样性。例如，能够使客户更加满意的有用的选项、不同的风格以及不同的规格。应该在成本和生产效率允许的范围内，尽量增加有用的功能多样性。另一种是无用的，它对客户来说是表面性的、不重要的，甚至是令人困惑的。例如，尼桑牌汽车曾经有 87 种可供选用的方向盘，其中 70 种只安装在 5%的汽车上。无用的功能多样性应该予以消除。

技术多样性也分为两种，即结构多样性（structural variety）和过程多样性（process variety）。结构多样性存在于构成多样化产品的不同零部件、模块和参数，结构关系的变化，可选择的配置机理等之中。过程多样性是与工艺规划和生产过程相关的变化，如不同的加工路线、工具、夹具和工作站等。

大规模定制企业应力求增加有用的功能多样性，同时尽量减少技术多样性。

2. 时间

大规模定制企业面临时间方面的两个挑战：一是短的产品生命周期；二是短的交货提前期。

由于消费者需求的不断变化和竞争型产品的不断推出，产品的生命周期变得越来越短。例如，信息技术产业的产品生命周期，在 20 世纪 70 年代平均为 8 年，在 80 年代则缩短为不足 2 年。由于细分市场规模越来越小且不断变化，企业只有以更快的速度生产出更多品种的产品才能不断地取得成功。产品技术更新的速度日益加快，因此必须以同样的速度缩短产品开发周期。

个性化和不稳定的客户需求使企业难以预测什么时候客户需要多少什么样的产品，因此只能采用面向订单的生产方式以避免造成高库存和滞销产品。但是，从接到客户订单到生产出满足客户需求的定制产品总是需要时间的，而大多数客户没有耐心长时间地等待。在价格和质量相当的情况下，他们往往会把订单下达给能够最快提供满足其需求产品的企业。因此，企业要想获得客户订单，必须尽可能缩短交货提前期，以便在接到客户订单后，能够以最短时间生产和递送满足客户需求的产品。

3. 成本

激烈的市场竞争和众多的替代产品迫使企业在快速提供满足多样化和个性化客户需求的产品和服务的同时，还必须保持低成本和低价格。因此在买方市场环境下，客户不会为定制化的产品支付过多的额外费用。大规模定制企业需要以接近大批量生产的成本向客户提供定制产品。

图 1.3 描述了大规模定制的经济意义（Tseng and Jiao，1996）。在大批量生产中，低成本主要通过规模经济实现，即通过重复生产提高产品的生产批量来降低成本。在客户对产品保持单一、稳定的大量需求的情况下，规模经济带来的低价位和大批量生产过程带来的成本优势不可战胜。但随着客户对这种产品的需求量降低，大批量生产的成本会陡然提高，当到达某一点（*A* 点）时，将无法获得利

润。在大规模定制模式下，低成本是通过范围经济获得，产品成本与生产批量的相关性小，因此即使在每种产品生产批量很小（甚至单件）的情况下，都能够保持低成本，并获得利润。在产品生产批量小于某个值（*B* 点）时，大规模定制模式具有竞争优势。

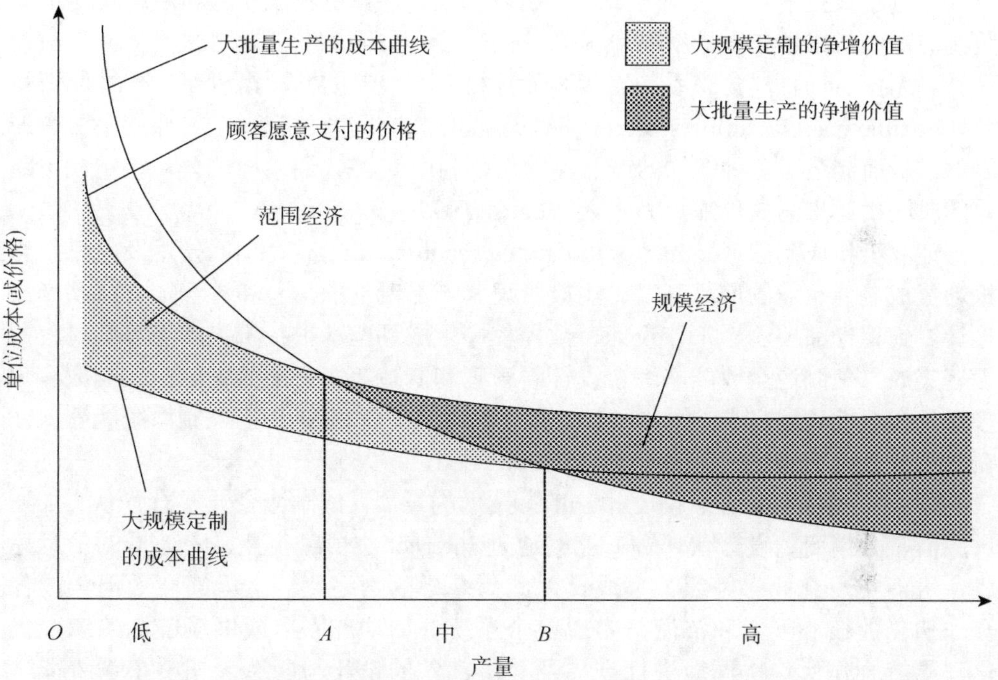

图 1.3　大规模定制的经济意义（Tseng and Jiao，1996）

1.2.2　大规模定制的使能技术

针对实施大规模定制生产模式的三个要素——多样性、时间和成本，迎接这些挑战的主要使能技术是产品族和产品平台、先进制造技术、电子商务、柔性生产管理以及敏捷供应链。

1. 产品族和产品平台

在大规模定制生产模式下，制造商应该将产品开发和生产模式从传统的面向单一产品转变为面向产品族。产品族（product family）是指共享通用技术并定位于相互关联市场应用的一组产品，它是一种利用有限的开发、制造和服务来经济地发展产品多样性的方法。产品族是在通用关键技术基础上高效开发的一系列派生产品。这个关键技术基础被称为产品平台。产品平台（product platform）是由一组产品共享的一组子系统（如零部件、模块）、接口和制造过程，利用它能够高效地创造和产生一系列派生产品（Meyer and Lehnerd，1997）。

2. 先进制造技术

先进制造技术及其系统（如柔性制造系统、计算机集成制造和网络化制造）是制造商以低成本和高效率制造出多样化产品、实现大规模定制的重要工具。

利用由自动物料处理系统连接和计算机系统控制的同一组机床，柔性制造系统（flexible manufacturing system，FMS）可以根据需要生产一个零件族中所有的零件，从而制造出多种多样的产品。例如，利用 FMS，通用电气公司将定制电路箱的时间由原来的 3 周缩短为 3 天（Lau，1995）。

计算机集成制造（computer integrated manufacturing，CIM）技术及其系统有机地集成制造企业的产品开发、生产管理和产品制造的信息和过程，支持从产品设计、虚拟产品展示、工艺设计、数控程序生成到驱动数控机床加工等全过程的无缝集成，使制造企业能够综合设计、管理和制造等多方面的资源快速响应客户多样化和个性化的需求。例如，摩托罗拉公司的实时 CIM 工厂控制系统能够保证在 3 小时之内制造出定制的寻呼机（Eastwood，1996）。

网络技术特别是互联网（Internet）技术的发展，使制造企业及合作伙伴（如供应商、分销商、设计伙伴等）能够通过 Internet 实现跨企业、跨地域的信息集成，进而实现企业（组织）集成。以此为基础的网络化制造能够有效地集成各合作伙伴的核心能力和资源，实现整个系统（如动态联盟或供应链）的综合优化，支持合作伙伴协同地进行产品及其零部件的设计与制造，使整个系统能够快速响应多样化的客户需求（Dan et al.，2005）。这将是面向大规模定制的制造系统的主要发展方向。

3. 电子商务

大规模定制产品的多样性缘于众多客户的需求多样性。众多的客户和小订货批量（甚至单件）是大规模定制市场需求的主流和特点。要想以低的营销成本实现大规模定制的产品营销和客户需求（或订单）获取，电子商务将是一种有效的营销模式。

大规模定制环境下的电子商务主要有以下职能。

1）实现产品的多样化表达和虚拟产品展示

利用电子商务系统，制造企业可以将各种产品（包括虚拟产品）展示在几乎无限容量的电子橱窗中，供客户选购。例如，美泰公司在其网站上展示了 78 万多种可定制的玩偶产品；在戴尔公司的网站上，客户可以定制近千亿种不同配置的台式计算机产品。电子橱窗能够展示的产品种类远远大于任何一家“砖头加水泥”

（brick-and-mortar）商店。在大规模定制环境下，绝大多数产品是虚拟产品，只有在接到客户订单的情况下才投入生产，而“砖头加水泥”商店无法展示虚拟产品。

2）快速获取客户个性化的需求并及时响应

基于电子商务系统，客户可以方便地表达自己的个性化需求，这些个性化需求信息可以立即被制造商获得。有些电子商务系统甚至可以支持客户与制造商的直接交流。利用电子商务可以大大缩短交货提前期，因此，制造商可以将推动式的面向库存的制造（make-to-stock）变为拉动式的面向订单的制造（make-to-order），实现对客户需求的快速响应。

3）降低大规模定制的产品多样化销售成本

大多数企业的定制产品是面向最终消费者的，营销主要采用B2C（business to customer）模式，每个订单中的产品都是个性化的且批量小（甚至单件）。如果采用传统的营销方式，则每件产品的营销成本将非常可观。而电子商务的产品销售多样化成本却几乎为零（Dewan et al.，2000）。利用B2C模式的电子商务，面向众多不同需求的客户，每件产品的营销成本可能降低到接近大批量生产产品的水平。

目前，许多实施大规模定制生产模式的企业将电子商务作为定制产品的主要营销手段。电子商务已成为实现大规模定制产品市场营销和与客户联系的实际而有效的工具。

4. 柔性生产管理

与面向大规模定制的制造和营销相适应，面向大规模定制的生产管理也应该是柔性的。基于产品族和产品平台及其通用性和模块化，柔性的生产管理可以通过基于产品族的配置管理、面向订单的装配和精益生产等关键技术来实现。

1）基于产品族的配置管理

基于产品族的配置管理通过一套参数和规则，为一个产品族中不同型号产品选择标准选件和附件，定制产品。产品族配置管理主要有两个方面的功能：①保证产品族结构模型的一致性并向应用系统提供产品族结构的多视图管理；②根据一定的配置条件，为客户或应用系统配置出产品族中的具体产品。产品族的配置管理是在产品族结构管理功能基础上，为产品族结构模型的叶节点、枝节点建立配置项和结构选项，并通过建立配置条件来实现配置管理（冯韬等，2003）。

通过配置管理可以方便地生成该产品族的所有产品品种，在保证销售灵活性的前提下，使由各种不同产品构成的最终产品物料清单及工艺流程数量减至最少，消除大规模定制产品族数据管理中的冗余；并且能够根据不同产品和特征来平衡需求和预测，缓解生产瓶颈，缩短提前期，从而提高产品族数据管理和生产管理的效率，降低生产成本。

2）面向订单的装配

基于产品族和产品平台，产品零部件设计和制造常常是标准的，然后按照客户选择的不同选项来组装生产定制产品，产品零部件的装配方法一般也是通用的。这也是应用最为广泛的面向大规模定制的生产方法之一。以 Dell Dimension 8250 计算机产品族为例，它的 78 亿多种产品可以由不到 100 种部件组合而成，而且这些部件全部都是通用的部件。

采用面向订单的装配，其交货提前期相对于面向订单的制造大大缩短；并且生产定制产品的绝大多数零部件是标准的和通用的，这可以大大降低定制产品的成本。

3）精益生产

近几年，精益生产（lean production）被看成是制造车间实现大规模定制生产模式的一种方法。“精益”的目标是在有效地管理多样化产品生产的同时消除各种形式的浪费，包括生产流程和信息中的浪费。就好像是准时制（just-in-time，JIT）和浪费管理的结合（Charles，2001）。

与面向订单的装配相配合，零部件的生产可以采用装配订单拉动的 JIT 生产方式。这样既可保证客户定制产品的及时生产和交货，又可减少在制品的库存和等待时间。

除了最小化传统意义上的浪费，如废品和废料等之外，精益生产还要求消除超额库存、不必要的产品和零部件搬动以及低效率的生产方法。这里，消除时间上的浪费与消除物质上的浪费同等重要，因为通常情况下，80%~90%的设计、生产和递送时间是不增值的或被浪费掉了。

5. 敏捷供应链

传统的刚性供应链无法满足大规模定制环境下快速和低成本地响应客户多样化和个性化的需求，面向大规模定制的供应链不仅应该是精益的，更应该是敏捷的。面向大规模定制的供应链应具有适应产品多样化需要的柔性，并且在必要的时候可以对整个供应链进行快速重构。

面向大规模定制的供应链更强调信息流的作用。传统供应链的信息流是从一个公司到它的供应商（上游）或销售商（下游）的链式流动，难以跨越供应链中的某一环节。这种信息间隔和不对称会导致需求信息在供应链上下游之间的延迟和扭曲（即所谓“牛鞭效应”），从而导致供应链无法快速和准确地响应市场变化和客户定制需求。面向大规模定制的供应链应该是基于 Internet 的信息技术密集型供应链。供应链的任意两个合作伙伴以及合作伙伴和客户之间都能够实现直接的信息交流和共享，即信息流不再是链式流动，而是网状流动。这样可以加速信息在供应链中的传递和共享，使客户订单的获取到定制生产任务的分配能够在瞬间完成，从而提高供应链的敏捷性（邵晓峰等，2001）。

利用标准化、模块化的产品设计以及供应链生产工序配置等技术，可以将 CODP 点延迟。供应链生产工序配置包括两个方面的内容，即模块化的工序设计和供应链网络设计。模块化的工序设计是将整个产品的生产工序（特别是装配工序）拆分为一些独立的子工序，即工序模块。模块化的工序设计提供了大规模定制所需要的柔性。这些工序模块可以在整个供应链中合理地安排以实现延迟策略。供应链网络设计是对库存、制造设备和分销设施的位置、构成和数量等进行设计，使其提供以下两种能力：一是能够以经济的批量向执行定制的设备供应通用的中间产品和模块化部件；二是具有快速获取客户订单和递送最终定制产品的柔性和响应能力（Feitzinger and Lee，1997）。

这样，可以由制造商事先生产通用的中间产品和模块化部件，等获得了最终用户的定制需求之后才执行产生不同的最终产品的生产环节，并且将这些最终的生产环节放在离最终用户较近的供应链环节（如分销中心或配送中心）完成。这种方式将产品的最终定型在时间和空间上都进行了延迟，可以缩短交货提前期、减少供应链库存、改善服务，从而使供应链能够快速和低成本地满足客户的定制需求。

1.2.3　实施大规模定制的约束条件

与任何生产模式一样，大规模定制模式也有其约束条件。企业在实施大规模定制模式之前，应充分了解其约束条件和风险，从而减少实施过程中的障碍和规避风险。不同的行业（或企业）实施大规模定制的约束条件不尽相同，但主要的约束一般来自市场环境、信息和知识、企业能力和合作伙伴等方面。

1. 市场环境约束

任何企业的生产都必须面向市场，更好地满足客户需求，大规模定制也是为了实现这一目标而产生的。定制的差异性确实能够在一定程度上扩大产品和服务的多样性，有助于提高企业的竞争力。定制的最终目的是为客户提供高附加值的产品和服务，即产品和服务的定制特征必须是能为客户提供具有明显价值的属性，唯有如此，产品才能形成足够的市场潜力。大规模定制模式要求产品和服务的定制特征能够为许多客户所接受并愿意为之付出费用，但并非所有的产品和服务加上定制特征就会受到客户的欢迎。一些形式上的定制顶多只能引起客户一时的兴趣。像在香皂上雕刻客户的名字之类的产品特征，即使能实现大规模定制，也不可能给企业带来持久的竞争优势。只有在客户对产品属性差异的偏好要求较高的行业，大规模定制才可能具备充分的市场潜力，才能真正实现大规模定制的竞争优势。例如，在服装行业，由于人们身材各异，对服装合身的要求又很高，实施大规模定制能够取得好的效果。但将来我们会去定制纯净水吗？可能性较小，因为目前人们对纯净水的个性化需求不明显，市场潜力不足（罗瑞荣，2002）。

另一种约束来自客户对产品更新过快的对抗。随着产品生命周期的缩短和持续创新速度的加快，客户有时发现自己购买的产品很快被一种新的、更优秀的产品所淘汰，这使他们感到失落和愤怒。这不是服务的问题，因为服务一般在被购买时也就算被消费了。这在更大程度上是产品改型太多的问题，而不是个性化定制的问题。当出现连续购买相关产品的情况时，客户可能会对技术淘汰产生反抗。例如，20 世纪 90 年代，激光唱片出现不到 10 年，就又受到数字式录音带的威胁，消费者曾经抵制这种新型产品，因为他们不愿意自己昂贵的激光唱片这么快地落伍。在工业品市场上也有类似的情况（派恩，2000）。

市场竞争环境和竞争对手的影响也是一个不可忽视的因素。传统大公司为了保护自己的技术和资源投入以及期望的利益，常常会通过自己在业界和政府的影响对中小企业的新产品和新技术进行遏制。例如，Napster 曾是一个美国免费音乐下载服务商，通过网络向注册用户提供 MP3 格式的数字音乐。MP3 是一种创新的数字压缩技术，它的出现带来信息经济时代的一场数字音乐革命。这场革命的直接结果是催生了如 Napster、MP3.com、Diamond（生产 MP3 播放器）等一大批专门从事 MP3 商业化活动的新型互联网企业，使广大音乐消费者得以欣赏到免费或低廉的高品质数字音乐。飞速发展的 MP3 业已经将传统的音像制造服务业逼到了绝路的边缘，因为数以百万计的青少年不再花钱购买激光唱片，致使 2000 年美国唱片业损失高达 100 亿美元。Napster 成立于 1999 年 5 月，巅峰时期曾拥有 6000 万注册用户；1999 年 12 月，全球五大唱片公司——环球、贝塔斯曼、索尼、时代华纳和百代以协助盗版罪联名起诉 Napster；2001 年 7 月，法庭宣布 Napster 的服务器将被关闭，Napster 正式申请破产保护。

2. 信息和知识约束

定制个性化产品和服务通常意味着企业必须知道并跟踪大量个性化信息。这些个性化信息可能会打扰客户并涉及一些客户不愿意告知的私人问题，因此有些客户不配合调查或提供虚假信息，给企业准确获取客户需求信息带来麻烦。由于公司越来越多地收集和使用现有和潜在客户的信息，看来隐私问题是不会消失的。解决这个问题要靠企业和客户双方的配合。一方面，公司绝对不能滥用收集到的信息；如果滥用了就会招致客户的对抗和政府的干预。另一方面，客户应该认识到这些信息不仅仅对公司有价值，对自己也是有价值的。有了数据库营销技术，客户有更多的机会尝试他们需要的新产品与服务，更重要的是，他们可以更少地遭受来自邮件、电话和电视的他们不需要的产品与服务的报价、广告以及骗人花招的打扰。

不仅客户信息不足会约束企业实施大规模定制，企业的信息过载同样也会对大规模定制模式产生威胁。随着新产品和服务被不断地开发出来，客户可能面对激增的品种和确定什么产品与服务最适合自己所必需的信息不知所措，特别是和生活密切相关的产品和服务。最明显的表现就是，网页或者货架上琳琅满目的产品常常搞得消费者晕头转向，专业技术水平越高的产品就越是如此。不仅是客户有这些问题，零售商也抱怨货架上难找空间，仓库里很难堆进所有的品种，甚至制造企业内部的人也抱怨产品跟踪困难。例如，在 20 世纪 70 年代早期，IBM 为制造和分销公司创建了应用软件定制服务，通过 IBM 系统工程师管理的调查表和向应用软件程序员咨询，个性化定制每个公司的软件产品。虽然每一个客户都得到了定制的应用软件，但 IBM 发现，当客户有问题打电话咨询时，IBM 不能明确断定客户使用的是哪一种程序指令或怎样进行维修。由于需要大量的信息，IBM 发现为应用软件服务非常困难。

另外，客户对产品有限的知识也会对大规模定制产生约束。大多数客户（特别是最终消费者）不是产品和技术方面的专家，因此，当他们面对一些与专业知识有关的选择或问题时，往往会无所适从。你的汽车配四缸还是六缸的发动机？你的空调需要变频功能吗？你的洗涤剂是要酸性、碱性还是中性的？这些问题不但不能博得客户的好感，反而会使客户感到束手无策，甚至会认为要做出明智的选择必须具有一个科学学位。客户不得不学习更多的知识以做出明智的选择，这也意味着像在杂货店购物这样的活动将要花费比以前更多的时间。由于定制化产品具有更多的功能，客户要弄清怎样使用的难度增加了。例如，办公室的电话由于按键太多，以至于没人说得清怎样简单地接转电话；要学会怎样使用数码相机，得花两个小时仔细阅读使用说明书。

因此，企业应当选择以尽可能少和简单明了的产品和服务特征来表达多样化和个性化的客户需求。首先，应当按为客户提供最大价值的原则增加产品多样化和定制化。这将使客户更容易地了解各种产品和服务的不同之处，正确地判断这些差异，从而知道哪个是最适合他们的产品和服务。其次，使选择正确产品和服务所必需的信息尽可能地容易理解和使用，如果需要，客户还可以从企业的销售代理商那里得到帮助。

3. 企业能力约束

一个企业的能力总是有限的，因此并非所有的产品和服务都能够容易地实现大规模定制。企业在选择对哪些产品和服务实施大规模定制时应十分谨慎。对于客户的需求，根据企业的能力有四种可能的情况，如图 1.4 所示。第一种情况是客户需求可以通过大批量生产的产品和服务满足，这可能是企业所希望的。但是大批量生产的产品和服务很容易被竞争对手模仿，从而使市场竞争变得越来越激烈，导致不得不降价，变得无利可图，也不能形成企业长期的核心竞争力。第二种情况是客户需求可以通过大规模定制的产品和服务满足。这些产品和服务应该是企业的特色所在，能够为企业带来可观的利润，竞争对手无法轻易模仿，能够形成企业的核心竞争力。第三种情况是客户的需求只能通过纯定制满足，无法获得较大规模以实现范围经济。企业虽然能够提供这类产品和服务，但无法做到低成本，因此也无法获得期望的利润或由于价格太高不能赢得市场。第四种情况是客户需求超出了企业的能力范围，无法满足客户需求。因此，企业应该通过对比大多数客户的需求和企业的能力，选择适合企业能力的大规模定制产品和服务作为发展的重点。

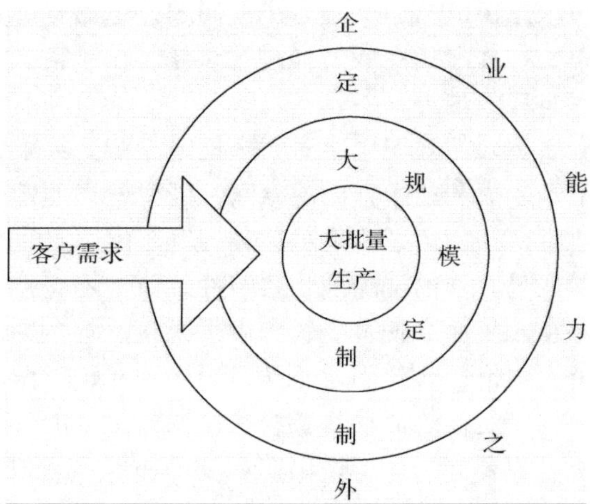

图 1.4　客户需求与企业能力

当然，企业可以通过购买更柔性的设备扩展企业的定制能力，这样会使企业面临大量的固定成本投入，因此必须十分谨慎，应该仔细分析可行性和投资效益后，再决定是否购买新设备。另一条途径是业务外包，与有生产能力的供应商合作，这样既可以扩展企业的能力，又不必投资购买昂贵的设备，使企业更具敏捷性。

广义地说，企业能力不仅仅是设备能力，还包括员工的能力。设计人员应具备多样化和不断变化的产品开发的知识和技能；一线工人必须熟练掌握机器的调整及多项技术；营销人员需要相当的技术知识；管理人员则应该具备较强的应变能力和解决问题的能力等。可以通过员工培训不断地提高员工能力，当然也需要必要的硬件和软件，如计算机网络、数据库、计算机辅助设计/计算机辅助制造（computer aided design/computer aided manufacturing，CAD/CAM）、企业资源计划（enterprise resources planning，ERP）和客户关系管理（customer relationship management，CRM）等系统。

4. 合作伙伴约束

要完成生产和递送定制产品和服务的全过程，仅靠产品制造企业是不够的，还需要供应商、分销商和第三方物流企业等合作伙伴的参与。在生产中，需要供应商及时准确地提供满足定制产品制造需求的高质量的零部件，还要保持低成本；在定制产品生产出来后，必须将这些不同的产品送到需要它们的客户手中。在这个过程中，零部件和产品的物流不仅要求准确的时间、准确的地点和准确的数量，而且要求准确的类型和品种，与大批量生产模式下的物流相比，复杂性大大增加。任何一个合作伙伴不能及时正确地制造和递送需要的零部件或产品，都会影响整个供应链的运作，进而影响对客户需求的快速响应，因此需要整个供应链的协同和同步。解决这个问题首先需要所有供应链合作伙伴充分地信息共享，即从信息渠道来看，合作伙伴组成的不是一个“链”而是一个“网”，任何两个合作伙伴之间都能直接沟通，以获取需要的信息和数据；不仅如此，合作伙伴之间还需要实现信息的无缝集成，即合作伙伴之间能够相互识别和使用对方的信息和数据。其次，合作伙伴也需要足够的敏捷性，以适应不断变化的生产和递送以及供应链快速重组的需要。另外，不断发现和消除供应链中的瓶颈环节也是提高供应链能力和效率的重要手段。

1.3　大规模定制的运作过程

大规模定制生产不是仅仅由产品制造企业完成的，而是由以产品制造企业为核心的供应链协同完成的，其运作过程如图 1.5 所示。

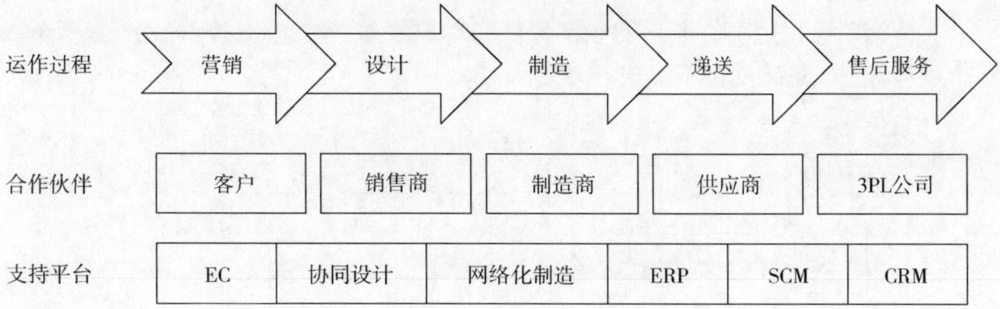

图 1.5　大规模定制的运作过程

综合大规模定制产品的生命周期和价值链，大规模定制产品主要涉及五个运作阶段，依次为营销、设计、制造、递送和售后服务，这五个阶段应该是无缝集成的。大规模定制企业运作涉及的供应链合作伙伴主要有制造商（产品制造企业）、销售商、供应商、第三方物流（third party logistics，3PL）公司以及客户。在一个基于 Internet 的信息服务平台的支持下，合作伙伴协同完成上述五个阶段的工作任务。这个信息服务平台包括电子商务（electronic commerce，EC）、协同设计、网络化制造、ERP、供应链管理（supply chain management，SCM）和 CRM 等系统，它既可以由核心企业提供，也可以由中立的第三方信息服务商提供。

为了达到快速响应和满足客户个性化需求的目的，需要实现大规模定制各个阶段和阶段之间供应链合作伙伴信息和过程的无缝集成，即基于信息的及时交流和充分共享，不同的合作伙伴在各个阶段中的任务应该并行和协同地进行。这些任务如表 1.2 所示。下面分别从五个阶段来描述大规模定制下核心企业及其合作伙伴的运作过程。

表 1.2 供应链合作伙伴的任务

过程	客户	销售商	制造商	供应商	3PL 公司
营销	需求表达 下订单	客户交流	虚拟产品发布 订单获取		
设计	参与设计	客户引导	产品配置与设计	原材料选择零部件配置与设计	物流方案设计
制造	执行情况查询		产品制造/装配	原材料准备 零部件制造	原材料/零部件配送
递送	执行情况查询 接收产品		产品出库 执行情况查询		产品配送
售后服务	产品信息反馈	客户声音管理	客户关系管理 维修与维护	维修件制造	维修件配送

1.3.1 营销阶段

在营销阶段，主要有制造商、销售商和客户参与，其运作过程如图 1.6 所示，整个过程在 EC 系统支持下完成。

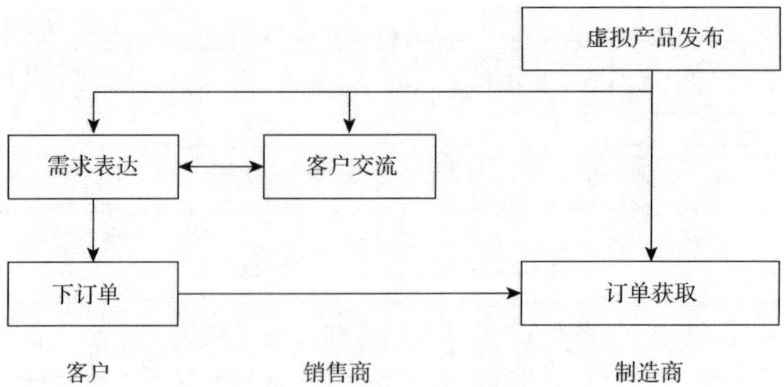

图 1.6 营销阶段的运作过程

制造商通过电子商务系统发布虚拟产品信息。虚拟产品是指已在计算机上设计完成但并未实际制造出来的产品模型。大规模定制企业推出的虚拟产品不是单一的产品，而是产品族，通过不同组件或参数的选择或描述，就可以得到一个个定制产品。电子商务系统的电子橱窗提供了丰富的虚拟产品表达能力，图形和文字是虚拟产品最常见的表达形式。

客户通过访问电子商务网站，可以发现自己感兴趣的产品族。大规模定制产品的电子商务系统一般都提供了较好的客户自助功能，大多数客户可以通过选择产品族中感兴趣的功能（或组件）选项和填写文字（或数字）来完成个性化需求的表达。待选择完成后，客户提交订单。几乎同时，制造商就获得了这位客户的定制化产品的订单。

有时，客户的某些个性化需求并非在制造商的预料之中，在这种情况下，客户就无法通过选择功能（或组件）选项和填写文字（或数字）完全表达自己的个性化需求。这时，就需要进行客户交流。与客户的交流可以由销售商完成，也可以由制造商的销售人员完成，有时还需要设计人员的支持。客户交流的方式有多种，如面谈、电话或通过网络。其目的是帮助客户清楚地表达个性化的需求，并且使这些需求能够被低成本和高效率地满足。当发现客户的个性化需求会导致不必要的高复杂性和高成本时，销售商应该引导客户选择接近客户需求的低复杂性和低成本的选项。

大规模定制的营销过程与传统的大批量生产的营销过程的最大不同就是制造商与客户的直接交流，这也是大规模定制企业快速和准确响应客户所需要的。在这种情况下，传统模式下的分销商、零售商等中间环节已没有存在的必要。因为大规模定制企业是按客户订单生产，产品由配送中心或 3PL 公司直接送达客户，不再需要大批量生产模式下将产品“推向”客户的分销商和零售商等中间环节。另外，传统模式下客户需求信息由零售商获取，传递给分销商，再传到制造商的过程会造成信息迟滞和扭曲，不利于大规模定制企业快速和准确地响应客户需求。而销售商的主要职能变成了帮助和引导客户正确地表达个性化需求。

1.3.2　设计阶段

大规模定制设计阶段的运作过程分为两种情形。第一种情形是客户的个性化需求可以通过已有的选项和填写文字（或数字）表达，即客户的需求在企业预料之中，可以由已设计好的虚拟产品满足。在这种情形下，设计过程主要是通过产品配置产生出客户需要的定制产品，一般不需要客户和销售商的参与。产品的配置过程通常由计算机软件自动完成，也不需要产品开发和设计人员参与。第二种情形是客户的个性化需求不能通过已有的选项和填写文字（或数字）表达。在这种情形下，往往需要制造商的设计人员和客户进行交互，协同设计出满足客户需求的定制产品，这个过程常常还需要销售商的协助。

1. 情形 1

主要有制造商、供应商和 3PL 公司参与，其运作过程如图 1.7 所示，整个过程在 ERP 和 SCM 系统支持下完成。

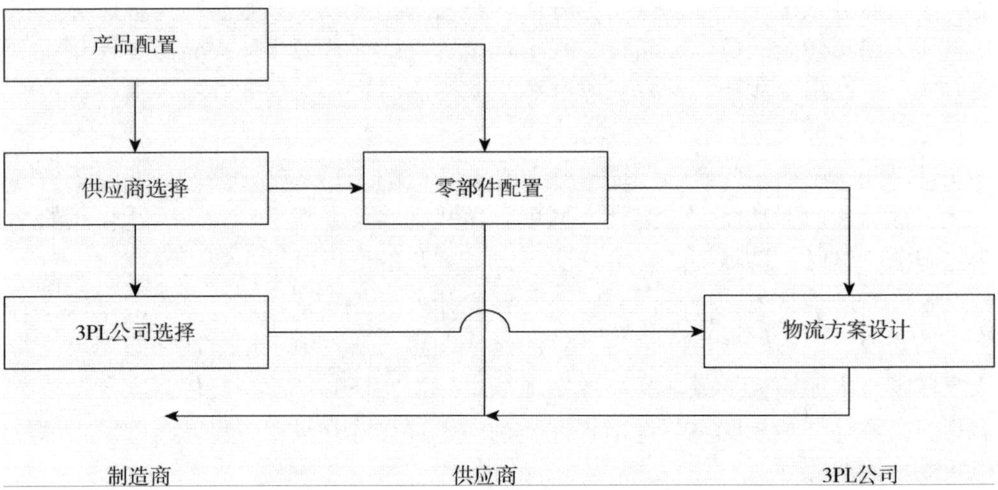

图 1.7　设计阶段的运作过程（情形 1）

制造商根据客户的需求选项和表达从产品族模型中配置出满足客户个性化需求的定制产品，并生成制造和装配这种产品所需要的零部件和原材料清单；然后根据所需的零部件和原材料选择适当的供应商，一个制造商可以有多个供应商；最后根据客户和供应商的地理位置选择承担产品、零部件和原材料配送的 3PL 公司。配送任务可以由一家 3PL 公司承担，也可以由多家 3PL 公司分别承担不同的配送任务。零部件和原材料清单也将传递给供应商和 3PL 公司。

对于原材料供应商，在接到原材料需求信息后，任务是从制造阶段开始的。对于零部件供应商，在接到需求信息和零部件清单后，即刻从零件族中配置出定制产品所需要的零部件，并将信息反馈给制造商。

3PL 公司在接到配送需求信息、产品信息、零部件和原材料清单后，根据客户、制造商和供应商的地理位置和配送货物的具体情况，设计最优物流方案，包括最优物流渠道和配载方案等，并将信息反馈给制造商和供应商。

2. 情形 2

主要有制造商、客户、销售商、供应商和 3PL 公司参与，其运作过程如图 1.8

所示，整个过程分为产品功能设计、产品结构设计和产品配置三个步骤，在协同设计、ERP 和 SCM 系统支持下完成。

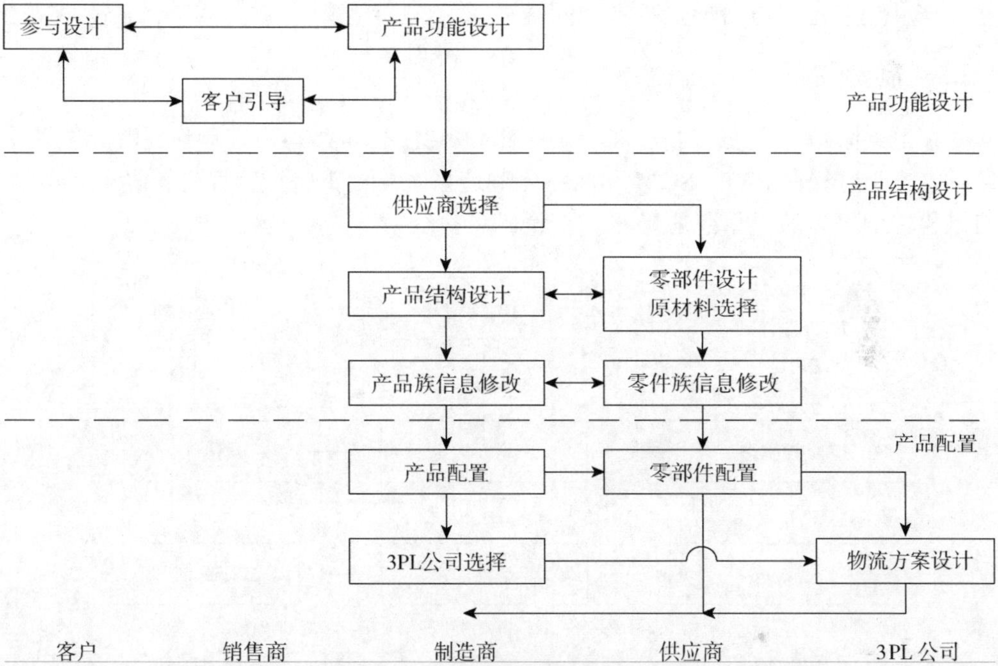

图 1.8　设计阶段的运作过程（情形 2）

产品功能设计过程常常与营销过程并行进行。制造商基于已有的产品平台及对客户需求的理解，进行产品功能设计，主要是针对企业预料之外的客户需求。在设计时，应该首先考虑利用已有的功能组合来满足这些客户需求，只有在已有的功能组合无法满足客户需求或过于复杂时，才考虑设计新功能。产品功能设计过程一般需要客户的参与，客户的工作主要是对设计方案进行评价和提出修改意见。是否需要销售商的参与要视情况而定。在客户理解功能设计和表达修改意见有困难的情况下，销售商可以为客户提供引导和帮助。

在选择合适的供应商之后，制造商开始产品结构设计，同时供应商也开始相应的零部件设计或原材料选择。这个过程是制造商和供应商利用协同设计系统通过 Internet 协同和交互地进行。在设计时，制造商应该首先考虑利用已有的产品结构、零部件及原材料，并在部件和原材料的选择上得到供应商的支持和配合。在已有产品结构、零部件及原材料无法满足功能要求（functional requirement，FR）时，应尽可能利用已有产品结构，考虑通过改变及替换零部件和原材料来满足功能要求。只有在上述方法都无法满足功能要求的情况下，才考虑修改产品结构。产品结构设计完成后，制造商在产品族信息中添加上与新产品相关的产品结构、零部件和原材料等信息，供应商也在零件族中添加上新零部件的信息，这些信息在制造商和供应商之间是共享的。

产品配置过程与情形 1 基本相同。

1.3.3 制造阶段

在制造阶段，主要有制造商、供应商和 3PL 公司参与，其运作过程如图 1.9 所示，整个过程在 ERP、SCM 和网络化制造系统支持下完成。客户一般不参与制造过程，但可以通过信息服务平台查询制造执行情况。

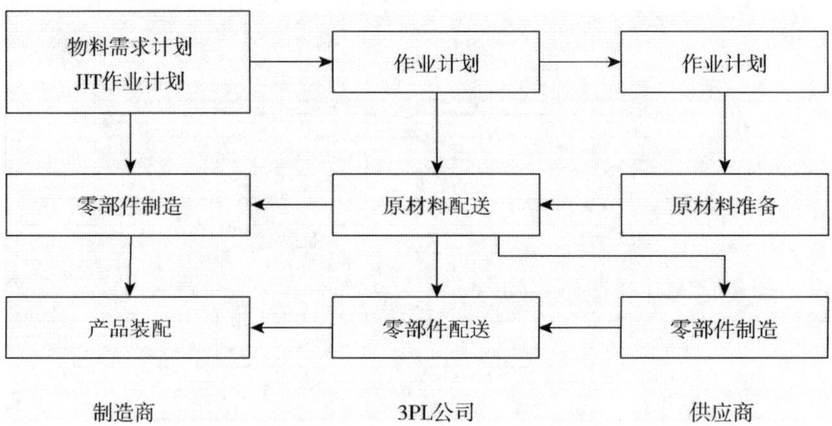

图 1.9 制造阶段的运作过程

在制造过程中，需要合作伙伴的协同工作。制造商根据客户订单和产品配置信息产生物料需求计划和 JIT 作业计划，并将它们共享给供应商和 3PL 公司。供应商和 3PL 公司根据制造商的计划和自己的任务产生自己的作业计划。接着，原材料供应商准备原材料，由 3PL 公司配送给零部件供应商和制造商，然后零部件供应商和制造商根据各自的任务制造出不同的零部件。3PL 公司再将零部件供应商制造的零部件配送给制造商。最后由制造商将零部件装配成最终产品，满足客户个性化需要的定制产品就制造出来了。

为了更快地响应客户需求，制造商常常保持一定的常用零部件和原材料的库存，以便在接到客户订单后能够及时组织生产。而零部件和原材料供应商根据制造商的物料需求计划和 JIT 作业计划供应的零部件和原材料则用于及时补充被用掉的库存。零部件供应商也可以采用类似的方法提高响应速度。

1.3.4 递送阶段

在递送阶段，主要有制造商、3PL 公司和客户参与，其运作过程如图 1.10 所示，整个过程在 ERP 和 SCM 系统支持下完成。

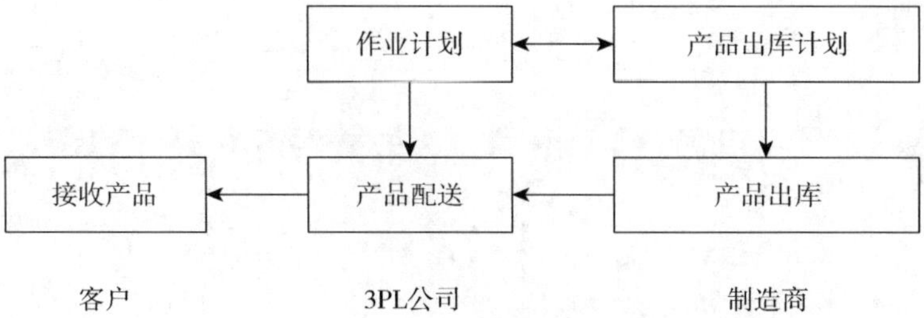

图 1.10　递送阶段的运作过程

制造商根据产品出库计划进行产品的包装、准备和出库；3PL公司根据作业计划进行产品的配送。客户可以通过信息服务平台查询产品的准备、配送和在途情况，直到收到产品为止。制造商也可以查询产品的在途和客户接收情况。

1.3.5　售后服务阶段

在售后服务阶段，主要有制造商、客户、销售商、供应商和 3PL 公司参与，其运作过程如图 1.11 所示，整个过程在 CRM、ERP 和 SCM 系统支持下完成。

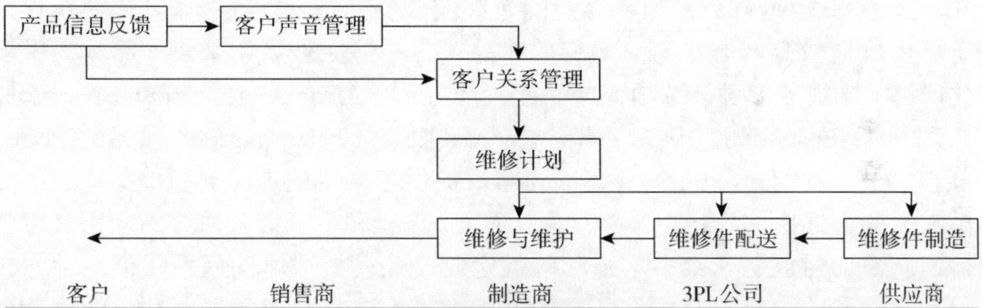

图 1.11　售后服务阶段的运作过程

客户反馈产品信息（包括质量和故障等信息）可以通过两种途径：一是反馈给销售商，再由销售商传递给制造商；二是直接反馈给制造商。制造商根据客户反馈的产品信息，制订维修计划，同时将计划传递给供应商和 3PL 公司。供应商根据维修计划制造维修件，也有些维修件是由制造商制造，然后由 3PL 公司配送到制造商的维修网点。这些维修网点负责对客户的产品进行维修和维护。维修网点也可以根据需要存有一些常用的维修件，以便接到维修计划后及时做出响应。而供应商或制造商则根据维修计划及时补充维修网点的库存。

第 2 章　大规模定制产品智能配置的框架结构

本章主要介绍大规模定制产品智能配置的框架结构，详细的技术内容将在后续各章中阐述。

大规模定制需要有效满足众多客户的个性化需求，实现范围经济。如何低成本、高效率地获取与准确理解众多客户的个性化需求信息，然后基于企业及其供应链的能力以尽可能低的成本快速提供满足客户需求的产品，是成功实施大规模定制的关键，也是众多企业亟待解决的问题。

一些企业采用营销或设计人员与客户面对面（或通过电话、Internet 等）交流的方法获取和理解准确的客户需求信息，为客户提供定制的产品（Alford et al.，2000；Kotha，1996；Pine et al.，1995；Poulin et al.，2006；Spira，1993；Ulrich et al.，2003），但这种方法接待客户的效率较低且交货期往往较长，因此仅仅适用于单件价值较高和客户愿意等待的产品。另一些企业采用基于产品族提供多样化产品（功能或参数）选项或产品配置的方法（Alford et al.，2000；Comstock et al.，2004；Eastwood，1996；Feitzinger and Lee，1997；Magretta，1998；Poulin et al.，2006；Wilson，1999），既能为客户提供了丰富的产品类型，又能通过按订单装配的方式快速生产出最终产品，而 Internet 和电子商务系统的应用又可以有效地解决同时服务于众多客户和降低定制产品营销成本的问题，但这种方式也存在一些缺陷：客户只能在既定的产品类型中选择，仅能覆盖客户的部分个性化需求，未被覆盖的需求则难以清晰地表达和快速、低成本地满足；大量的产品选项会增加复杂性而使客户抉择困难；向客户实际提供大量品种的定制产品意味着产品成本的增加（Forza and Salvador，2002；Huffman and Kahn，1998；Zipkin，2001）。

为了有效地解决便捷获取、准确表达和恰当满足众多客户的个性化需求与低成本、高效率之间的矛盾，大规模定制企业需要一种能够适应多种类型客户需求信息表达的产品智能配置方法和系统。这种大规模定制产品智能配置的框架结构模型如图 2.1 所示，主要包括三个有机联系的核心部分，即基于 Web 的客户需求识别与表达、客户需求映射与转换、基于产品族的定制产品配置。

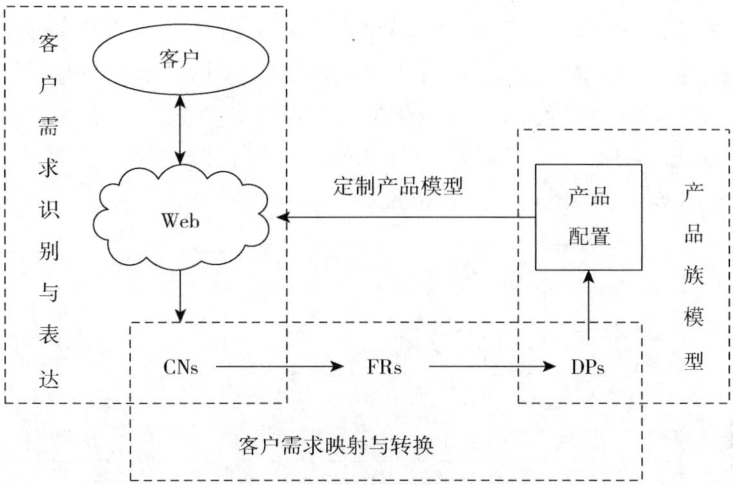

图 2.1　大规模定制产品智能配置的框架结构模型

DP：design parameter，设计参数

2.1　基于 Web 的客户需求识别与表达

基于 Web 的客户需求识别与表达是指借助基于 Web 的自助式服务系统自动引导客户表达需求信息。一些企业建立了基于 Web 的选项配置系统，使客户能够方便地通过选择模块和技术参数选项来定制自己的产品。例如，Nike 公司可以让 Web 客户选择所买鞋的颜色和尺码；Dell 公司让客户能够通过其网站选择不同的计算机部件、外设及系统软件来配置自己的个性化计算机；Austin-James 公司使客户可以通过 Shirts.com 网站方便地选择款式、颜色、尺码、图案和文字来定制 T 恤衫。但这些公司的系统采用的均是选项和参数定制方法，没有考虑难以用选项和参数表达的客户需求。Blecker 等（2004a）在分析产品配置系统的现状后指出，目前的配置系统忽略了辅助和引导客户优化表达其真实需求的前端部分，常常使客户不能正确表达或使企业误解客户的真实需求。

实际上，目前系统自动引导客户表达的需求是结构化和参数化的功能要求，这一方面要求客户从设计者而不是消费者的角度去考虑问题；另一方面，对于半结构化和非结构化的客户需求，客户必须具备产品设计的专业知识将其转换为相应的功能要求才能表达，或者根本无法准确地表达。因此，研究一种能够支持客户通过 Internet 以自助方式便捷地描述需求并且正确识别和表达客户需求信息的方法十分必要。

鉴于上述原因，这里提出如图 2.2 所示的基于 Web 的多类型客户需求识别与表达的基本思路，通过基于层级分类模型的客户需求获取、客户需求识别和客户需求的信息表达三个步骤，将客户采用多种方式（包括习惯的自然语言）描述的真实需求表达为企业产品设计中规范化的客户需求。图 2.2 中 GCN 为类客户需求（generic customer need），是指能够覆盖或替代一组相似客户需求的一个通用客户需求及其取值（values）或实例（instances）。

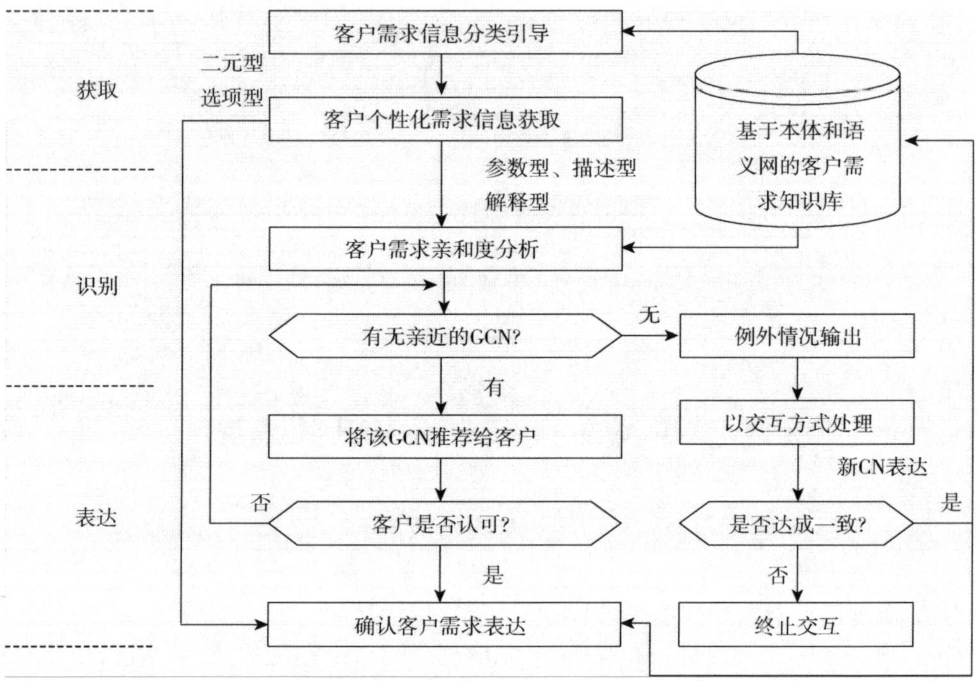

图 2.2　基于 Web 的多类型客户需求识别与表达的基本思路

2.1.1　基于层级分类模型的客户需求获取

客户需求是指客户域中一个解决方案未定的表述，用以表达客户考虑事项的关键基本特征（Zamirowski and Otto，1999）。一般说来，就是客户对产品的功能、性能、外观、价格等特征的要求。

在实际产品定制过程中，客户由于自身能力和拥有产品知识的差别，会用不同的表达方式来表达自己的需求。对于拥有更多产品专业知识的客户，他们在定制过程中的需求表达比较准确，容易就产品的工程特性和技术特性等进行沟通。而对于欠缺产品专业知识的客户来说，通过既定的产品特征选项的选择来表达他们的需求往往比较困难，他们更愿意对产品功能、使用性、外观、价格等提出要求。为了高效率地获取不同类型客户的个性化需求，需要建立一个覆盖多种类型客户需求信息的层级分类模型。

1. 客户需求信息的层级分类模型

作为客户需求获取、表达与映射研究的基础，需要建立由分类树和节点组成的客户需求信息的层级分类模型。将客户需求信息逐级细分为不同的大类、亚类、子类等。例如，将客户需求信息分为二元型、选项型、参数型、描述型和解释型等大类；参数型又分为连续型、指标型、区间型等亚类；指标参数型再分为等值型和接近型等子类。从而建立一套较为完整的客户需求信息分类体系。

2. 基于本体和语义网的客户需求知识库

基于客户需求信息的层级分类模型和类客户需求，建立企业的基于本体（ontology）和语义网（semantic web）的客户需求知识库，其中语义网主要用于解释型客户需求的知识表达，使其能够支持和辅助企业的营销专家和产品设计专家通过人机交互方式方便地建立、丰富和修改企业的客户需求本体和基于本体的客户需求知识库。而基于本体的客户需求知识库既是自动获取与识别客户个性化需求信息的基础，也是企业产品创新的思想源泉。

3. 客户需求信息的获取

基于层级分类模型和客户需求知识库，可以通过 Web 为客户提供自助式客户需求服务系统，引导客户有效地表达不同类别的需求信息，即二元型和选项型采用选择方式，参数型采用数值输入方式，描述型采用特征组输入方式，解释型采用语句输入方式。

2.1.2　客户需求识别

客户需求识别以客户需求知识库中类客户需求为基础，对客户提交的个性化需求进行亲和度分析与匹配。

1. 基于客户群体的客户需求聚类分析

针对大规模定制环境下同一细分市场的客户需求相似性的特点，建立客户需求聚类模型以刻画某客户群体需求的规律。基于对历史的（或预测的）客户需求数据的挖掘和聚类分析，合并和规范相似的客户需求形成类客户需求，从而在能够满足众多客户需求的前提下降低客户需求多样性程度。

2. 客户需求的亲和度分析与匹配

将参数型、描述型和解释型的客户个性化需求信息与知识库中已有 GCN 进行亲和度（affinitive degree）分析，找出亲和度超过设定阈值的 GCN 推荐给客户

（如果有多个则按亲和度高低依次推荐），而二元型和选项型客户需求信息则无需识别。如果某一个 GCN 被客户认可，则确认该 GCN 信息为该个性化需求信息的表达。否则，将该个性化需求信息作为例外情况输出给企业营销或设计人员，与客户通过交互方式产生新的客户需求知识，作为该个性化需求的表达，并将其补充入客户需求知识库。

2.1.3 客户需求的信息表达

客户需求的信息表达是客户需求建模的重要环节，是需求分析和需求实现等后续环节的基础，也是影响产品设计和质量的关键因素。目前关于客户需求的信息表达主要有以下四种方法。

1. 客户需求的框架表达

由于客户需求具有层次化的结构，一个抽象的客户需求可以随着产品定义的深入逐渐细化和分解。框架结构是由一组描述事物各个方面的槽组成，每个槽又有若干个刻画槽值的不同类型的侧面。这种描述结构具有层次化和模块化的特点，符合客户需求逐级分解的要求。例如，车阿大和林志航（1998）采用框架形式结构表达客户需求，将客户需求分解为三级，每一级是上一级的子需求，用框架中的关系槽“part-of”来表达客户需求的这种层次性。框架表达适合表示结构化的知识，但在描述非结构化的客户需求时有一定的困难。

2. 面向对象的客户需求表达

这种方法将客户需求抽象为类结构，通过对象类的定义、对象属性的表达、作用在对象上的操作的表达以及对象间关系的表达来描述客户需求。例如，楼健人等（2004）应用面向对象的模糊知识来表达客户需求，定义了对象属性的模糊集合以及加权模糊逻辑的规则，应用模糊框架推理与基于规则的配置推理方法以解决大规模定制设计中模糊需求的表达与处理能力。

面向对象表达的客户需求方法有利于需求的扩充和更新，易于需求知识的维护和管理，但在客户和产品开发人员对需求模型和内容的理解以及需求知识在应用领域内的共享等方面存在一定的欠缺。

3. 客户驱动的参数描述结构

客户驱动的参数描述结构由参数分类、描述格式及客户化产品数据结构组成（张利，2003）。客户驱动参数是客户在对产品功能、性能、外形及价格等了解的基础上，对产品个性化需求的直观描述，包括功能描述、性能描述、外形描述、配置描述和价格描述等。客户驱动参数描述结构集中表达企业构造需求和客户使用需求，在描述结构中分为企业构造部分和客户使用部分，通过“引用指针”建立二者间的数据关联。这种描述方法在一个结构体中既表达出客户需求，又描述了产品的定制需求，方便客户和产品开发人员对需求知识的正确理解，但构建比较复杂，尤其是对引用指针的定义。

4. 基于语义结构的客户需求表达

基于语义结构的表示方法通过定义需求的语义以及语义描述格式来表达客户需求内容。在需求的语义描述方面，已经有众多学者和机构进行了深入的研究和探讨，提出了一些自然语言形式、形式化、半形式化等的语义描述方法。

自然语言形式是客户采用自然语言表达对产品的定制需求，这种形式是客户最容易理解和直观的描述方式，具有表达能力强的特点，但不利于捕获需求模型的语义，一般只用于需求抽取或标记模型。半形式化的表示可以捕获一定的需求语义，也可以实施一定的推理和一致性检查。

形式化表达方法采用一种形式化语言或定义一种形式化结构来表达客户需求，具有精确的语义和推理能力。例如，张和明和熊光楞（2001）采用形式化描述语言 EXPRESS-G 建立了一种产品需求信息模型，用以表达产品、产品需求与设计活动之间的关系。而为了解决需求语义的正确理解和交流，马原（2004）定义了一种“主+谓（+宾）”结构的需求语义描述形式，给出了需求语义相应的描述规则，设计了需求语义分析模块，同时支持规范的语义描述和由用户自己定义需求语义处理方式。这种需求语义描述格式能够充分表达需求内容，易于需求的理解。

2.2　客户需求的映射与转换

质量功能配置和公理化设计是产品设计过程中常用的客户需求映射与转换方法。

2.2.1　质量功能配置概述

1. 质量功能配置的概念和特点

质量功能配置于 20 世纪 70 年代在日本企业界产生并应用。三菱重工、富士施乐、丰田汽车等公司均成功地应用 QFD 方法并取得显著的经济效益。QFD 是适应质量从“满足设计需求”到“满足客户需求”的这一根本性变化而提出的，它从质量保证的角度出发，通过一定的市场调查方法获取客户需求，采用矩阵图解法将客户需求的实现过程分解到产品开发的各个过程和各职能部门，通过协调各部门的工作以保证产品的最终质量，使设计和制造的产品能真正满足客户的需求。

QFD 是一种客户驱动的产品开发方法，具有如下的特点。

（1）QFD 的目的是使产品能以最快的速度、最低的成本和最优的质量占领市场。

（2）QFD 要求企业不断地倾听客户的意见，了解客户需求，在进行产品开发时，使用适当的方法和手段在产品上体现客户的需求。

（3）QFD 是一种在产品设计阶段进行质量保证的方法。

（4）在实现客户需求的过程中，QFD 能够帮助产品开发各职能部门制定出各自的相关技术要求和措施，并使各职能部门能协调工作。

2. 质量屋

质量屋（house of quality）是一种确定客户需求和相应产品或服务性能之间联系的图示方法，是 QFD 的核心。

客户需求的分解就是在完全、准确地把握客户真实的需求信息的基础上，通过一定的信息处理手段将这些需求信息转换成能用具体的结构和手段实现的产品/服务。QFD 是一种思想，一种产品开发和质量保证的方法论。它要求把产品的开发直接面向客户的需求，在产品的设计阶段就考虑工艺和制造问题。而由 Hauser 和 Clausing 于 1988 年提出的质量屋则是在产品开发过程中具体实现这种方法论的工具，它提供了一种将客户需求转换成产品和零部件特征并配置到制造过程的结构，如图 2.3 所示。图 2.3 中各区域分别为：①客户需求及其权重；②技术需求（最终产品特征）；③客户需求和技术需求之间的关系矩阵；④客户竞争性评估；⑤技术需求相关关系矩阵；⑥技术竞争性评估、技术需求重要度和目标值。

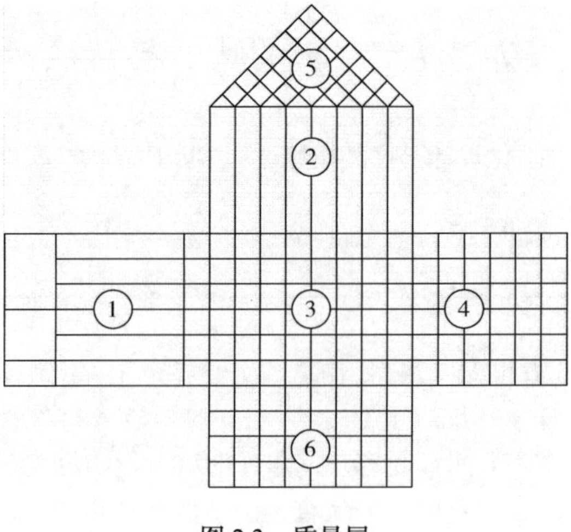

图 2.3 质量屋

建立质量屋的基本步骤如下（林志航，1996）。

（1）确定客户需求及其权重。

（2）客户需求到技术需求的转换，确定产品的技术需求（工程特性）。

（3）决定客户需求和技术需求的关系，通常用一组符号来表示它们之间“强”“中等”“弱”的相关性。

（4）客户竞争性评估，是指从客户的角度对本公司产品和竞争者产品在满足他们需求方面的评估。

（5）技术竞争性评估，从技术的角度对产品的市场竞争力进行评估。

（6）确定技术需求之间的相互关系，用符号表示技术需求两两之间是正相关、负相关还是无关。

（7）确定技术需求目标值，根据客户需求的权重、客户需求和技术需求之间的关系矩阵和当前产品的优势和劣势来确定技术需求的目标值。

（8）确定质量屋的其他项目，如技术难度评估、技术水平需求重要度等。

2.2.2　基于 QFD 的客户需求分解

基于 QFD 的客户需求分解应用如图 2.4 所示的瀑布式分解过程，由产品规划、零件配置、工艺规划和质量控制四个阶段组成。

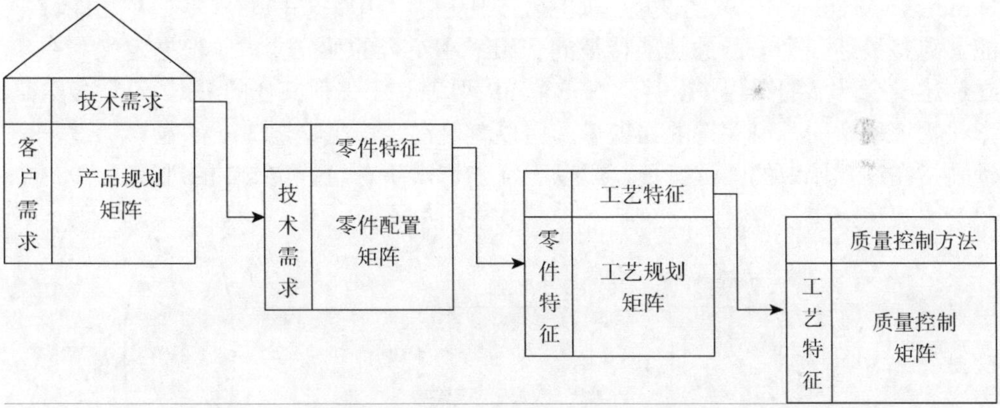

图 2.4　基于 QFD 的客户需求分解过程（林志航，1996）

1）产品规划阶段

通过产品规划矩阵（质量屋）将客户需求转换为技术需求（最终产品特征），并分别从客户的角度和技术的角度对市场上同类产品进行评估，在分析质量屋的各部分信息的基础上，确定各个技术需求的目标值以及在零件配置阶段所需要的技术需求。

2）零件配置阶段

零件配置矩阵的建立过程与产品规划矩阵的建立过程基本类似。这一阶段的工作是在确定具体的产品设计方案的基础上，对技术需求、关键零件特征、关键零件特征目标值及它们之间的关系进行确定，包括最佳设计方案的选择、潜在的故障原因分析、完成零件配置矩阵和分析零件配置矩阵等过程。

3）工艺规划阶段

这一阶段将零件配置矩阵中的关键零件特征配置到工艺规划矩阵中，然后确定关键工艺特征及其与零件特征的相关关系，建立工艺规划矩阵；并分析工艺规划矩阵，决定应配置到质量控制规划阶段的关键工艺特征。

4）质量控制规划阶段

这一阶段又称为制造规划阶段。由于各制造企业所生产的产品类型、生产规模、技术力量、设备状况等不尽相同，这一阶段没有一个比较规范的模式。

2.2.3　公理化设计方法概述

公理化设计是美国麻省理工学院 Nam Pyo Suh 教授发明的一种产品设计方法（Suh，2001b）。根据公理化设计方法，一个产品的设计活动包括四个“域”之间的映射，即从客户域的客户需求到功能域的功能要求的映射、从功能域的功能要求到物理域的设计参数的映射以及从物理域的设计参数到过程域的过程变量（process variable，PV）的映射，如图 2.5 所示。其中，功能要求是指在功能域中能够完整描述一个产品的功能特征的一组最小组合的独立要求。根据定义，在建立描述一个产品的一组 FR 时，每一个 FR 要独立于任何其他的 FR。设计参数是指在物理域中的一组关键的物理量，用以刻画满足一组特定 FR 的设计。过程变量是指在过程域中的关键变量，用以表征能够产生一组特定 DP 的过程。

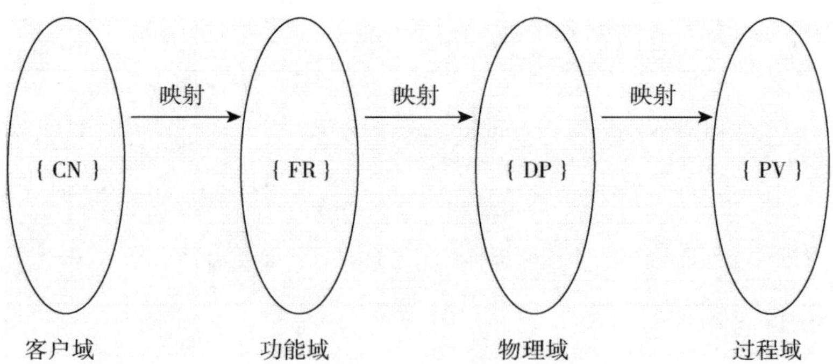

图 2.5　产品设计活动的四个“域”之间的映射（Suh，2001b）

一个产品从 FR 到 DP 再到 PV 的映射可以采用映射、逐层分解和反复迭代的过程。以从 FR 到 DP 的映射为例，如图 2.6 所示，从功能域的一个 FR 到物理域去概念设计和确定相应的 DP。然后，返回功能域创建下一层的 FR_1 和 FR_2，以共同满足最高层的 FR。然后，再到物理域通过概念设计在这一层发现满足 FR_1 和 FR_2 的 DP_1 和 DP_2。这个分解过程一直持续直到所有分支都达到最终状态，FR 得到满足而不再有进一步的分解为止。最终状态由图 2.6 中被称为"叶"的粗线框表示。

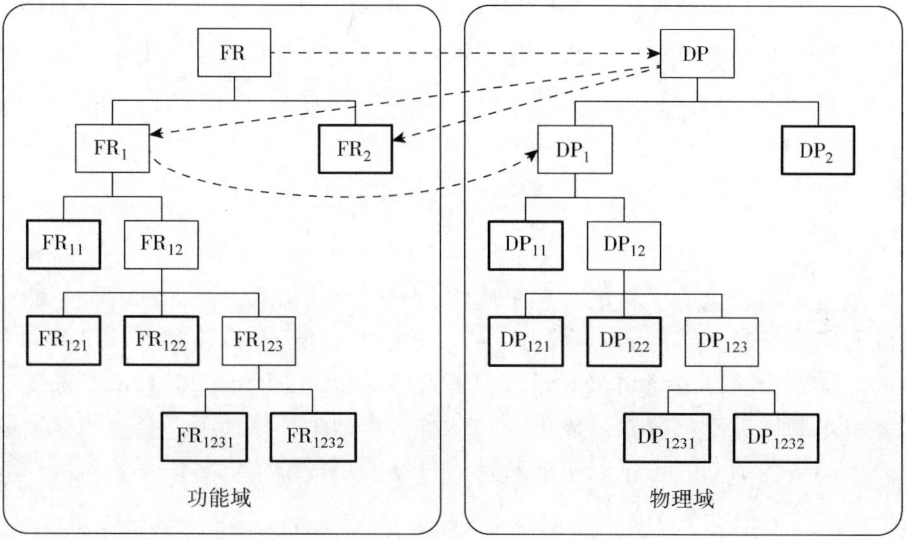

图 2.6　从 FR 到 DP 的映射、逐层分解和反复迭代（Suh，2001b）

2.2.4　基于 QFD 和 AD 的客户需求映射与转换

QFD 是建立从 CN 到 FR 映射关系的一种有效方法，而 AD 是建立从 FR 到 DP 映射关系的一种有效方法。因此，可以应用这两种方法，结合产品族的特征，建立支持产品智能配置系统的客户需求映射与转换方法。

1. 类客户需求的映射关系

为了描述一个产品族，需要找到刻画这个产品族设计特征的一组类客户需求、类功能要求（generic functional requirement，GFR）和类设计参数（generic design parameter，GDP）。类功能要求是指能够覆盖一组相似功能要求的一个通用功能要求及其属性（attributes）；类设计参数是指能够覆盖一组相似设计参数的一个通用设计参数及其变量（variables）。然后，应用 QFD 建立从 GCN 到 GFR 的映射关系，应用 AD 方法建立从 GFR 到 GDP 的映射关系。

2. GCN—GFR—GDP 映射的知识库

基于 GCN—GFR 的映射关系，建立基于本体的 GCN—GFR 映射的知识库。GCN—GFR 的映射关系可以表示为知识库中的一个二元组$\{\mathbf{GCN}_i, \mathbf{GFR}_i\}$，其中 $\mathbf{GCN}_i=\{\mathrm{GCN}_{i1},\mathrm{GCN}_{i2},\cdots,\mathrm{GCN}_{im_i}\}$，$\mathbf{GFR}_i=\{\mathrm{GFR}_{i1},\mathrm{GFR}_{i2},\cdots,\mathrm{GFR}_{in_i}\}$，直到所有可

能的 GCN—CFR 映射关系已被建立，共得到 I 个二元组，即 i=1, 2, …, I。

类似地，GFR—GDP 的映射关系在 GFR—GDP 映射的知识库中也可以表示为一个二元组{$\mathbf{GFR}_j$, $\mathbf{GDP}_j$}，其中 $\mathbf{GFR}_j = \{\mathrm{GFR}_{j1}, \mathrm{GFR}_{j2}, \cdots, \mathrm{GFR}_{js_j}\}$，$\mathbf{GDP}_j = \{\mathrm{GDP}_{j1}, \mathrm{GDP}_{j2}, \cdots, \mathrm{GDP}_{jt_j}\}$，直到所有可能的 GFR—GDP 映射关系已被建立，共得到 J 个二元组，即 j=1, 2, …, J。

2.3　产品族模型

大规模定制企业为了满足客户个性化和多样化的需求，产品的开发策略也从过去的面向单一产品转为面向系列产品，采取的是基于产品族和产品平台的系列产品的开发方式（Erens and Verhulst，1997；Tseng and Jiao，2001）。产品族的目标之一就是要尽可能地覆盖目标市场上众多客户的个性化需求。在大规模定制环境下，产品族模型的一个主要用途是针对目标客户群的个性化需求，刻画产品族中产品的基本功能和定制属性。

2.3.1　产品族与产品平台概念

1. 产品族

产品族是指共享通用技术并定位于相互关联市场应用的一组产品（Meyer and Lehnerd，1997）。产品族中的单个产品叫做产品变量。产品族中所有的产品变量具有相似性，它们共享相同的结构和产品技术。一个产品族对应一个市场区段，而产品族中的产品变量是满足这个市场区段中一部分消费者对产品的特殊需要。

产品族的概念可以从不同的角度来理解，从市场营销的角度来看，产品族就是企业产品的功能结构，可以描述成不同消费群体对企业产品多样化的功能要求。从工程的角度来看，产品族是一系列产品和技术的总和，因此产品族可以描述为一些设计参数、部件和装配结构的合成。

产品族作为大规模定制的关键技术具有如下特性。

1）模块化和通用性

模块化和通用性是产品族最基本的性质。模块化和通用性既有区别又有联系，如表 2.1 所示。模块化着重于产品类本身的一些性质和特点，而通用性着重于产品成员之间的性质和特点；前者强调模块之间的交互关系，而后者强调实例之间的相似性；前者是把产品类进行分解，而后者是一个聚类的过程；前者强调产品结构，而后者强调产品变量。而两者之间的关系就是类和成员之间的关系。

表 2.1　产品的模块化和通用性的比较

要点	模块化	通用性
针对的对象 测量的特征 分析的方法 结果差异	类型（类） 相互作用 分解 产品结构	实例（成员） 相似性 聚类 产品变量
关系	类和成员之间的关系	

模块和模块化是构造产品结构时最常用的概念。模块是由一个或多个部件组成的物理上或者概念上的单元，这些组成模块的部件具有一些相同的特征，而模块化就是把整个系统划分为一些独立的部分和模块，这些部分和模块也可以看成是一个个独立的逻辑单元。因此，在进行模块化分析的时候，分解是其中最主要的步骤。另外，为了在整个产品开发过程中记录和表达产品结构，模块化可以从功能域、技术域和物理域等多个角度获得，包括功能性、解决的技术以及物理结构。在产品实现过程中有三种模块化：功能模块化、技术模块化和物理模块化。

模块化主要强调的是模块之间的相互关系。因此，模块化的三种形式是这种相互关系在三个角度的不同表述。对于功能模块化，模块之间的相互关系可以表述成不同消费者群体对产品的功能要求。功能域与其他的两个域是相互独立的，如消费群体这个概念只能用于功能域中，而对于技术域和物理域却不适用。对于技术模块化，模块之间的相互关系可以表述成设计中的技术特征，技术特征可以由产品的设计参数来描述。技术模块化表示一组 FR 只有一组 DP 来实现，与其他的 DP 无关；而这一组 DP 也只满足这一组 FR，与其他的 FR 无关。物理模块化可以表述为部件之间的装配关系。

通用性反映产品族体系结构和单一产品体系结构的区别。模块化描述产品结构的分解和模块类型，而通用性在模块化确定模块特殊类型的条件下描述不同模块之间的相似性。通用性也有三种类型：功能通用性、技术通用性和物理通用性。功能通用性把分解的 FR 中具有相似性的那部分进行归类；技术通用性把相似的 DP 归结成一组，而这些 DP 跟功能域中的 FR 是对应的；物理通用性把相似的部件按照结构、数量和功能进行归类。

模块化和通用性之间的关系是类与成员之间的关系，模块化针对的对象为类，通用性针对的对象则为成员。模块化将产品划分为相互独立的模块，并定义产品结构，通用性则对模块进行归类，定义模块的类型。产品变量之间的关系就是共享相同的产品结构和部分模块。

2）多样性

如 1.2.1 节所述，产品的多样性有功能多样性和技术多样性两种形式。功能多样性可以提供给客户更多的选择，而技术多样性是客户不可见的内部多样性。虽然技术多样性对消费者来说是看不见的，但是要获得产品功能的多样性，技术多样性是必不可少的。产品的功能多样性是从营销的角度来看的，与客户需求密切相关；而技术多样性是从工程的角度来看的，与制造的能力和成本密切相关。

尽管这两种类型的多样性在产品发展的过程中有一定的相关性，但是在产品开发中却需要采取不同的策略。因为功能多样性直接影响消费者的满意度，应不断地增加，以适应市场多变的需求。相反，技术多样性会增加设计和制造成本，应尽可能地减小。

大规模定制产品开发的一个重要目标就是以尽可能少的技术多样性去实现尽可能多的功能多样性，如图 2.7 所示。

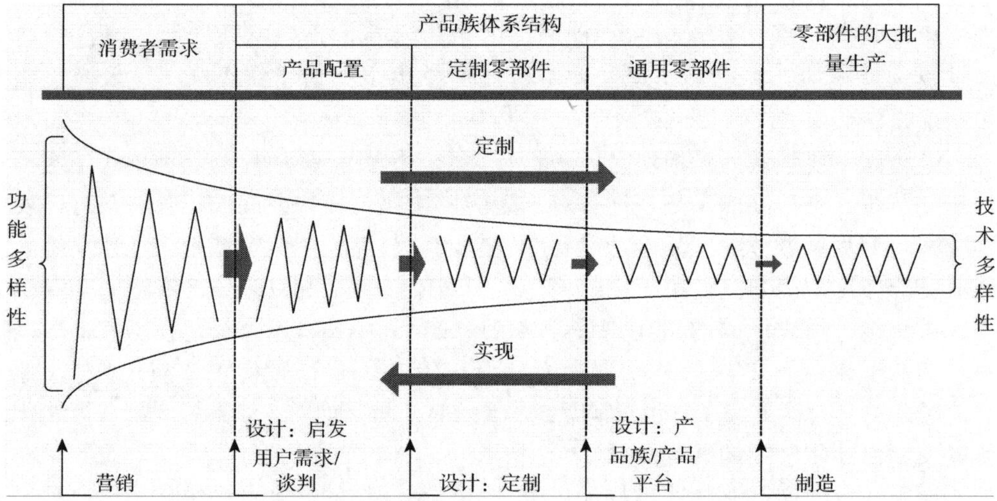

图 2.7　产品功能多样性和技术多样性（Tseng and Jiao，2001）

3）可制造性和可装配性

产品族的可制造性是指产品族中已经进行模块化设计的系列产品可以在一条生产线上进行制造，而产品族的可装配性是指这些系列产品可以在一条生产线上进行装配。二者的不同就在于可制造性是针对非装配型产品而言，而可装配性是针对装配型产品而言的。产品族共享通用零部件和模块，具有相同的产品结构，这使得在制造和装配时产品族中众多的产品共享一套生产工艺，这样可以缩短产品上市时间和降低产品的成本。

2. 产品平台

产品族是在某个核心技术基础上开发的大量不同的产品，这个基础就是产品平台（product platform）。产品平台是由一组产品共享的一组子系统（如零部件、模块）、接口和制造过程，利用它能够高效地创造和产生一系列派生产品。产品平台构成了能够有效设计和制造一系列产品的通用结构。通用结构和共享的零部件可以降低产品成本，缩短上市时间，还可以实现零部件和原材料的规模经济，因为大多数的零部件和原材料在产品族中是共享的。更重要的是，产品平台中的某个组成部分可以被一个新的部分所代替，从而开发出面向新市场的新产品（Meyer and Lehnerd，1997）。

产品平台对企业的发展具有重要的意义，如何定义一个适合于本企业的产品平台是企业发展中的一个重要问题。

首先产品平台不允许重复定义。事实上，管理的真正目的就是使复杂问题简单化，这样管理者就更有可能把握住新的观点和做出更好的决策。对于产品平台来说，它就是一些简单的子系统以及子系统之间接口的简单组合，也包含了对子系统和接口的用途和技术的简单描述。这样可以使企业对产品平台有一个清晰的认识。

那么在一个产品平台的定义过程中，到底要把产品平台细分到什么程度或者产品平台里面应包含多少子系统和接口呢？要回答这个问题，首先需要知道所定义的产品平台的用途是什么。产品平台有两个用途：一个是使项目团队之间加强联系，通过共享通用的子系统和接口来设计出适合市场的多样化产品；另一个是加强非项目团队的人员之间的交流，如市场和财务人员之间的交流。另外，对子系统的描述还可以作为了解和满足消费者需求的一个基础。根据以上的描述，如果平台的结构太详细，就失去了整体性。但是如果平台的结构太简单，它就不能有效地划分用户需求和选择最优的技术方案。最终要在这两者之间找到一个均衡点，使效用达到最大化。

3. 产品族与产品平台的关系

产品族的发展是以产品平台为基础的，一个产品平台可以衍生出一个或者几个产品族，在一个产品平台上发展的产品族之间具有很强的相似性，但是它们并不是完全相同的，它们是以小的差异来满足不同细分市场的产品系列，这些小的差异可以是使用不同的材料、构件或拥有不同的技术含量等。

在发展产品族的同时，产品平台也在不断发展。产品平台可以根据市场的需要进行扩展和新建，这种市场需要可以是企业根据市场战略需要开辟的新市场或需要满足的新需求。不论产品平台是扩展还是新建，都会有新的产品平台出现，而在这些新的产品平台之上，又会发展出新的产品族来满足市场需求。这样，企业就拥有了一个产品开发和管理的体系结构。在这样的模式下，产品的开发和管理就变得更加容易。

企业要想进行产品线的更新就要基于产品族和产品平台的开发和管理模式。这样的例子很多，如 Intel 公司对微处理器市场的垄断就是依靠成功的产品系列更新换代来实现的。它的每一代产品比前一代产品都更具有竞争力，更适应市场。从 20 世纪 80 年代的 8086 到奔腾（Pentium）再到酷睿（Core），每一代产品都在不同的价位提供不同的芯片速度。另外，汽车工业方面，本田的 Accord 和 Civic 产品系列在保持产品本身结构的条件下进行合并，构建了面向高端市场的新的产品平台，而基于这个产品平台开发出来的产品也取得了相当的成功。再如微软的 Office 软件，它的成功不仅在于操作系统本身，也在于它的产品族在软件应用方面的不断发展，包括字处理、电子数据表、数据库、界面、家庭娱乐和 Internet 应用等方面的发展。

因此，基于产品族和产品平台的设计和管理是支持大规模定制企业发展的基础。在今天成功的企业当中，几乎每个企业都有自己的产品族。而产品族的规划不只是简单地满足市场需要和开发多样化的产品，更重要的是在这些产品族下面代代相承的产品平台。

2.3.2 产品族体系结构

产品族体系结构是一个概念模型，也包括开发一族产品的全面和合理的组织。体系结构提供了一个通用结构来获取和利用通用零部件，在这个通用结构中每个新产品的变化和扩展都是基于一个通用的产品线结构来进行的。体系结构的基本原理不仅表达了在同样的技术解决方案下开发不同产品的基本知识，而且表达了一类产品的模型化设计过程，这个设计过程是基于一致的产品结构对个性化需求进行产品定制化设计的过程（Du et al.，2001）。

产品族的体系结构可以用功能视图、技术视图和结构视图来表述。功能视图描述产品族的功能要求及其分解；技术视图描述满足这些功能要求的技术解决方案；结构视图则描述产品族体系的物理结构。三个视图之间有密切的联系：从功能视图向技术视图映射关系为产品设计；从技术视图向结构视图映射关系为工艺设计。整个过程首先由市场营销过程对市场中的功能要求进行定义和分类；接着进行产品的设计过程，得出产品的技术结构和设计参数；再由工艺设计得出产品的物理结构，三个视图相互联系，不可分割。

1. 功能视图

在功能视图中，产品族及其产品变量可以用一组功能要求和属性（A）来表示。其中 A 表达 FR 的实例，一个 FR 可以对应多个 A。

FR 的分解可以用一个层次树来表示，功能分解层次树可以从一个抽象的层次开始到较细的功能单元为止进行分解来描述产品族的功能特征，如图 2.8 所示。在这个层次树中，一个节点（黑方形）就表示产品族中的一个功能要求，而一个叶子（椭圆形）则表示一个功能要求的实例。因此，产品族的功能分解可以在任何一个抽象层次上进行描述。一个功能分解层次树的层次结构可以详尽地表达产品族中所有的功能要求，也可以描述一个产品线的功能结构。图 2.8 所示的产品族的功能分解可以表示为 $FR_0=\{FR_{11}, FR_{121}, FR_{122}, FR_2, FR_{31}, FR_{32}\}$，而产品族的产品变量则可以表示为 $PV=\{A_{11\_1}, A_{121\_2}, A_{122\_3}, A_{2\_3}, A_{31\_1}, A_{32\_3}\}$。但产品变量只有在 FR 表示产品族功能要求的时候才会出现。这样，功能分解层次树不仅可以描述产品族及产品变量的功能分解，还为在多样化客户需求下开发多样化产品奠定了基础。

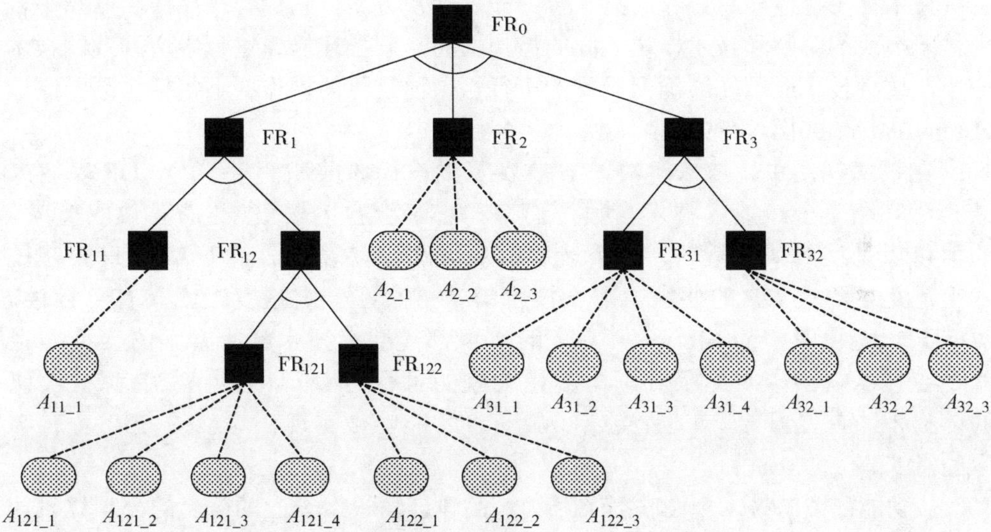

图 2.8　一个功能分解层次树（Tseng and Jiao，2001）

产品族 FR 的分类可以从两个方面进行，从必要性来看可分为基本 FR 和附加 FR，从可定制性来看可分为非定制 FR 和定制 FR。

基本 FR 就是在产品族和产品平台基础上开发的众多产品所共有的 FR。基本 FR 是产品族和产品平台所必需的，即产品族中每一个产品变量都必须具备的功能。产品平台是大量可定制产品的基础，所以基本 FR 充分地描述了企业所定义的产品平台的性质和内容。基本 FR 是依靠一些相互关联的子系统和接口来实现的，这些子系统和接口是企业核心技术中的一部分，企业可以把这些相互关联的子系统和接口定义为一个产品平台，基于这个产品平台，企业就可以根据企业的市场战略开发出相应的产品以满足市场的需要。附加 FR 就是指产品族中并非必需的（即可选的）那部分 FR。当某些功能并不是产品族所有消费者都需要的，而是一部分或个别消费者的特殊需求时，就需要一些附加 FR 来表达这部分客户的特殊需求。

非定制 FR 就是不可定制的那部分 FR，每个非定制 FR 只有一个 A，如图 2.8 中的 FR_{11}；定制 FR 是可定制的那部分 FR，每个定制 FR 可以有两个或两个以上的 A，通过选择属性选项或属性值来表达定制需求。定制和非定制功能的划分十分重要，定制 FR 越多，产品的可定制化程度就越高；但定制功能越多，又会增加产品族的复杂性和成本。因此，在选择哪些 FR 作为定制 FR 时，应充分比较和权衡定制对客户的效果及其多样化成本后方可决定。

2. 技术视图

技术视图描述产品族和产品平台的技术解决方案。它包含产品族和产品平台中技术模块的分解和技术模块之间的接口关系。它描述操作过程中所涉及的技术应用，这种技术应用能够确保操作的可行性，而这里的操作并不包括产品的制造（Erens and Verhulst，1997）。

在技术视图中，技术解决方案被表示成设计参数和变量（V），DP 表达产品族和产品平台一般的技术参数，而 V 则表达这些技术参数的具体取值，V 的值可以是连续或离散的。每个技术解决方案可以表示成若干 DP，只要在技术上满足了这些 DP 的要求，那么技术解决方案在一定程度上就具有可行性。对应于功能视图中的 FR，每个 FR 的实现都需要有技术解决方案的支持，也就是在技术视图中对应了若干与其相关联的可行的 DP。在所有 DP 都被实现的前提下，产品平台、产品族或产品变量才能够被实现，对应的 FR 才有实际的意义。

从功能视图向技术视图映射关系为产品设计。根据 Suh 的著名的公理化设计理论，一个好设计的 DP 个数应该与 FR 的个数相等，并且始终保持 FR 相互独立。这可以理解为功能视图中的一个 FR 主要由技术视图中的一个 DP 来实现，当然这个 FR 也有可能受到其他 DP 的影响，但这种影响越小越好。

3. 结构视图

结构视图主要描述产品族和产品平台的物理结构和组件。产品族的物理结构描述的是物理部件和物理部件之间的关系。对于产品平台来说，物理结构就是组成产品平台的所有子系统和接口，它们之间形成了一定的装配关系，把它们组合起来就是一个真实的产品平台。与产品平台不同，产品族的物理结构一般是由组成产品的真实零部件和零部件之间的接口所构成的；而产品变量的物理结构就是产品结构。

在功能视图和技术视图中，FR 和 DP 都可以用层次树来进行分解和分类，因此，在结构视图中产品族的物理结构也可以用层次树来表达。

图 2.9 所示为产品族的物理体系结构。图 2.9 中 PV 表示的是一个产品变量。一个产品族的物理体系结构由通用件、定制件和配置规则三部分组成。

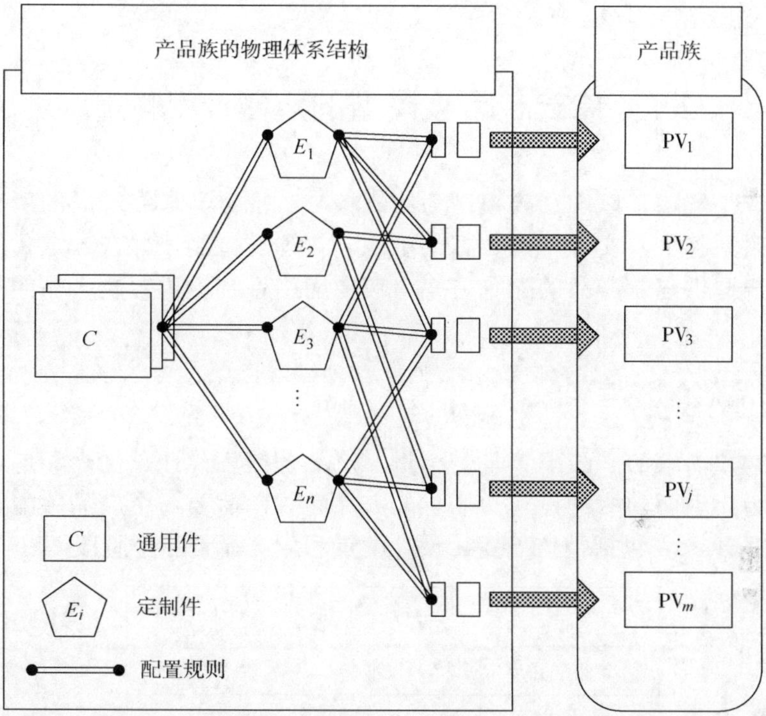

图 2.9　产品族的物理体系结构（Tseng and Jiao，2001）

1）通用件

通用件是产品族中不同产品所具有的通用的部分或元素。这部分共享元素的形式有多种，可以是产品通用的结构，也可以是通用的零部件。它们用于确定产品的基本性质和满足共同的功能要求。

2）定制件

定制件是使一件产品不同于其他产品的基本元素。它们是产品族中多样化的来源。定制件可以是不同结构关系和/或多样化的模块，用于满足附加功能或可选择的属性。如在计算机中，一个 CD-ROM 用于满足一个附加功能，而 1GB、2GB 和 4GB 等的 RAM 则用于满足一系列可选择的属性。每个定制件总是有两种或以上的选择（也包括“是”和“否”）来适应具有特殊应用的产品变量的出现。

3）配置规则

配置规则定义了派生产品变量的规则和方法。对于配置规则可以划分为三种类型：选择约束、包含条件和品种进化。选择约束就是在用户选择产品的时候约束产品可选择的功能特征，随意的结合是不允许的；包含条件就是为每个定制件决定可选择的产品变量；品种进化指的是引起产品功能特征的特殊性方式。

2.4　基于产品族模型的定制产品配置

定制产品配置是以产品族模型为组织核心，把定义最终产品的所有工程数据和文档联系起来，实现产品数据的组织、管理与控制，并在一定目标或规则下，向客户提供定制产品的配置方案，或向应用系统提供定制产品的不同视图和描述。

2.4.1　产品族配置框架

面向客户需求的产品配置是一个贯穿产品营销、设计、生产和递送全过程的活动。为实现面向多样化客户需求的产品配置，需要一个产品族配置框架，如图 2.10 所示。它包括销售配置、设计配置和生产配置三个阶段。

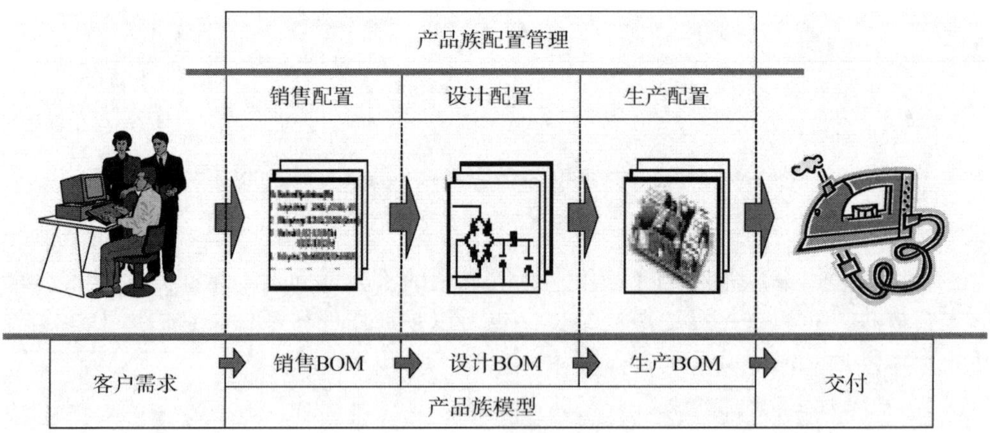

图 2.10　产品族配置框架

销售配置的任务是引导客户在企业能力范围内进行选择，从而配置出具有合适的价格、交货期和功能的产品。在销售配置阶段，产品是从功能的角度来定义的，其数据组织形式是销售物料清单。功能可以分为定制功能和非定制功能。定制功能用于满足客户的定制需求，可供客户选择。但并不是所有定制功能的组合都是可行的，销售选择约束限制了定制功能组合的方式。这些功能最终要由设计和生产来实现，因此，销售配置还必须保证功能的可设计性和可制造性。销售配置输出的结果是销售配置方案，它表达了客户的功能要求。

设计配置根据功能要求设计产品的原理和物理结构。在设计配置阶段，产品是从结构的角度来定义的，其数据组织形式是设计 BOM。与定制功能和非定制功能相对应的是定制零部件和通用零部件。定制零部件是在具有相似功能零部件的基础上快速变形设计而成。在设计配置中，原理和物理结构的选择要满足设计选择约束。同时，由于物理结构反映的是 FR，并最终将用于生产，设计配置除了应满足 FR 外，还需要保证可制造性。设计配置输出的是设计配置方案，它表达了产品的物理结构。

生产配置为物理结构选择相应的生产过程。在生产配置阶段，产品是从生产过程的角度来定义，其数据组织形式是生产 BOM。通用零部件可以采用大批量生产；而定制零部件则按加工的相似性聚类，采用柔性定制方式生产。最后将通用零部件与定制零部件装配成产品，进行定制包装后递送给订购的客户。

可以看出，在整个配置过程中，销售配置、设计配置和生产配置之间信息的一致性是保证客户需求与企业能力相匹配的关键。销售配置、设计配置和生产配置的核心分别是销售 BOM、设计 BOM 和生产 BOM。因此，保证了销售 BOM、设计 BOM 和生产 BOM 信息的一致性就能保证客户需求与企业能力的匹配。在产品族配置管理中，所有这些 BOM 都是产品族模型在不同配置领域的不同视图。产品族模型的约束在销售配置中的映射是销售选择约束，在设计配置中的约束是设计选择约束。统一的产品族模型保证了 BOM 信息的一致性。不同的 BOM 之间存在信息的映射。这种映射是在客户需求驱动下的一个信息的继承、细化和扩展的过程，它反映了整个订单处理过程。在这个过程中，销售 BOM 到设计 BOM 的映射反映了产品功能与设计原理和物理结构的匹配。设计 BOM 到生产 BOM 的映射反映了物理结构与生产过程的匹配。整个映射过程都是基于产品族模型实现的，保证了多视图的一致性，从而实现了信息集成和过程集成，保证了企业能力与客户需求的匹配。

2.4.2　产品配置流程

在产品族配置框架下，产品配置过程实际上就是基于产品族模型的产品变量派生过程。图 2.11 所示为产品族配置过程。销售 BOM 表现为一系列选项集。这些选项表示了不同的定制功能。客户通过选择不同的选项来表达 FR。客户的 FR 必须满足销售配置约束，这保证了销售配置方案的一致性。通过销售 BOM 与设计 BOM 的映射，销售 BOM 中的功能被转换为设计 BOM 中外部变量的值。通过

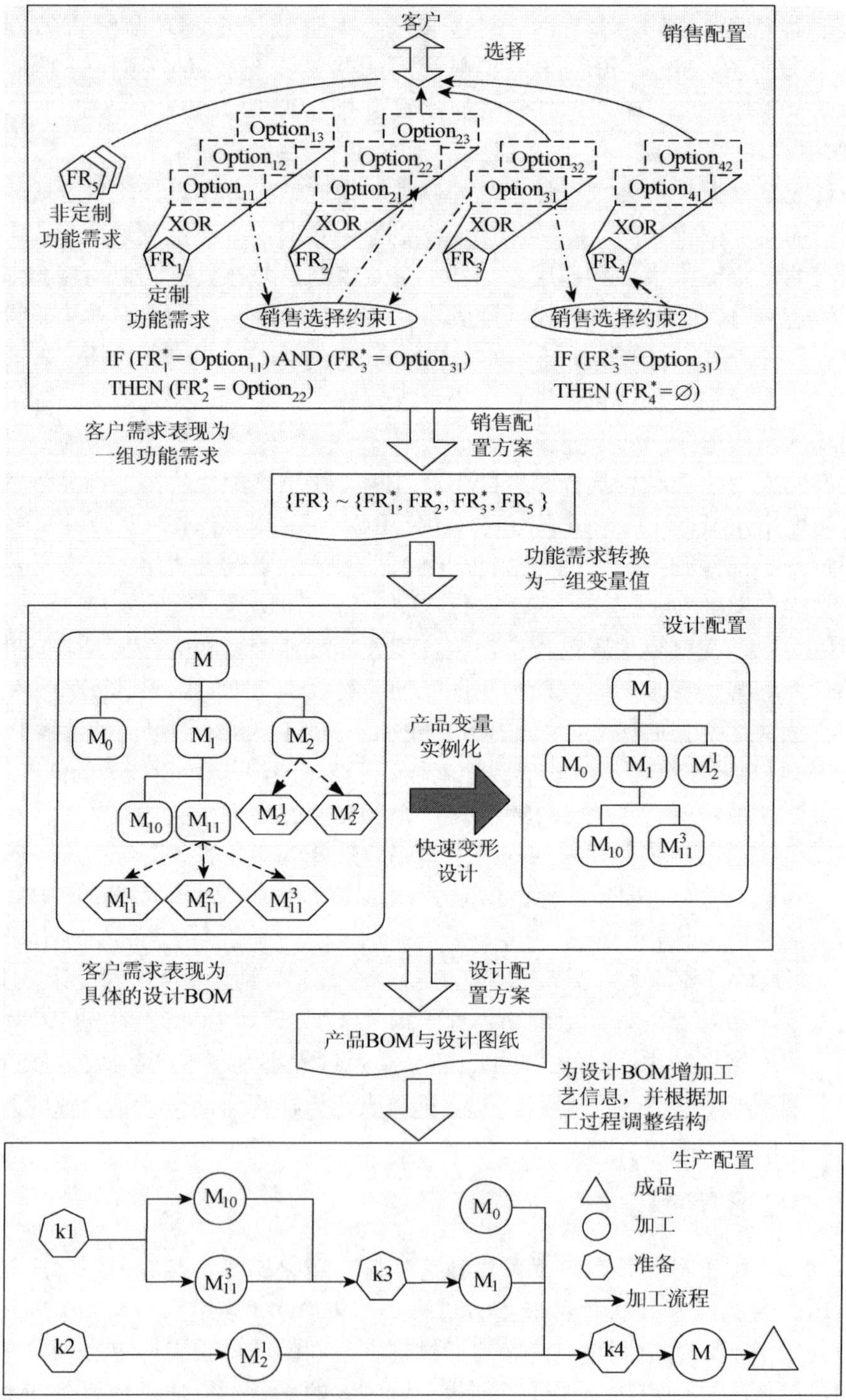

图 2.11　产品族配置过程（Du et al.，2001）

外部变量值的继承推理确定出所有变量值，实现类零部件的实例化，从而派生出产品变量的设计 BOM。生产 BOM 在设计 BOM 的基础上附加工艺信息，并根据生产装配需要调整 BOM 结构，然后用于制造装配。

在设计配置中，产品是由一系列零部件（或模块，图 2.11 中用 M_i 表示）组成。设计配置过程就是在这些零部件的组合方案中搜索满足客户需求的组合的过程。设计配置将涉及大量的运算，其效率是保证产品族配置管理效率的关键。具体的推理流程如下。

1）变量值的确定

在销售配置中，客户选择的功能转换为产品族模型中内部变量的值，这些值被存储于一个列表中。采用深度优先算法搜索产品族模型，如果变量是内部变量则从列表中读取相应的值。如果变量是外部变量，则从其父类部件继承相应的变量值。最后，整个产品族模型中的变量都将被赋值。

2）产品族模型的实例化

产品族模型的实例化与变量值的确定是在同一个搜索过程中完成的。当产品族模型中所有变量都被确定后，产品族模型才能被实例化。产品族模型由一系列类零部件组成。产品族模型的实例化可以被分解为类零部件的实例化过程。同样类零部件的实例化需要首先确定类零部件变量集中所有变量的值。类零部件的实例化过程如下。

第一步：检查该类零部件是否存在逻辑约束。如果不存在的话，进入第三步。

第二步：如果有一个逻辑约束存在的话，根据逻辑约束一个个地检查其子类零部件，去除不符合逻辑关系的子类零部件。如果该子类零部件位于枝节点的话，其下级的枝叶节点也同时被去除。

第三步：如果子类零部件位于叶节点的话，根据逻辑约束和算术约束选择类零部件的实例。

第四步：如果子类零部件位于枝节点的话，返回第一步执行。

产品族模型实例化的结果可能是一个或多个确定的产品 BOM。

3）利用资源表达式搜索可行域空间

根据资源表达式排除部分配置方案。配置方案耗用的资源可以通过计算各零部件所耗用资源来得到。

4）根据优化准则选取最优方案

以上几步确定的可行域中可能有多个配置方案。因此，我们还需要根据优化准则选取最优方案。优化准则一般是追求资源的最小化和性能的最大化。如 Min price AND Max power，表示最低的价格和最大的功率。至此，在现有产品中，搜索到一个满足客户需求的确定产品 BOM。如果这个产品正好满足客户需求，则进入生产配置。否则进入下一步。

5）快速变形设计

如果上述方案还不能完全满足客户需求，则可以在配置出的产品 BOM 的基础上，根据客户需求进行快速变形设计。根据模块化的产品设计原理，存在四种基本类型的变形设计方法，即粘贴（attaching）、缩放（scaling）、剥离（detaching）和交换（swapping），如图 2.12 所示。根据这四种基本的变形方法可以实现更加复杂的变形设计。

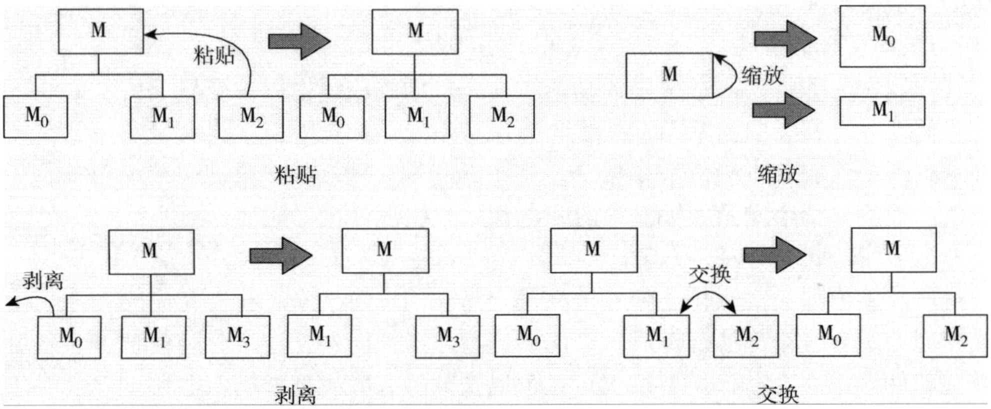

图 2.12 变形设计的基本方法（Du et al.，2001）

2.4.3 基于产品族的产品配置系统

根据系统采用知识表达方式和推理机制的不同，可以把基于产品族的产品配置系统分为基于特征的配置系统、基于规则的配置系统、基于实例的配置系统和基于模型的配置系统（Blecker et al.，2004a；Günter and Kühn，1999；Sabin and Weigel，1998；董建华，2000）。

1. 基于特征的配置系统

最早的配置系统常采用简单直观的基于特征的配置方法。为产品族定义几个相互独立的特征，每个特征对应几个选项。客户或销售人员从每个特征中选择一个选项，就可以获得一个配置产品。这种配置系统只有在具有少数离散选项的情况下适用。

2. 基于规则的配置系统

基于规则的配置系统采用基于规则的推理方法，使用规则作为一致表达领域知识和控制策略的机制。规则表现为 IF（条件）-THEN（处理）的形式。输入和处理结果等全局状态信息存储在知识库中。

基于规则的配置系统需要解决两种类型的问题：要得到一个正确的配置方案

需要执行什么样的程序？这些程序按什么样的顺序执行？这要求配置系统具有动态的决策能力。

基于规则的配置系统采用向前推理的方式。在每一步，系统都需要检查整个规则集。当知识库中的当前状态信息符合某一规则的所有条件时，相应的规则被激活，并执行相应的处理。这些处理一般都要修改知识库中的状态。处理执行完毕，知识库的状态可能已经发生改变，此时需要再搜索一个规则，如此循环往复直至得到最终的配置方案。

基于规则的系统支持增加式开发，但随着组件和规则的不断增加和发生改变，会导致系统维护困难。

3. 基于实例的配置系统

这类配置系统主要采用基于实例的推理方法。这种推理方法实际上是一种类比推理方法。它利用以往的配置方案（实例）来求解与之相似的新的配置问题。这种配置系统的基本过程是：根据客户需求检索相似配置方案，并调整使之适应新的配置问题，最后把新的配置方案存储于实例库。这种推理方法的前提条件是相似问题有相似配置方案。因此，它只适用于对少数标准产品进行变形定制的情况。

4. 基于模型的配置系统

这类系统采用基于模型的推理方法。基于模型推理的前提条件是存在系统模型。系统模型由可分解的实体以及它们之间的相互作用组成。基于模型的推理方法将知识表达和推理机制进行分离，提高了系统的鲁棒性（可解决更广范围的问题）、可维护性（便于知识扩充）、重用性（已有的基于模型的知识表达可以用于相关领域）。

根据不同的模型描述，可以把基于模型的配置系统分为三种类型：基于逻辑的配置系统、基于资源的配置系统和基于约束的配置系统。

1）基于逻辑的配置系统

大多数基于逻辑的配置系统采用描述逻辑作为知识表示的形式化工具。系统的主要推理方式是包含推理（subsumption）和分类推理（classification）。描述逻辑具有较强的表达能力，有利于知识的获取。利用包含推理和分类推理，知识的描述能够被清晰地分类表达。并且当新的描述被加入，或者现有描述被改变时，系统能够自动地维护知识库的一致性。

基于逻辑的配置系统通过一些简单的问题引导客户，利用客户的输入进行初始的选择。通过一系列由系统引导的问题逐步分类细化客户需求，配置出最终的产品。

在描述一些复杂的配置问题时，基于逻辑的配置系统可能会导致描述的指数倍增，从而降低系统的效率。

2）基于资源的配置系统

在基于资源的配置系统中，组件与组件之间，组件与外部系统之间交互的接口都由抽象的资源来表示。基于资源的配置系统提供了一个资源产生和消耗的模型。在这个模型中，每一个组件都将产生、消耗一定数量的某类型资源。外部系统表达了客户的需求，也将产生、消耗一定数量的某类型资源，因此配置问题可以被看成是系统资源平衡的问题。配置的目的就是搜索一系列的组件，使整个系统资源达到平衡。

在基于资源的配置系统中，配置是从客户的资源需求开始。选择一种能够满足客户某类资源需求的组件，将它加入配置方案中。不断重复这个过程，直到整个系统的资源需求小于资源供给。

基于资源的配置系统适用于以满足客户 FR 为目的的配置工作，如模块化产品的配置。在这类配置工作中，每一个组件都为客户提供部分功能，所有组件的集合满足客户全部的 FR。基于资源的配置系统不适用于对组件位置存在要求的配置工作。

3）基于约束的配置系统

在基于约束的配置系统中，每一个组件都包含一系列属性和端口。组件之间通过端口相互作用，组件之间存在约束。在配置过程中，组件和它们的端口都是变量，约束限制了组件组合成产品的方式。因此，配置问题被看成是约束满足问题。基于约束的配置系统存在一个明显的缺陷：所有的变量都需要事先被确定。而配置问题实质上是一个动态的、多对多的问题。因此，基于约束的配置方法限制了系统的应用范围。

可以看出，不同的配置系统各有优缺点。为了发挥不同配置系统的优势，可以采用综合利用几种配置方式的配置系统。

第 3 章　大规模定制下客户需求信息的分类模型与表达方法

客户需求是实现产品定制的直接动力，也是产品配置的依据和源头。产品定制过程是以客户需求为输入，通过对各种类型的客户需求进行获取、识别，在准确理解客户真实需求的基础上最终完成产品配置而实现的。客户需求信息的识别和处理是成功实施大规模定制的前提和基础，而对客户需求的识别和处理则包括对客户需求的正确描述，准确、完备、易于理解的需求模型的建立和不同需求信息的识别等。因此，本章将详细论述个性化客户需求分类、客户需求的表达、多类型客户需求信息形式化描述、客户需求本体及客户需求知识库模型。

3.1　大规模定制环境下客户需求信息分类模型

客户需求是指客户域中一个解决方案未定的表述，用以表达客户考虑事项的关键基本特征（Zamirowski and Otto，1999）。一般说来，就是客户对产品的功能、性能、外观、价格等特征的要求。

在实际产品定制过程中，客户由于自身能力和拥有产品知识的差别，会应用不同的表达方式来表达自己的需求。对于拥有更多产品知识的客户，他们在定制过程中需求表达较准确，容易就产品的技术特性和工程特性等进行沟通，如对于计算机产品，会选定什么型号的 CPU、内存、硬盘等。而对于欠缺产品专业知识的客户来说，通过既定的产品特征选项的选择来表达他们的需求往往比较困难，如同样对于计算机产品，他们可能不懂 CPU、内存、硬盘的特征参数到底表征什么具体的功能和性能，因而无法做出正确的选择。这种情况下应该允许他们使用一些模糊性的或者说明性的语言来表达自己的需求，通过说明此计算机主要用途是什么、价格如何等方面的要求来定制产品。因此在产品定制时，针对不同类型的客户和产品，需要应用不同类型的客户需求。而为了有效获取和准确表达多种多样的客户需求，可建立一种大规模定制环境下的客户需求信息分类模型，将客户需求信息划分为二元型、选项型、参数型、描述型和解释型等五种类型，如表 3.1 所示（但斌等，2008b）。

表 3.1　大规模定制环境下客户需求信息的分类

类别	数据特征	属性特征
二元型	结构化	产品属性值是二元互斥选项，必选其一
选项型	结构化	产品属性值是多个可选项，各选项之间是相互替代的，只能取其一，默认为缺省值
参数型	结构化	产品属性值用数值型参数表示，分为离散型和区间型
描述型	半结构化	产品特征用自然文本形式的模糊语义描述
解释型	非结构化	产品需求用非形式化的自然语言描述

1. 二元型

二元型指从客户角度考虑可有可无的、产品属性值被设置成二元互斥取值出现在产品中的需求。对于这类客户需求，一般是针对可供客户自主选择的附加的产品功能。在一般的定制系统中，这类客户需求往往是通过把附加功能的可选项设置成{是, 否}或{选, 不选}来实现。如对于电脑的可选件——摄像头等。

2. 选项型

选项型指客户可以从一组预先定义的有限个属性值中选取某可选项来表达产品或零部件属性的需求。这些选项是相互替代的，只能取其一。当然也可以默认为缺省值。它与二元型的不同在于它一般用来描述定制产品的替换功能，而不是附加功能等。如对于电脑机箱的颜色{白, 黑, 银白}。

3. 参数型

这里的参数仅指数值型参数。这类需求指能用数值表示产品或零部件属性变量的需求，可表示配置产品的数量可变构件和数值型属性。常见的参数型表述的需求主要有两种：连续型和离散型，连续型一般都是区间型（大于某个值；小于某个值；可以在某两值之间）。如电梯行业中，客户可能会要求电梯的运行速度在1.5～2.0m/s。而所谓离散型就是用单个数值表示的属性值。对于参数型的客户需求，可以采取参数输入的方式获取。

以上三种均属于结构化的客户需求。但在定制过程中，仅通过以上三种是无法获取难以清晰表达的客户需求的，还需要一些能够支持客户便捷地描述定制需求的需求类型。描述型和解释型的客户需求就允许客户用自然文本的形式进行需求描述，属于半结构化和非结构化的客户需求，有利于客户的便捷表达。

4. 描述型

描述型指有一定的结构，但在属性描述方面允许客户选用符合自己语言习惯的描述语言的需求。它允许客户对其所关注的产品特征一一采用描述性的模糊语义方式进行描述或表述。客户可以对产品功能或某个零部件功能特征进行描述，也可以对产品价格、外观、产品结构、技术等方面的特征进行描述，因此可以将描述型客户需求分为功能描述型和技术描述型两方面。功能描述型客户需求不仅包括产品的使用功能要求，还包括产品的价格要求、外形、寿命、颜色等多种功能特征的描述。技术描述型客户需求则是对产品的结构和技术特性等的描述。描述这类客户需求的模糊限制语主要有：关于大小的（包括差不多、略大于、略小于、高一点、低一点、宽一点等）；关于颜色的（包括偏红、深一点、太淡、太深等）；关于价格的（包括太贵、某值上下、便宜一点等）；关于重要程度的（包括很重要、比较重要、一般、不重要、很不重要等）；关于好坏程度的（很好、较好、一般、不好）等。

5. 解释型

解释型指客户从自己的思维出发对产品提出的使用非形式化的自然语言表示的需求。这类需求是通过客户在交互界面输入需求语句获取。客户没有对某一产品功能模块或者部件等提出明确的要求，因此需要对其进行分析处理，从而指导定制产品的设计和制造。

3.2　客户需求信息表达的框架模型

3.2.1　客户需求的层次结构模型

对照产品的功能层次结构和特征结构，考虑到价格可以作为独立因素列出，可以将客户需求分为功能需求、特征需求和价格需求。客户需求的层次结构模型如图 3.1 所示。

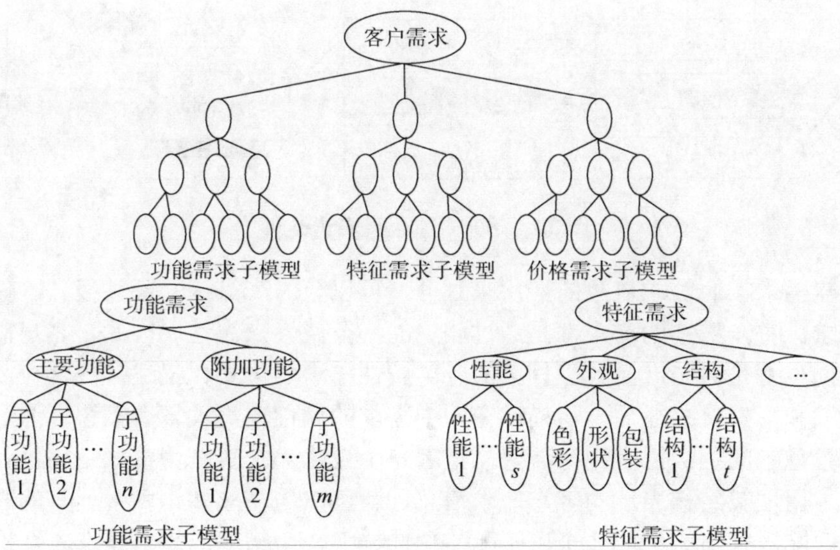

图 3.1　客户需求的层次结构模型

功能需求是客户对产品的最基本的需求，它包括主要功能需求和附加功能需求两个部分，可以划分为子功能等层次。主要功能需求是指满足客户基本、核心需求的功能。附加功能需求，是指除了主要功能需求以外附加、可选的功能，显示了产品的多功能性，能更好地适应客户需求。

特征需求是客户对产品的具体部件等组成部分提出的具体特征需求，包括外观特征、性能特征、结构特征等不同级别的特征信息，同时满足一定的层次性和结构性。

价格需求则是客户对产品价格、成本等的需求，对客户需求起着决定性的判定作用。

3.2.2　客户需求信息表达框架

客户需求信息表达就是将所获得的客户需求信息的语义用适当的形式表示出来，成为计算机可以识别和处理的形式。在大规模定制环境下，客户提出的需求往往存在着模糊性（需求的提出以定性描述为主）、二义性（需求表达的准确程度不够，语义不够完整）及不完备性（客户需求只能反映产品某一个方面的特性）等特点，这样容易导致客户的真实需求不能正确、完整地反映到产品上去。因此，必须研究各类需求信息的完整的语义描述并采用合适的表达方法，使客户需求信息能尽可能完整、准确地表达出来。在大规模定制中，客户需求域主要是通过需求获取和需求表达来建立。前者表现为客户采取多种需求类型对个性化需求进行的直观描述，而后者则是对客户需求信息的描述进行分析并规范化表达，并转换成为对应于需求结构模型各级的需求实例信息。图 3.2 所示为客户需求信息表达框架模型。

图 3.2　客户需求信息表达框架

客户需求按照需求对象的层次来划分，可以分为产品级、部件级、零件级的客户需求。每一级别的需求都是通过相应的特征属性来表达。因此，客户需求的描述空间也就是对与产品各级相关的各类属性需求的形式化描述。在客户需求信息的提取和形式化描述后，将描述空间中需求的属性作为关键字索引，通过与需求结构模型中的各级需求进行映射，把客户个性化需求实例用框架结构进行完备的表达。用框架结构表示的客户需求信息，就可以与需求知识库中已有的需求框架进行匹配，找出一个或几个可匹配的预选框架作为初步的需求备选方案推荐给客户。同时还可以根据各种类型客户需求的特点，定义相应的规则推理库，进行需求转换和规则推理等。

3.2.3　基于框架的客户需求信息表达

对所获取的客户需求进行语义描述以后，对应到客户需求描述空间，然后可以采用基于框架的方法对其进行规范和统一表达。框架能表示企业所能提供的与各级需求属性相对应的抽象产品，而实例框架是框架的一个具体体现。客户提出的需求可以表达成用实例框架表示的具体需求产品实例。框架表示法能够组织化、结构化地表示客户需求。它能集中对象个体的所有属性描述和关系描述，使有效地组织和处理需求信息成为可能。

1. 框架知识结构

框架是一种描述所论对象属性的数据结构。在框架理论中，一般将框架视为知识表示的一个基本单位。而一个框架由若干个被称为“槽”（slot）的结构组成，用于描述对象属性。每个槽又可以根据实际情况划分为若干个“侧面”（facet）。槽和侧面所具有的属性值分别称为槽值和侧面值。在一个框架系统中，一般都含有多个框架，对框架及其不同槽、不同侧面，分别赋予不同的名字，分别称为框架名、槽名及侧面名，其一般表示形式为：(〈框架名〉(〈槽〉(〈侧面〉)〈值〉))（朱福喜，2002；朱光菊和夏幼明，2006）。

产品及其部件、零件等可以作为所研究的对象用框架表示。而其属性则可以分别表示成槽。一个框架是由若干个对象属性的槽所组成，每个槽描述了产品或零部件某个方面的属性。这些属性值则可以表示成槽值。各级需求属性对应框架的槽，而框架之间跟产品的结构树相关，存在着继承和相互关联等联系。对于能描述成赋值需求和选择需求的需求类型来说，其属性对应到某框架的槽或侧面，而其属性值则对应到槽值或侧面值，其值可以是数字、字符串或布尔值。而属性之间的约束则可以用约束条件来附加说明，并且可以用槽的缺省值侧面来说明某一属性的典型取值。但是对于特征描述形式的描述型和解释型客户需求来说，采用传统的框架表达则不适用。

2. 框架的模糊化

为了真实地反映描述型和解释型客户需求，可以将框架模糊化来表达客户需求信息。框架模糊化首先就是允许其槽值、侧面值可以是模糊数据，其中模糊数据可以是各种模糊数、模糊语言值、模糊集等。这种带有模糊性质的框架表示法可以有效地表达模糊信息。例如，

框架名：变速器

密封性：很好

使用寿命：不小于 4 年

速度变化：较小

使用环境：好

震动噪声：很低

润滑要求：好

上述框架对某变速器的总体信息进行了描述。其中，大部分槽值都是模糊的，其模糊程度可以由相应的定性值的隶属度来反映。一个模糊化的框架结构大体可以表达为如下形式：

框架=框架名 (u_1/槽 $_1$, u_2/槽 $_2$, …, u_n/槽 $_n$)

槽 $_i$=槽名 $_i$ (u_{i1}/侧面 $_{i1}$, u_{i2}/侧面 $_{i2}$, …, u_{ij}/侧面 $_{ij}$)

侧面 $_{ij}$=侧面名 $_{ij}$ (u_{ij1}/数据 $_{ij1}$, u_{ij2}/数据 $_{ij2}$, …, u_{ijk}/数据 $_{ijk}$)

数据 $_{ijk}$=数据值 $_{ijk}$ (u_{jik1}/值 $_{ijk1}$, …, u_{ijkq}/值 $_{ijkq}$)

其中，所有的隶属度 u 满足 $0 \leqslant u \leqslant 1$。数据值可以是语言值或模糊数。因此再用框架表达特征描述形式的客户需求信息时，其特征属性值往往体现为某些定性值的隶属度。

3.3　多类型客户需求信息的形式化描述

对不同类型客户需求，其描述形式和相应的需求属性表示方式各有区别。基于 3.1 节的分类模型，针对五种类型客户需求信息的不同特征，可以采用不同的方法进行形式化描述。

3.3.1　结构化客户需求信息的形式化描述

结构化客户需求信息是具有良好描述结构的需求信息，具有准确、易维护和理解的特点。二元型、选项型和参数型客户需求信息就具有结构化的特征。通过这三类客户需求，客户可以针对产品的某些属性提出特殊要求。这些定制属性有其特定的值域，是企业事先定义的。在定制系统中交互式界面可以设置成属性值选择或输入的表达形式，简单地表示这些个性化需求。

1. 赋值

赋值用来表示需求对象属性及其取值之间的联系。通常用来表示由数值表示的属性。

需求描述形式为

CN={⟨attribute, value, relation⟩}

attribute 在这里对应产品或者功能组件的某些定制属性。

value 是定制属性的取值，对属于结构化需求的参数型来说，一般是单一值、区间值等。值域是限定范围。

relation 表示 attribute 和 value 的关系，一般是某些数学运算符，用于表示参数型的需求信息，如大于、小于等，举例如下：

赋值需求={⟨价格, [3000, 5000], ∈⟩}

2. 选择

选择指客户根据自己的需要选择或给定已限定范围的需求属性值的客户需求信息。

需求描述形式为

CN={⟨attribute, type⟩}

attribute 对应需求对象属性，即产品或者功能组件的定制属性。

type 则表示被描述的需求属性的选值。对于选项型，type 对应所选属性集中的某个选项。而对于二元型则对应被选和不选两个值。例如，选择需求={⟨内存, 521MDDR⟩, ⟨软驱, 不选⟩}表示要求定制的计算机内存类型为 521MDDR，软驱不要。

3.3.2　半结构化客户需求信息的形式化描述

描述型客户需求是对产品特征进行描述的一种半结构化客户需求，即这类需求总是与产品特征相关的。这里的特征是扩充了的含义，它包括功能和关于产品结构、技术等各方面的属性等。当对产品的所有特征进行完整而准确的表达将非常烦琐且不太可能时，客户在提出定制需求时只需要对产品的某些关键特征提出自己的特殊性要求，并采用符合自己语言习惯的描述性的模糊语义方式对这些特征进行描述。这些特征需求虽然具有一定的描述结构，但是它们主要通过一些模糊性的语言变量体现出来，往往是模糊、不严格的，也是多变的。

它的需求描述形式可以表示为

CN=⟨特征对象, (特征名, 特征属性值), 特征需求权重⟩

特征对象指需求所描述的特征对象，如产品、某零部件等。

特征名指与特征对象相关的特征属性名。

特征属性值：对于描述型客户来说，一般是表示程度的语义描述词，对此可以定义相应的模糊语义限定集进行表达，如很好、较低、可靠、平稳、紧凑等。

特征需求权重一般用来表示某一需求的权重值。它也可以是模糊描述词，如很重要、比较重要、重要、一般等，也可以是缺省。

3.3.3　非结构化客户需求信息的形式化描述

解释型客户需求是客户使用自然语言表示的客户需求，它是一种非结构化的需求信息。非结构化客户需求不仅可以包含精确的抑或是模糊的定量信息，而且包含模糊、定性、动态等性质的信息。对客户来说，客户需求的内容往往涉及两个方面：关于产品属性的需求和关于部件属性的需求。前者包括与产品相关的需求内容，如产品的名称和关于产品的相关属性；后者则包括部件名称和相对应的属性。可以结合语义网，完成客户需求信息的提取和处理，将非结构化的客户需求信息转化成结构化的需求形式。图 3.3 为基于语义网的客户需求结构化表达的基本结构。

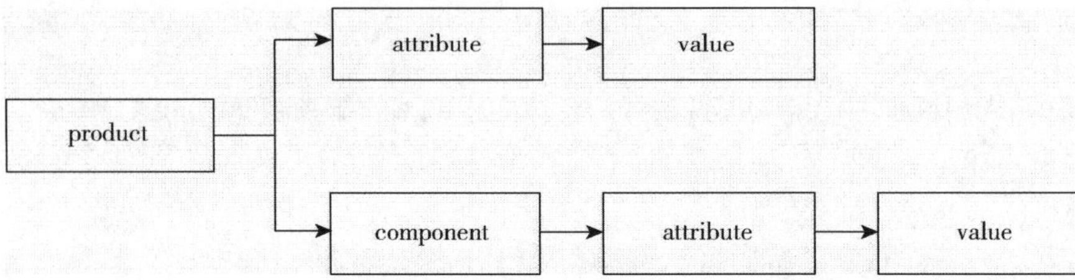

图 3.3 基于语义网的客户需求结构化表达基本结构

其中产品及其部件等可以作为对象。属性则表示用来描述产品或部件的各需求属性，具体用属性值来表示。

事实上，从语义上分析，解释型客户需求总是可以转化成与赋值、选择和特征描述相类似的语义描述形式。例如，某一解释型客户需求如下：所需要的数码相机价格在 4000 元以下，机身为铝镁合金材料，应有 420 万像素，采用 1/2.5 英寸[①]CCD 图像传感器，相机外形尺寸应该可以调整和修改，存储介质容量应不少于 256MB，且使用范围广泛，包括支持数码伴侣、MP3 等设备。其形式化描述为：赋值需求={〈价格, 4000, $\leqslant$〉,〈像素, 420 万, =〉,〈存储介质容量, 256MB, $\geqslant$〉}；选择需求={〈机身材料, 铝镁合金〉, 〈图像传感器, 1/2.5CCD〉}；特征描述={〈存储介质, (使用范围, 广泛) (兼容, 数码伴侣、MP3) 〉}。

3.3.4 案例分析

1. 计算机产品的定制需求表达

将分类模型应用于计算机产品的定制。简化起见，这里的计算机可定制的部件只包括：CPU、硬盘、内存、硬盘、主板、显示器（尺寸、类型、品牌、颜色、价格)、主板、音响、摄像头、鼠标。客户可以针对以上硬件提出自己的需求。需求约束规则有：CPU 类型与主板接口类型相同；RAM 数量小于等于 RAM 插槽数量等。

不同的客户往往适合于提出不同类型的客户需求。对客户来说，选择适合自己的需求类型来描述对产品的要求也是定制自己个性化产品的重要条件。在设计定制系统时企业应该根据产品特征，引导客户选用合适的方式表达自己的产品需

① 1 英寸=0.0254 米。

求，如对懂得计算机专业知识的专业客户来说，就可以引导他们提出结构化的客户需求，如图 3.4 所示。

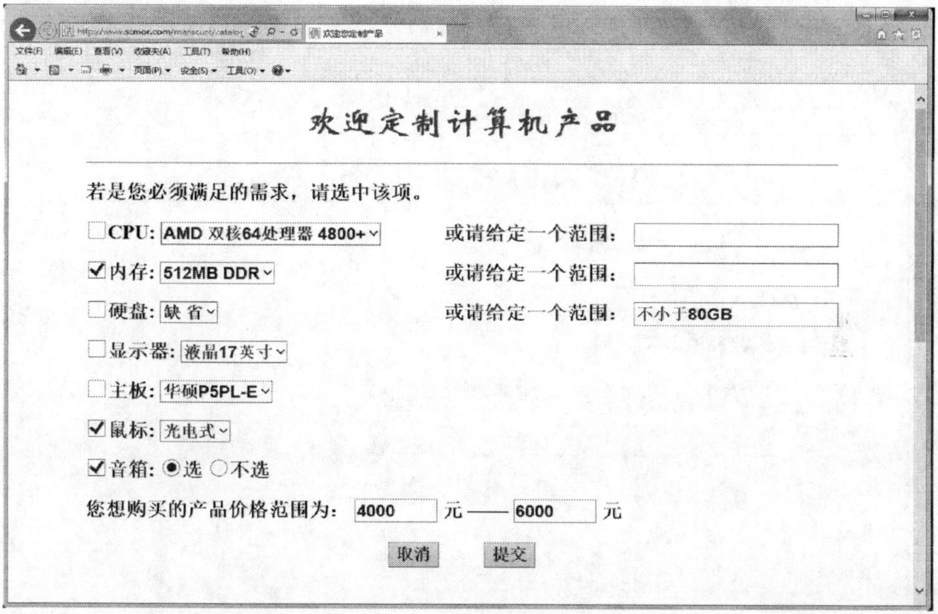

图 3.4　计算机产品的客户定制需求界面（一）

对于这些类型需求的输入，其形式化描述为：CN_1=⟨价格, [4000, 6000], ∈⟩，CN_2=⟨硬盘容量, 80GB, ≥⟩，CN_3=⟨CPU, AMD 双核 64 处理器⟩，CN_4=⟨内存, 512MB DDR⟩，CN_5=⟨显示器, 液晶 17 英寸⟩，CN_6=⟨主板, 华硕 P5PL-E⟩，CN_7=⟨鼠标, 光电式⟩，CN_8=⟨音响, 选⟩。

可以采用框结构来表示这些需求，得到产品需求的一个框架实例为

框架名：⟨计算机⟩

CPU：AMD 双核 64 处理器

内存：512MB DDR

显示器：液晶 17 英寸

主板：华硕 P5PL-E

鼠标：光电式

音响：选

硬盘：约束条件≥80GB

价格：约束条件[4000, 6000]

但是客户的需求往往是多方面的、不确定的，很少有客户能对自己要购买的产品形成非常精确的描述。对于不懂得计算机专业知识的普通客户，就需要引导他们

提出解释型的非结构化需求，如图 3.5 所示。这样客户可以从自己需求的角度对产品需求进行描述，采用自然语言输入需求语句直接对产品提出定量或定性的要求。

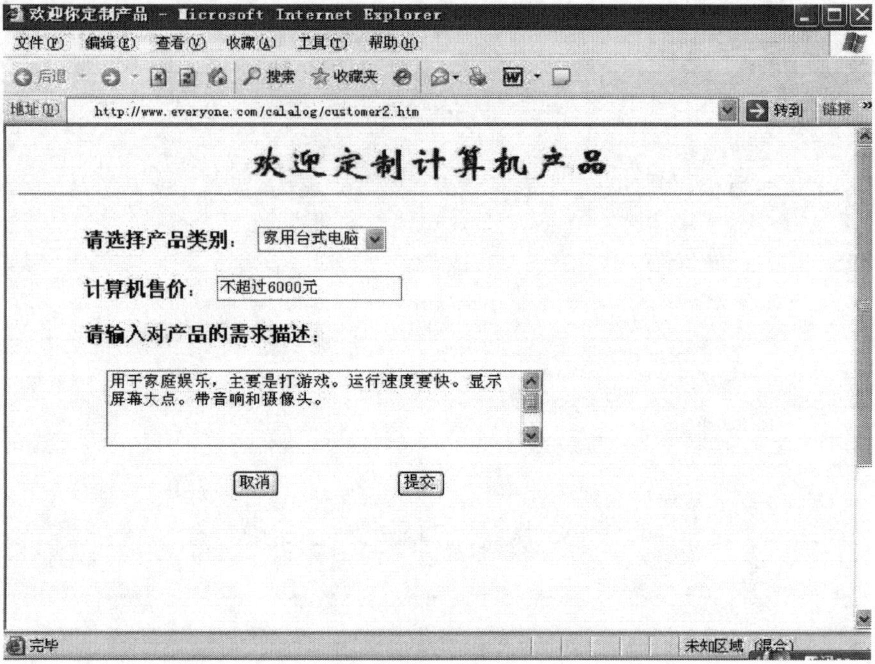

图 3.5 计算机产品的客户定制需求界面（二）

结合语义网，可获取客户提出的这些解释型客户需求并形式化描述为：CN_1=⟨产品类别, 家用台式电脑⟩，CN_2=⟨音响, 选择⟩⟨摄像头, 选⟩，CN_3=⟨售价, 6000, ≤⟩，CN_4=⟨家用台式电脑, (产品用途, 家庭娱乐)⟩，CN_5=⟨家用台式电脑, (产品用途, 打游戏)⟩，CN_6=⟨家用台式电脑, (运行速度, 快)⟩，CN_7=⟨显示器, (屏幕, 大)⟩。

采用一个框架结构来表示这些需求，得到产品需求的一个框架实例，具体如下。

框架名：⟨家用台式电脑⟩

售价：约束条件≤6000

产品用途：家庭娱乐

产品用途：打游戏

运行速度：$\bar{u}_{快}$

⟨显示器⟩屏幕：$\bar{u}_{大}$

音响：选

摄像头：选

⟨显示器⟩表示此框架包含一个显示器框架，$\bar{u}_{快}$、$\bar{u}_{大}$ 表示定性描述中模糊概念“快”“大”的隶属度表示。

2. 变速器产品的定制需求表达

不同类型的需求表达适用于不同的产品和客户。这里以变速器产品为例来说明描述型客户需求信息的获取与表达。变速器结构比较复杂，技术参数众多，对于刚开始熟悉变速器的客户，并不清楚自己对各技术参数的需求，只能从自己需求的角度对产品的某些特征属性进行描述。这样选用描述型的需求更有利于客户方便地表达自己的个性化需求。图 3.6 所示为某变速器产品定制的客户需求信息获取页面。其定制需求限于以下几个关键特征属性：密封性、使用寿命、速度变化、使用环境、震动噪声、润滑要求以及各属性的重要性描述等方面的需求。

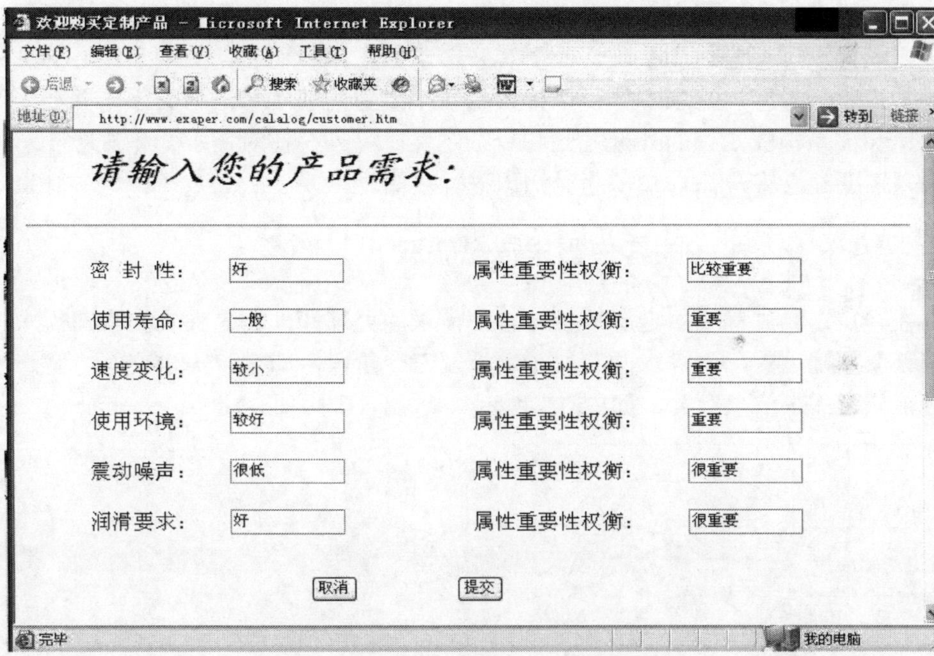

图 3.6　变速器产品的客户定制需求界面

可以看出，客户对变速器产品提出的每条定性需求均可以描述为特征描述形式：CN_1=⟨**derailleur, (密封性, 好), 比较重要⟩，CN_2=⟨**derailleur, (使用寿命, 一般), 重要⟩，CN_3=⟨**derailleur, (速度变化, 较小), 重要⟩，CN_4=⟨**derailleur, (使用环境, 较好), 重要⟩，CN_5=⟨**derailleur, (震动噪声, 很低), 很重要⟩，CN_6=⟨**derailleur, (润滑要求, 好), 很重要⟩。

采用一个框架结构来表示这些需求，得到产品需求的一个框架实例，具体如下。

框架名：⟨变速器⟩

密封性：$\bar{u}_1$/好

使用寿命：$\bar{u}_2$/一般

速度变化：$\bar{u}_3$/较小

使用环境：$\bar{u}_4$/较好

震动噪声：$\bar{u}_5$/很低

润滑要求：$\bar{u}_6$/好

$\bar{u}_i$表示特征定性描述中模糊概念“好”“较好”“一般”等用对应的隶属度表示。

3.4　大规模定制客户需求本体

在大规模定制过程中，建立一组结构良好的客户需求知识模型可以方便地对相关需求知识进行描述和整理，而对客户需求知识模型而言，其中最核心的部分就是知识表示。客户需求本体可以提供知识模型中的基本术语与关系，并利用这些术语和关系构成知识的外延规则和复杂定义。另外，在对需求知识进行表示的同时，需要建立客户需求知识库对知识进行存储。

3.4.1　基于 Internet 的客户需求信息获取

在客户定制过程中，定制系统对客户需求的处理和理解是建立在客户需求的准确获取基础上的，而需求的获取一般涉及三个阶段，即客户需求交互、客户需求规范化、需求信息存储，如图 3.7 所示。

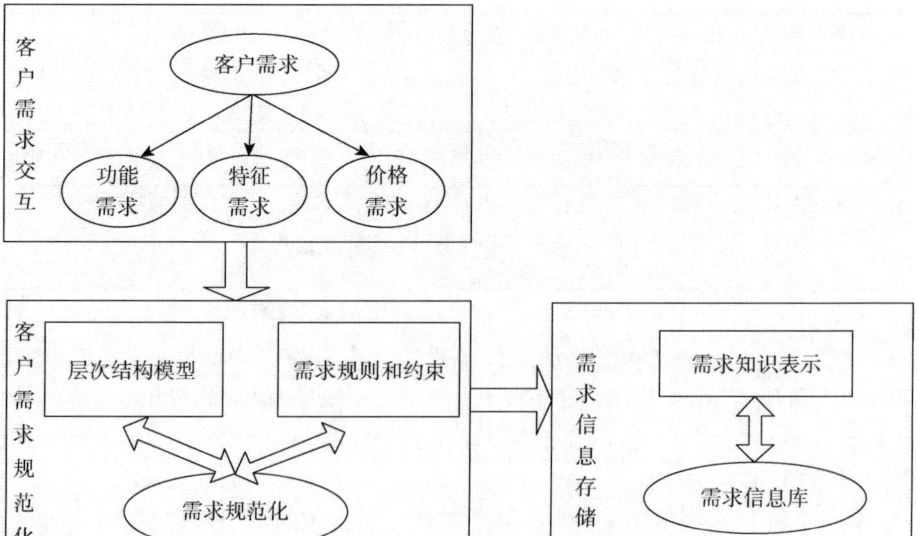

图 3.7　基于 Internet 的客户需求获取流程

客户需求交互是指客户在产品定制系统中完成客户需求信息的输入。客户需求交互过程直接面向客户，涉及不同客户对需求的输入。通过这个交互过程，系统可以将原始的客户需求简单识别为功能需求、特征需求、价格需求等对应的类别。

客户需求规范化是根据客户需求的层次结构模型，采用相关的规则和约束定义，对客户需求进行结构映射，生成对应的结构化客户需求，同时检验客户需求的一致性。在大规模定制过程中，客户需求信息往往包含很多层次，不同层次的需求从不同角度和不同程度反映产品需求，因此需要建立一个统一的框架来规范客户需求信息，从而形成规范化的客户需求。

需求信息存储是将规范化的客户需求以一种便于准确理解和应用的方式进行表达和实例存储，同时也便于客户需求信息的重用。

结合大规模定制环境下客户需求的应用背景，客户需求知识主要涉及以下三个方面的内容：①客户需求基本领域知识，如功能、结构特征、属性等基本需求概念的定义及其概念属性的描述；②客户需求规则，包括对各需求概念知识节点及其属性的约束机制和推理规则；③客户需求实例，以概念实例的形式对获取的客户需求进行表达和存储。

3.4.2　基于本体的客户需求描述

1. 本体和本体建模元语

1）本体的概念

本体（ontology）原本是一个哲学上的概念，译为“本体论”，是研究实体存在及其本质的通用理论。后来，“本体”被引入人工智能领域。本体是领域共享概念的一种认同，是用于描述或表达某一领域知识的一组概念或术语。它可以用来组织知识库较高层次的知识抽象，也可以用来描述特定领域的知识。在人工智能领域，本体是构成相关领域词汇的基本术语和关系，以及利用这些术语和关系构成这些词汇外延规则的定义。定义本体的目的是使知识能够共享和重用（张劲松等，2003）。

美国斯坦福大学知识系统实验室（Knowledge System Laboratory）的学者Gruber（1993）提出了本体的第一个被广泛接受的定义：本体是概念化的显式的表示。之后，Studer 等（1998）在 Gruber 的基础上扩展了本体的概念，即本体是共享概念模型的明确形式化的规范说明。这里包含以下 4 层意思。

（1）“概念模型”（conceptualifation）指通过客观世界中一些现象的相关概念而得到的模型，概念模型表现的含义独立于具体的环境状态。

（2）“明确”（explicit）指所使用的概念及其约束都有明确的和无歧义的

定义。

（3）“形式化”（formal）指本体能通过本体语言编码，使计算机可读，并且能被计算机处理。

（4）“共享”（share）指本体中体现的是共同认可的知识，反映的是相关领域中公认的概念集。

总体来说，本体的目标是捕获相关领域的知识，提供对该领域知识的共同理解，确定该领域内共同认可的词汇，并从不同层次的形式化模式上给出这些词汇（术语）和词汇相互关系的明确定义，实现对领域知识的推理。从知识共享的角度来说，本体是通用意义上的概念定义集合，是在各种知识系统间交换知识的共同语言。

2）本体的建模元语

Gómez-Pérez 和 Benjamins（1999）认为本体可以按分类法来组织，他们归纳出本体包含 5 个基本的建模元语（modeling primitive），分别为类（classes）、关系（relations）、函数（functions）、公理（axioms）和实例（instances）。通常也把类写成概念（concepts）。

概念的含义很广泛，可以指任何事物，如工作描述、功能、行为、策略和推理过程等。关系代表了领域中概念之间的交互作用，可形式上定义为 n 维笛卡儿乘积的子集，R：$C_1 \times C_2 \times \cdots \times C_n$。函数是一类特殊的关系，在这种关系中前 $n-1$ 个元素可以唯一决定第 n 个元素。形式化的定义为 F：$C_1 \times C_2 \times \cdots \times C_{n-1} \rightarrow C_n$。例如，mother of 关系就是一个函数，其中 mother of (x, y) 表示 y 是 x 的母亲，显然 x 可以唯一确定它的母亲 y。公理代表永真断言，如概念乙属于概念甲的范围。实例代表元素。

从语义上分析，实例表示的就是对象，而概念表示的则是对象的集合，关系对应于对象组的集合。概念的定义一般采用框架（frame）结构，包括概念的名称、概念的属性、与其他概念之间关系集合，以及用自然语言对该概念的描述。基本的关系有 4 种：part-of、kind-of、instance-of 和 attribute-of。part-of 表达概念之间部分与整体的关系；kind-of 表达概念之间的继承关系，类似面向对象中的父类和子类之间的关系，给出两个概念 C 和 D，记 $C'=\{x|x$ 是 C 的实例$\}$，$D'=\{x|x$ 是 D 的实例$\}$，如果对任意的 x 属于 D'，x 都属于 C'，则称 C 为 D 的父概念，D 为 C 的子概念；instance-of 表达概念的实例和概念之间的关系，类似于面向对象中的对象和类之间的关系；attribute-of 表达某个概念是另外一个概念的属性。例如，概念“价格”可作为概念“摩托车”的一个属性。在实际的应用中，不一定要严格地按照上述 5 类元语来构造本体。同时概念之的关系也不仅限于上面列出的 4 种基本关系，可以根据特定领域的具体情况定义相应的关系以满足应用的需要。

2. 客户需求本体的定义

建立客户需求知识模型是构建客户需求知识库的基础。而对客户需求知识模型而言，其中最核心的部分就是“如何合理有效地表示客户需求知识”，即客户需求的知识表示。所谓知识表示是对知识的一种描述或一组约定，是知识的形式化和符号化过程（袁磊等，2006a）。而本体是对相关知识的共享概念模型和明确的形式化规范说明，它提供了知识模型中的基本术语与关系，并利用这些术语和关系构成知识的外延规则和复杂定义（黄卿贤等，2005）。

因此，可以建立客户需求本体，用类、属性、关系和规则分别描述需求领域中的概念、概念的属性、概念之间的关系及其规则，形式化描述为一个四元组：(C, A^c, R, X)。其中，C 表示概念集，A^c 表示概念包含的属性集，每一个概念 C^i 的属性记为 $A^c(C^i)$，R 表示关系集，X 表示约束规则集，表示概念或关系之间的约束和规则集。

在大规模定制环境下，需求概念及其关系可以从需求结构模型中继承。需求结构模型描述了客户需求领域中常用的需求概念及其概念之间的结构层次关系。通过继承，同一类型的概念可以从其抽象概念那里继承该类型概念的共有属性。即具体的概念只需列出属于自己特有的属性，而不必列出它从属的抽象概念的属性。通过需求本体可以对主要概念及彼此间的关系进行分析和定义。图 3.8 反映了主要需求概念 C 及其相互关系 R 从需求结构模型中的继承关系。

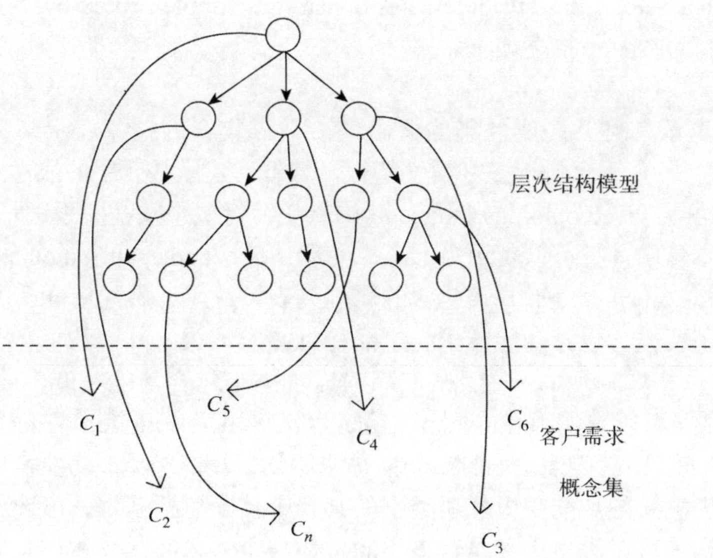

图 3.8　客户需求概念集和层次结构模型的继承关系

根据需求概念及其关系，可以建立客户需求本体的主要类及其关系，如图3.9所示。

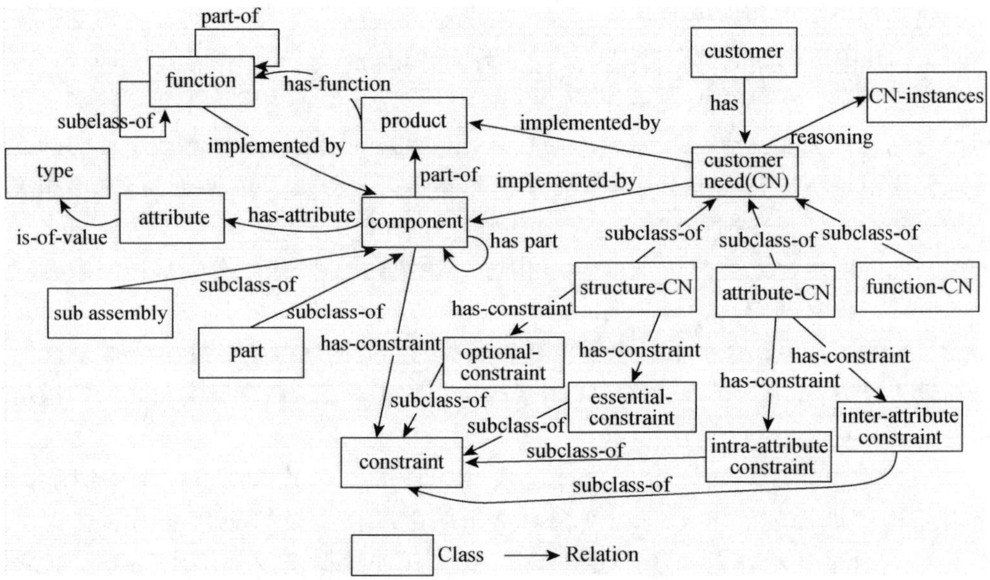

图 3.9 客户需求本体主要类及其关系图

客户需求本体中包含关于产品结构、功能等客户需求的主要概念及其相互关系，包括 product，component，function，attribute，constraint，customer need 等主要类以及 subclass-of，has-attribute，has-constraint，implemented-by 等主要关系。客户需求本体可以具体描述如下。

1）类

一个类表示具有共同属性集的概念集，是该集合的抽象表示（吕文涛等，2008）。同时，各个概念包含多个属性特征，与本体建模基元中的属性对应。可采用网络本体语言（web ontology language，OWL）对概念及其关系进行描述。

在需求本体中，类可以表示为一个二元组：$C=\langle \text{name, attribute list}\rangle$。name 指明了类的名称；attribute list 是类包含的属性列表，从属于属性集 A^c。客户需求知识本体中的主要概念包括功能需求、产品特征需求大类，其中的每一个大类又可被分解为多个子类。例如，关于某产品的需求类中包含功能（function）类，而 function 类则又可以定义为 function_name，function_description，function_type，function_realize，即功能需求名称、功能需求描述、功能类型、功能实现方法等属性，而功能类型又是功能需求性质类中的某一个体，包括基本、可选、附加等类型。可见，属性可以用来定义属于该类的个体与个体之间、个体与其他类的个体之间的关系。多个类也可以用“子类”（subclass-of）关系组织为一个特定的层次结构。而产品特征需求类则表示关于产品结构及其特征属性方面的需求概念。如可以建立 structure 类及其 component 类、part 类、sub-assembly 类等子类及其相应的属性列表。关于某产品的 component 类，可以记为 $A^c=\langle$(component_name, component_feature, component_price, component_type)$\rangle$，即概念类“部件”包含需求部件名称、部件特征、部件价格、部件类型等属性。

2）属性

一个类可以由一组属性列表来表征，同时属性也表述个体之间或者从个体到简单数据的关系。

属性的定义如下：假定 C 是领域内的一个类，一个属性 a 可定义成一个三元组 a=(name, type, domain)。其中，name 是属性名称；type 是属性类型；domain 是属性的定义域。type 可以为一些简单的数据类型，表现为概念和简单数据类型之间的关系，如布尔、字符串、整数、浮点数等。属性也可以是属于其他类的个体的复杂类型，表现为概念之间的一种关系。从属性的定义上看，概念具有简单概念和复合概念之分。例如，component 类的属性 component_price 可以表示为 a=(component_price, float, [30, 150])。

3）关系

关系可以表示需求概念和概念之间的交互作用。形式上定义为 n 维笛卡儿乘积的子集，R：$E_1 \times E_2 \times \cdots \times E_n$。概念之间基本的关系主要有以下几种：part-of 表示概念之间部分与整体的关系；has-instance 表示概念的实例与概念之间的关系；has-attribute 表示某个概念是另一个概念的属性；component-of 表示概念之间的组成关系等。如表 3.2 所示。

表 3.2　客户需求主要概念及其关系

关系 概念 / 概念	customer	product	function	component	attribute	CN-instance	type
customer	—	customize	describe	—	—	describe	—
product	customized-by	—	has-function	has-component	has-attribute	has-instance	—
function	described-by	implemented-by	part-of	implemented-by	—	—	—
component	described-by	component-of	implement	subclass-of	has-attribute	has-instance	—
attribute	—	describe	describe	describe	—	has-instance	—
CN-instance	given-by	express	—	—	instance-of	—	is-of-value
type	—	—	—	—	describe	has-instance	—

4）约束规则

公理也是本体建模基元之一。它能表示需求概念及其属性之间的更多信息，如需求概念内部结构的限制以及相互约束关系，从而便于需求合理性的校验和推理（殷磊等，2005）。在客户需求知识领域本体构建过程中，公理定义包括约束关系及相关规则的定义。

建立本体基本描述之后，通过定义约束机制可以丰富本体语义，使相对简单的模型变得完整，有利于语义一致性检查与推导。根据本体中的基本概念类，客户需求知识本体框架的约束机制包括结构约束、功能约束和属性约束。

结构约束（structure-constraint）指本体中的结构需求类概念必须满足的约束条件。如 component-of 可以表示产品部件或者零部件之间的组成和层次约束关系等，且满足以下规则：component-of 都是可传递的；具有非自反性；具有非对称性；一个零件只能是一个部件的 component，不能同时是多个不同部件的 component。

功能约束（function-constraint）指功能需求类概念需要满足的约束。某产品族存在着对应的功能结构模型，功能需求也是存在着层次性等约束，使需求能满足特定的功能模型，便于推理和实现。对无法再分解的功能需求元的约束是必须具有唯一的功能需求名，并且包含对应需求类型。这些都可以通过本体语言 OWL 的基数约束机制来实现。而对于可以再分解的功能需求，则用 part-of 表示需求概念之间层次分解关系。如在本体 function 类概念中，类 function 的子类“娱乐”包括“声音效果”“视频效果”等子功能需求。另外，用 part-of 表示同样具有 component-of 相对应的规则。这样可以保证功能需求 function 类及其子类等概念的合理性，便于对客户需求知识的表达和理解。

属性约束（attribute-constraint）指有关特征需求类概念必须满足的约束。一个类总是可以用确定的属性集来表征。属性约束一般反映的是类属性之间的约束关系。也叫子属性约束。所谓子属性，以产品（product）类的附加功能（addition-function）属性及其对应的功能（function）类为例，假定 function 类定义了 function_name，function_description，function_type 三个属性，则此三个属性都是 addition-function 属性的子属性，常用 attribute-of 表示子属性与概念之间的关系。子属性约束包括一维属性约束、两维及以上的属性约束。

一维约束即单一属性约束（intra-constraint），这类约束只对概念的单一属性值起作用。约束条件一般用来描述属性值的类型、允许值（领域或取值范围）以及值的其他特征等。如对于某属性的取值可以采用单一或者多个值，或者设定最小和最大基数值来限定值范围。其作用结果是对属性值、属性类型、取值范围等的约束定义。例如，关于某产品的属性“重量”的基本约束条件是“产品重量取值不能小于 0”。

两维及以上属性约束（inter-constraint）指属性与属性之间的约束关系。该类属性约束则体现了概念属性间的约束关系，例如，关于计算机中 CPU 主频和硬盘容量之间的约束关系是：主频为 3GHz（80GB）要求用容量为 80GB 的硬盘。这些属性之间的约束可以保证需求知识的合理性和可实现性。

根据需求的特点，推理规则的表示则可以用四元组来描述：$R=[C, W, K, S]$。其中，C 表示判别的条件；W 表示各条件相应的权重；K 表示规则应用阈值；S 表示规则的结论，从而建立相应的推理规则集。

3.4.3 应用示例

这里以计算机产品为实例，采用 OWL 本体开发工具 Protégé 建立关于计算机产品的客户需求知识本体。Protégé 作为基于本体的开发平台，它可以建立客户需求本体模型。下面是具体建立过程。

（1）整个客户需求的 OWL 本体类采用树型方式进行组织。包含关于客户需求的主要概念：computer，component，function，attribute，constraint，customer 类及其子类。对 component 则包含 CPU，monitor，hard drive，motherboard，speaker 等子类。例如，

```
……
  ⟨owl:Class rdf:ID="function"/⟩
    ⟨owl:Class rdf:ID="function-constraint"⟩
        ⟨rdfs:subClassOf rdf:resource="#constraint"/⟩
⟨/owl:Class⟩
……
⟨owl:Class rdf:ID="monitor"⟩
        ⟨rdfs:subClassOf rdf:resource="#component"/⟩
    ⟨/owl:Class⟩
    ⟨owl:Class rdf:ID="motherboard"⟩
        ⟨rdfs:subClassOf rdf:resource="#component"/⟩
    ⟨/owl:Class⟩
……
```

定义了需求中 function，component 类及其 monitor，motherboard 等子类，同时 function 类满足 function-constraint 约束。

（2）本体中除包含客户需求的主要类之外还包含类与类之间的相互关系，在 OWL 描述中用 object property 进行定义。例如，

```
……
⟨owl:ObjectProperty rdf:ID="hasfunction"⟩
        ⟨rdfs:domain rdf:resource="#computer"/⟩
        ⟨rdfs:range rdf:resource="#function"/⟩
    ⟨/owl:ObjectProperty⟩
  ⟨owl:ObjectProperty rdf:ID="hasCPU"⟩
```

```
            ⟨rdfs:subPropertyOf rdf:resource="#haspart"/⟩
        ⟨/owl:ObjectProperty⟩
        ⟨owl:ObjectProperty rdf:ID="hasHarddrive"⟩
            ⟨rdfs:subPropertyOf rdf:resource="#haspart"/⟩
        ⟨/owl:ObjectProperty⟩
        ⟨owl:ObjectProperty rdf:ID="hasmonitor"⟩
            ⟨rdfs:subPropertyOf rdf:resource="#haspart"/⟩
    ⟨/owl:ObjectProperty⟩
    ……
```

定义了产品 computer 和 function 之间的关系 has-function 以及 has-part 中的 has-CPU、has-monitor 等关系。

（3）客户关于计算机的需求，经过推理后可以用实例的形式来表示。需求实例也可以采用 OWL 描述。例如，关于商用计算机需求实例“CN-instance”和家用计算机需求实例“CN_2”的描述

```
    ……
      ⟨shangyong rdf:ID="CN-instance"⟩
            ⟨HasAttribute rdf:resource="#dear"/⟩
            ⟨hasfunction rdf:resource="#function_1"/⟩
            ⟨hasCPU rdf:resource="#CPU-1"/⟩
            ⟨hasmotherboard rdf:resource="#motherboard-1"/⟩
            ⟨hasHarddrive rdf:resource="#HD-2"/⟩
            ⟨hasmonitor rdf:resource="#LCD-1"/⟩
        ⟨/shangyong⟩
        ⟨jiayong rdf:ID="CN2"⟩
            ⟨HasAttribute rdf:resource="#moderate"/⟩
            ⟨hasfunction rdf:resource="#function_1"/⟩
            ⟨hasCPU rdf:resource="#CPU-2"/⟩
            ⟨hasmotherboard rdf:resource="#motherboard-2"/⟩
            ⟨hasHarddrive rdf:resource="#HD-1"/⟩
            ⟨hasmonitor rdf:resource="#Monitor-CRT"/⟩
            ⟨hasSpeaker rdf:resource="#speaker"/⟩
        ⟨/jiayong⟩
    ……
```

定义了两个客户实例：关于商用计算机的需求实例“CN-instance”和关于家用计算机的需求实例“CN_2”，每个需求实例中分别对各个需求概念如 attribute、function、

CPU 等概念进行了实例化。

3.5　基于本体的客户需求知识库模型

3.5.1　基于本体的客户需求知识模型构建

客户需求知识模型是为了提供客户需求应用所需要的数据和客户需求知识结构的规范性说明。一个知识模型应该包括领域知识、推理/方法知识和任务知识三个部分，每个部分都包含相关的知识结构（于鑫刚和李万龙，2008）。

1. 领域知识

客户需求领域知识详细描述了客户需求领域知识和在客户需求应用中所讨论的信息类型。在领域知识建模过程中要充分考虑知识模型中各个对象元素之间的关系，可以引入一个三元组来表示领域知识模型：TF={*E*, *R*, RT}，其中 *E* 为领域知识模型中出现的所有对象元素的结合，*R* 为对象元素之间的关系集合，RT 为对象之间所形成的关联类型，以规则类型表示。各个对象元素之间的联系可以形成复杂的网络结构，分别对应客户需求本体中的概念类、属性、关系和规则定义。涉及产品定制客户需求的领域知识通常包含相关的产品信息、功能描述和属性定制及不同需求之间的关系、规则等。图 3.10 给出了领域知识的可扩展标记语言（extensible markup language，XML）表示框架。

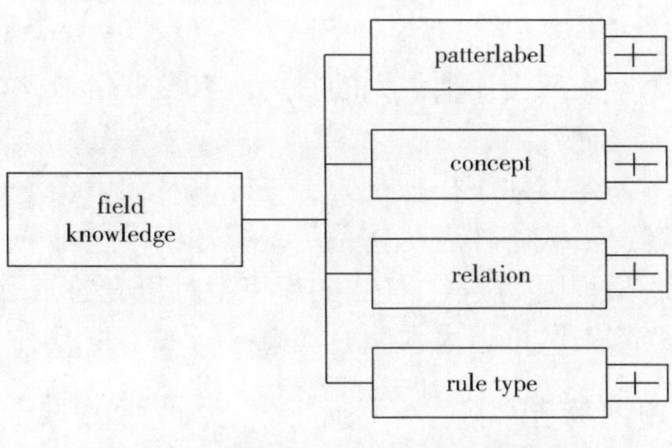

图 3.10　领域知识的 XML 表示框架

其中包括客户需求概念、关系、规则三类模型。

客户需求概念模型（concept）描述了具有相似实例的对象实例、概念的特征，即对象的属性信息、使用概念属性描述，分别对应需求本体的类和属性。而属性可以具有一个或多个值，该值是对概念实例的信息描述。

客户需求关系模型（relation）用来定义概念实例之间的具体联系类型及方式。

领域知识模型中，除了具体描述概念实例的基本结构外，对于复杂的概念实例间的关系，如继承、聚合等也有所描述。概念模型和关系模型能够较好地表现领域知识对象实例的基本信息。

客户需求规则模型（rule type）表示具体使用的规则。

2. 推理/方法知识

推理知识是描述使用客户需求领域知识的基本推理步骤，这些推理步骤可以看成是推理机或推理引擎的基本构件。推理知识定义了这些基本构件的模型，在建立规则集的基础上可以实现规则推理。推理算法为

```
PROCEDURE Generate (〈规则集〉)
BEGIN
    WHILE  规则集不是空的 DO
    BEGIN
        从规则集中选择一条规则 R;
        IF 规则 R 的前提匹配成功 THEN 执行规则结论;
        ELSE Generate (〈规则集〉);
        将规则 R 从规则集中移去并消除使用规则 R 的影响;
    END
END;
```

3. 任务知识

任务知识描述了一个应用所要达到的目标，以及如何通过将任务分解成子任务和推理来实现这个目标。

引入客户需求本体建立知识模型是为了更好地对知识表示进行概括性、抽象性的描述。对应于客户需求本体表示体系，领域知识模型属于“概念”层次，推理知识模型属于“关系/规则”层次，任务知识模型对相应的应用任务进行了描述。所有的知识模型需要基于客户需求本体加以构建。

3.5.2　客户需求知识库结构

客户需求知识库系统可以建立和实现有效的知识表示和数据存储，同时也能基于规则的知识进行需求推理和有效搜索。因此它结合了数据库存储和智能推理的功能，不仅包含了大量的简单事实，还包含了规则和推理性知识，是合理组织关于客户需求领域的基本知识和推理知识的集合。

客户需求知识库所能表示的知识必须具有一个统一的结构模式、优先一致的符号以及符号和模式的一个合理体系。而知识库系统一般采用的是“事实—概

念—规则”所表示的三级知识体系（袁磊等，2006b）。

（1）事实处于最底层，是对象、符号和事件之间的各种关系集合。事实可用语句、链表、二维表、树图、框图和文本等数据基本结构表示，是可利用的数据块的基础。

（2）概念处于第二层，如前所述，是具有共同属性的一组对象或符号的知识，可以具体或抽象地定义某一对象类的一般特征，也可以表示具有层次结构的一组概念的集合。

（3）规则处于第三层，是一组操作和步骤，用于完成某一目标，解决某一问题。规则一般被定义为类似于 IF-THEN 语句的条件表示式，被用于推理和问题求解，是一种形式化的知识表示方法。

上述三层知识表示体系可以基于客户需求本体统一构建。同时，结合具体需求，知识库中通常还存储相应的任务信息，即应用事实、概念及规则来描述需要执行的任务，因此客户需求知识库与需求知识模型是相互匹配的。根据客户需求知识模型的组成，整个知识库也可以由三个部分组成：领域知识库，推理/方法知识库和任务知识库。各子知识库与相应的知识模型相对应，即存储由不同知识模型表示的知识。而对于知识库而言，其内部存储的知识满足“事实—概念—规则”的表示体系。

第4章　大规模定制下考虑客户需求表达能力异质的客户需求信息获取方法

随着消费者个性化需求越来越突出、产品竞争越来越激烈和网络等技术的提高，以客户需求为出发点和驱动力的定制化营销和服务日益成为企业争取市场份额、满足市场需求的重要手段。企业对客户的需求和偏爱做出快速反应变得十分重要，满足消费者的个性化需求的定制产品与服务越来越受到重视。同时，客户参与产品设计是体验经济下的一种新的营销模式，是实现即时客户化定制的保证，是以客户为中心的管理的前提。信息技术提供的核心价值正在经历一个以产品和技术为核心价值到以服务为核心价值的转变。客户不再是产品的被动接收者，他们可以参与到产品的设计和生产中去，可以直接向生产商提出能够满足自己个性化要求的产品。企业应重视对客户的管理和信息服务，以客户需求为驱动，积极开展网上定制化服务。鉴于此，越来越多的企业开始或已经采用大规模定制模式，力求低成本、高效率地为众多客户提供在线产品定制服务（Franke et al.，2010）。而如何便捷获取众多在专业知识水平与需求表达能力等方面存在异质性的在线客户的真实需求信息，是在线产品定制的首要环节，对成功实施大规模定制模式有着重要作用。

对于某些产品（如计算机、摩托车、汽车等）而言，不同客户（或消费者）由于个人学历、社会经历以及专业知识等的不同，他们对该产品的熟悉与了解程度有很大差别，导致不同客户的需求表达能力存在较大的异质性。因此，在基于 Web 人机交互的产品定制过程中，根据不同客户的需求表达能力向其提供相应的需求获取（交互）方式是很有必要的。然而，当前大部分研究与应用主要集中在通过选择菜单（choiceboard）方法获取客户需求信息，即向客户提供一系列产品特征、零部件及价格等选项来实现产品的定制（Slywotzky，2000；Fogliatto and Da Silveira，2008）。这种方法已被 Dell、Nike、Levi’s 和 Mattel 等公司的在线产品定制系统采用（Bharati and Chaudhury，2004；Wilson，1999）。其特点是向所有客户提供标准统一的定制界面和流程，而忽视了客户在专业知识水平与需求表达能力等方面的异质性（Miceli et al.，2007）。专业知识较丰富的客户，需求表达能力较强，故能较轻松地完成选择菜单中选项的设置；而专业知识较缺乏的客户，却难以通过选项准确地表达其需求，或者过多的选项给其购买决策造成困扰（Chen and Wang，2010），从而导致以下两种现象：客户要么随意选择一些选项，要么选择退出产品定制过程。前一种现象可能会扭曲客户的真实需求，致使最终定制出来的产品并非客户真正需要的产品；而后一种现象直接会造成客户的流失。

鉴于选择菜单方法的前述局限性，国内外一些文献从不同角度对其改进方法进行了研究。梁樑等（2003）提出通过与客户洽谈或在 Internet 上交互式对话获取客户需求信息，然后应用 QFD 和逼近理想解排序法（technique for order preference by similarity to an ideal solution，TOPSIS）进行产品配置优化分析；刘飞等（2004）提出了企业设计人员与客户通过 Internet 进行协同配置的思想和方案。采用这种方式需要企业营销或设计人员与客户基于 Internet 进行交互，虽然可以获得较为准确的客户需求信息，但却难以达到低成本、高效率地服务于众多客户的目标。

Chen 等（2001）从为客户提供贴近语言习惯的需求表达方式的角度，提出了一种允许客户对产品几何特征进行模糊需求描述和定制的方法，该方法仅局限于获取客户对产品的几何外观需求，而实际上客户需求还包括功能、性能等需求；Hansen 等（2003）从辅助客户进行定制选项设置的角度，提出了一种咨询界面（consultation interface）方法，该方法可在客户设置选项遇到困难时提供建议，并将合适的选项推荐给客户；Stormer（2009）提出了通过应用协同推荐系统向客户推荐与其需求最接近的定制选项的方法。当所推荐的选项也难以满足客户需求时，上述文献未给出解决办法。

Blecker 等（2004b）基于模拟领域专家与客户进行智能对话以获取其需求信息的思想，提出了咨询系统（advisory system）的体系结构，但未给出具体的实现方法。Kreutler 和 Jannach（2006）借鉴计算机领域的人机个性化交互思想，提出了个性化需求信息获取方法的框架模型，但也没有给出具体的实现方法。Piller 等（2005）从客户间需求知识共享的角度，提出了通过建立客户协同设计网上社区支持客户彼此分享专业知识，以辅助客户完成在线需求表达和产品定制的方法。该方法适合那些对协同设计网上社区感兴趣的客户，而其他客户可能比较在意产品在线定制的有效性和快速性（刘伟和伊辉勇，2008），而不愿意花许多时间和精力去参与这样的社区。

4.1　考虑客户需求表达能力异质的客户需求信息获取的体系结构

在基于 Web 人机交互的产品定制过程中，客户需求信息获取是指通过 Web 界面与客户进行人机交互并采集客户对产品功能、性能、外观及价格等定制特征

(features）需求描述信息的过程（Tseng and Du，1998）。客户需求信息获取作为产品在线定制的首要环节，在人机交互过程中能否让客户感受到轻松愉悦，以及所采集的需求信息能否确切反映客户的真实需求，是吸引并留住客户的重要因素，对能否成功实施在线大规模定制模式有着直接影响。然而，不同客户的专业知识水平和需求表达能力存在异质性，他们在需求信息获取过程中遇到的困难程度会有较大差异，需要采取不同的方式进行处理。

异质客户（heterogeneous customers）是指专业知识水平和需求表达能力等方面存在异质性的众多客户的总称（Miceli et al.，2007）。一般而言，客户之间的这种异质性，与他们的教育背景、从事的职业、个人兴趣爱好等个人特征（personal characteristics，PC）密切相关。在离线定制环境下，领域专家（营销人员或设计人员）可以通过面对面地交流，查看和询问客户的个人特征，判断客户对产品的熟悉程度及需求表达能力，从而选择适当的方式引导出客户对产品的个性化需求。如某客户想购买一辆摩托车，如果该客户具有三年以上的驾龄，领域专家则判断其需求表达能力可能比较强，因此会采取较专业的交互策略。领域专家为了更准确而全面地理解和把握客户对产品的个性化需求，往往还需要询问客户购买产品的主要用途、使用方式和使用环境等需求情境（need scenarios，NS）信息。如某客户购买摩托车是为了上班代步，那么领域专家可判断该客户对摩托车的要求可能有易操纵、安全可靠及经济省油等。事实上，领域专家的前述经验判断对帮助客户顺利完成需求信息的表达和产品定制往往能够起到很大辅助作用。因此将领域专家的经验知识形式化为一系列模糊推理规则，并应用于在线大规模定制模式下的客户需求信息获取过程，是应对客户异质性问题的有效途径。

4.1.1　基本思想

基于上述分析，提出一种考虑客户需求表达能力异质的客户需求信息获取方法。其基本思想如下。

首先，在线获取客户的个人特征和需求情境信息，并应用通过形式化专家经验知识得到的模糊推理规则，对这些信息进行推理分析和模糊加权处理，推断该客户对各产品定制特征的总体要求及其置信度（即可信度），以及客户对这些定制特征的需求表达能力情况。

其次，对定制特征总体要求的置信度进行阈值检测，将小于阈值的定制特征反馈给客户，同时根据客户对定制特征的需求表达能力情况，向客户提供合适的需求表达方式，由客户本人对这些定制特征进行需求描述。如果置信度大于或等于阈值，则说明前述关于客户对产品定制特征总体要求的推断是可信的，可作为客户的真实需求。

最后，在获取客户对定制特征的需求描述信息之后，进行去模糊化等处理，即可得到客户对所有定制特征的精确需求。

该方法可根据客户的个人特征与需求情境情况，向其提供定制的需求交互过程，无需客户对所有的产品定制特征都进行需求描述，并可为客户提供与其需求表达能力相匹配的需求表达方式，从而使客户更容易、更便捷地完成在线需求表达和产品定制。

4.1.2　体系结构

图 4.1 所示为考虑客户需求表达能力异质的客户需求信息获取的体系结构，主要包括以下六个步骤。

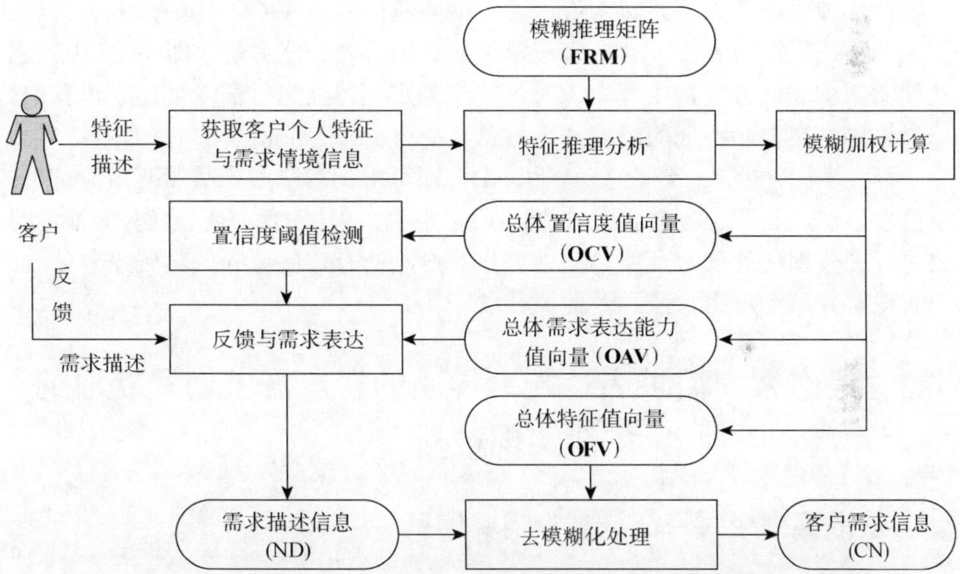

图 4.1　考虑客户需求表达能力异质的客户需求信息获取的体系结构

（1）获取客户个人特征和需求情境信息。客户通过 Internet 登录企业的需求交互界面对一组个人特征和需求情境特征进行描述，从而获得该客户的个人特征信息和需求情境信息。

（2）特征推理分析。应用模糊推理规则对前面获得的 PC 和 NS 信息进行推理分析，以初步推断客户对产品定制特征的要求和需求表达能力大小。模糊推理矩阵（**FRM**）是模糊推理规则的结构化表示形式。通过将 PC 和 NS 中包含的特征及特征值映射到相应的模糊推理矩阵，即能以某一置信度推断出相应产品定制特征的特征值以及客户对该产品定制特征的需求表达能力值。以购买摩托车为例，若客户对需求情境特征“主要用途”的描述（特征值）为“长途旅行”，则以“很高”的置信度推断出产品定制特征“最高车速”的特征值为

“很快”。

（3）模糊加权计算。对每个产品定制特征的所有特征值进行模糊加权计算以求得总体特征值向量（**OFV**）；对每个产品定制特征的所有特征值的置信度进行模糊加权计算以求得总体特征值的置信度值向量（**OCV**）；再对每个产品定制特征对应的所有客户需求表达能力值进行模糊加权计算以求得总体需求表达能力值向量（**OAV**）。

（4）置信度阈值检测。接下来，需要检测 **OCV** 向量中的元素是否大于等于某一阈值。若该向量的元素大于等于阈值，则说明 **OFV** 中的对应元素可作为客户的确信需求；否则，说明 **OFV** 中的对应元素不能作为客户的确信需求。

（5）反馈与需求表达。将未通过置信度阈值检测的 **OCV** 中的元素所对应的产品定制特征反馈给客户，并向客户提供与之需求表达能力值（即 **OAV** 中元素）相匹配的需求表达方式，由其本人对这些产品定制特征进行需求描述，以获取该客户对这些产品定制特征的需求描述信息（need description，ND）。

（6）去模糊化处理。结合 **OFV** 和 ND，即可得到客户对产品所有定制特征的确信需求信息，由于这些确信需求信息可能是用模糊语言值（或模糊集）描述的，需要进行去模糊化处理。最终输出该客户对产品所有定制特征的精确需求信息。从而实现对异质客户需求信息的便捷获取。

4.2 考虑客户需求表达能力异质的客户需求信息获取的实现过程

4.2.1 获取客户个人特征与需求情境信息

在线大规模定制环境下，异质客户可用一组个人特征 $C=\{c_i|i=1, 2, \cdots, m\}$来加以描述，其中特征 c_i 对应有 r_i 个特征值 $V_i^c=\{v_{ig}^c|g=1, 2, \cdots, r_i\}$；客户需求情境也可用一组情境特征 $S=\{s_j|j=1, 2, \cdots, n\}$来描述，其中特征 s_j 对应有 t_j 个特征值 $V_j^s=\{v_{jh}^s|h=1, 2, \cdots, t_j\}$。在客户需求获取过程中，客户通常对自身的个人特征和需求情境比较熟悉，可通过让客户为每个 c_i 和 s_j 选定一个特征值，以获取该客户的个人特征信息和需求情境信息。因此，某一客户的 PC 和 NS 可分别形式化表示为

$$\text{PC}=\langle c_1, v_1^c\rangle\vee\langle c_2, v_2^c\rangle\vee, \cdots, \vee\langle c_m, v_m^c\rangle$$

$$\text{NS}=\langle s_1, v_1^s\rangle\vee\langle s_2, v_2^s\rangle\vee, \cdots, \vee\langle s_n, v_n^s\rangle$$

其中，v_i^c 表示该客户为个人特征 c_i 选定的特征值，$v_i^c\in V_i^c$；v_i^s 表示该客户为情境特征 s_j 选定的特征值，$v_j^s\in V_j^s$。

4.2.2 特征推理分析

为了实现对 PC 和 NS 的推理分析，首先需要提取专家的经验知识，并形式化为相关模糊推理规则。在客户需求信息获取领域，专家经验知识主要包括关于客户个人特征和需求情境的推理知识。一般来说，客户个人特征可用于推理客户对产品定制特征的要求和对该定制特征的需求表达能力情况；而需求情境仅适用于推理客户对产品定制特征的要求。不失一般性，假设总共有 p 个产品定制特征 $F=\{f_k|k=1, 2, \cdots, p\}$。因此，专家经验知识可形式化表示为以下两种类型的模糊推理规则：

R^c：$\langle c_i, v_{ig}^c \rangle \rightarrow \langle f_k, (v_{igk}^f, \omega_{igk}), (\alpha_{igk}, \varpi_{igk}) \rangle$

R^s：$\langle s_j, v_{jh}^s \rangle \rightarrow \langle f_k, (\underline{v}_{jhk}^f, \underline{\omega}_{jhk}) \rangle$

其中，R^c 和 R^s 分别表示关于客户个人特征和需求情境的模糊推理规则；“→”表示推理关系，其左边部分表示推理条件，右边部分表示推理结果；v_{igk}^f 和 $\underline{v}_{jhk}^f$ 分别表示由特征值 v_{ig}^c 和 v_{jh}^s 推理得出的产品特征 f_k 的取值；α_{igk} 表示由特征值 v_{ig}^c 推理得出的客户对产品特征 f_k 的需求表达能力值；ω_{igk}、$\underline{\omega}_{jhk}$ 和 ϖ_{igk} 分别表示推理得出 v_{igk}^f、$\underline{v}_{jhk}^f$ 和 α_{igk} 时的置信度值。$i=1, 2,\cdots, m$，$j=1, 2, \cdots, n$，$k=1, 2, \cdots, p$，$g=1, 2, \cdots, r_i$，$h=1, 2, \cdots, t_j$。

为了直观、便捷地表达和应用专家经验知识，模糊推理规则 R^c 和 R^s 可结构化地表示为以下三个模糊推理矩阵：个人特征至产品特征推理矩阵（**CF**）、个人特征至需求表达能力推理矩阵（**CA**）、情境特征至产品特征推理矩阵（**SF**），它们的矩阵元素分别为：$(v_{igk}^f, \omega_{igk})$、$(\alpha_{igk}, \varpi_{igk})$ 和 $(\underline{v}_{jhk}^f, \underline{\omega}_{jhk})$。若 v_{ig}^c 与 f_k 之间不存在推理关系，则 v_{igk}^f、ω_{igk}、α_{igk}、$\varpi_{igk}=0$。同样，若 v_{jh}^s 与 f_k 之间不存在推理关系，则 $\underline{v}_{jhk}^f$、$\underline{\omega}_{jhk}=0$。由于专家经验知识通常带有模糊性，故不为零的 v_{igk}^f、$\underline{v}_{jhk}^f$、α_{igk}、ω_{igk}、$\underline{\omega}_{jhk}$ 和 ϖ_{igk} 都为模糊语言值。

在成功获取 PC 和 NS 之后，将 $\langle c_i, v_i^c \rangle$ 映射到模糊推理矩阵 **CF** 和 **CA**，得到相应产品特征的特征值和客户对产品特征的需求表达能力值：$\langle f_k, (v_{ik}^f, \omega_{ik}), (\alpha_{ik}, \varpi_{ik}) \rangle$，$i=1, 2, \cdots, m$，$k=1, 2, \cdots, p$。将 $\langle s_j, v_j^s \rangle$ 映射到模糊推理矩阵 **SF**，得到相应产品特征的特征值：$\langle f_k, (\underline{v}_{jk}^f, \underline{\omega}_{jk}) \rangle$，$j=1, 2, \cdots, n$，$k=1, 2, \cdots, p$。其中，$(v_{ik}^f, \omega_{ik}) \in \{(v_{igk}^f, \omega_{igk}) | g=1, 2, \cdots, r_i\}$，$(\alpha_{ik}, \varpi_{ik}) \in \{(\alpha_{igk}, \varpi_{igk}) | g=1, 2, \cdots, r_i\}$，$(\underline{v}_{jk}^f, \underline{\omega}_{jk}) \in \{(\underline{v}_{jhk}^f, \underline{\omega}_{jhk}) | h=1, 2, \cdots, t_j\}$。

通过以上对客户个人特征和需求情境的特征推理分析，可得到由 PC 推理出的产品特征值矩阵（**PCF**）和需求表达能力值矩阵（**PCA**），以及由 NS 推理出的产品特征值矩阵（**NSF**）。它们的矩阵元素分别为 (v_{ik}^f, ω_{ik})、$(\alpha_{ik}, \varpi_{ik})$和 $(\underline{v}_{jk}^f, \underline{\omega}_{jk})$。

4.2.3 模糊加权计算

1. 模糊特征分析

由于v_{ik}^f、$\underline{v}_{jk}^f$、α_{ik}、ω_{ik}、$\underline{\omega}_{jk}$及ϖ_{ik}可能为模糊语言值，需要经过模糊特征分析将之转换成相应的模糊特征函数，以便对矩阵 **PCF**、**PCA** 和 **NSF** 进行模糊加权计算。根据 Zadeh 提出的模糊理论（诸静，2005），产品定制特征、置信度和需求表达能力可分别表征为以下语言变量：$\langle f_k, T(f_k), U_k, G_k, M_k\rangle$、$\langle w, T(w), U_w=[0, 1], G_w, M_w\rangle$和$\langle a, T(a), U_a=[0, 1], G_a, M_a\rangle$，$f_k$、$w$ 和 a 表示语言变量名；$T(f_k)$、$T(w)$和 $T(a)$表示语言值的集合；U_k、U_w 和 U_a 表示语言变量的论域；G_k、G_w 和 G_a 定义了构成语言值的语法；M_k、M_w 和 M_a 定义了语言值的语义（即模糊特征函数）。故语言值 v_{ik}^f、$\underline{v}_{jk}^f \in T(f_k)$，$\omega_{ik}$、$\underline{\omega}_{jk}$、$\varpi_{ik} \in T(w)$，$\alpha_{ik} \in T(a)$，这些语言值所对应的模糊特征函数分别由 M_k、M_w 和 M_a 给定，可表示为 $\mu_{vik}(x_k)$、$\mu_{\underline{v}jk}(x_k)$、$\mu_{\omega ik}(y)$、$\mu_{\underline{\omega}jk}(y)$、$\mu_{\varpi ik}(y)$及 $\mu_{\alpha ik}(z)$。因此，矩阵 **PCF**、**PCA** 和 **NSF** 的元素又可分别表示为$(\mu_{vik}(x_k), \mu_{\omega ik}(y))$、$(\mu_{\alpha ik}(z), \mu_{\varpi ik}(y))$和$(\mu_{\underline{v}jk}(x_k), \mu_{\underline{\omega}jk}(y))$。下面仅给出矩阵 **PCF** 的具体形式以示说明。

$$\mathbf{PCF}=\begin{bmatrix}(\mu_{v11}(x_1),\mu_{\omega 11}(y)) & (\mu_{v12}(x_2),\mu_{\omega 12}(y)) & \cdots & (\mu_{v1p}(x_p),\mu_{\omega 1p}(y))\\(\mu_{v21}(x_1),\mu_{\omega 21}(y)) & (\mu_{v22}(x_2),\mu_{\omega 22}(y)) & \cdots & (\mu_{v2p}(x_p),\mu_{\omega 2p}(y))\\ \vdots & \vdots & & \vdots\\(\mu_{vm1}(x_1),\mu_{\omega m1}(y)) & (\mu_{vm2}(x_2),\mu_{\omega m2}(y)) & \cdots & (\mu_{vmp}(x_p),\mu_{\omega mp}(y))\end{bmatrix}$$

若 v_{ik}^f、$\underline{v}_{jk}^f$、α_{ik}、ω_{ik}、$\underline{\omega}_{jk}$、$\varpi_{ik}=0$，与之相对应，有 $\mu_{vik}(x_k)$、$\mu_{\underline{v}jk}(x_k)$、$\mu_{\alpha ik}(z)$、$\mu_{\omega ik}(y)$、$\mu_{\underline{\omega}jk}(y)$、$\mu_{\varpi ik}(y)=0$。

2. 模糊加权计算方法

接下来，将对矩阵 **PCF**、**PCA** 和 **NSF** 进行模糊加权计算，以推断客户对各产品特征(f_k)的总体要求（特征值）和总体需求表达能力大小。客户对 f_k (k=1, 2, …, p) 的总体要求情况用以下两个向量来说明：总体特征值向量（**OFV**）及总体特征值的置信度值向量（**OCV**）；客户对 f_k (k=1, 2, …, p) 的总体需求表达能力大小用以下向量来说明：总体需求表达能力值向量（**OAV**）。下面给出前述三个向量的具体计算方法：

1）OFV 向量元素的模糊加权计算方法

令 **OFV**=$[v_1^f, v_2^f, \cdots, v_p^f]$，$\forall k \in [1, 2, \cdots, p]$，$v_k^f$ 表示由 PC 和 NS 推理得出的客户对产品特征（f_k）的总体要求，其计算过程如下。

（1）若 $\mu_{\omega ik}(y)\neq 0$，则

$$\delta_{ik}=\int y\mu_{\omega ik}(y)\mathrm{d}y\Big/\int \mu_{\omega ik}(y)\mathrm{d}y \tag{4.1}$$

若 $\mu_{\omega ik}(y)=0$，则 $\delta_{ik}=0$。若 $\sum\delta_{ik}\neq 0$，则

$$v'_k=\sum_{i=1}^{m}((\delta_{ik})^{\lambda}(\delta_{ik}\mu_{vik}(x_k)+(1-\delta_{ik})(1-\mu_{vik}(x_k))))\Big/\sum_{i=1}^{m}(\delta_{ik})^{\lambda} \tag{4.2}$$

其中，λ表示权重调整系数，其取值为不小于 1 的实数（如$\lambda=2$）。否则，$v'_k=0$。

（2）若 $\mu_{\underline{\omega} jk}(y)\neq 0$，则

$$\varphi_{jk}=\int y\mu_{\underline{\omega} jk}(y)\mathrm{d}y\Big/\int \mu_{\underline{\omega} jk}(y)\mathrm{d}y \tag{4.3}$$

若 $\mu_{\omega ik}(y)=0$，则 $\varphi_{ik}=0$。若 $\sum\varphi_{ik}\neq 0$，则

$$v''_k=\sum_{j=1}^{n}((\varphi_{jk})^{\lambda}(\varphi_{jk}\mu_{\underline{v} jk}(x_k)+(1-\varphi_{jk})(1-\mu_{\underline{v} jk}(x_k))))\Big/\sum_{j=1}^{n}(\varphi_{jk})^{\lambda} \tag{4.4}$$

否则，$v''_k=0$。

（3）若 $\sum\delta_{ik}\neq 0$ 或 $\sum\varphi_{ik}\neq 0$，则

$$\psi=\sum_{i=1}^{m}\delta_{ik}\Bigg/\left(\sum_{i=1}^{m}\delta_{ik}+\sum_{j=1}^{n}\varphi_{jk}\right) \tag{4.5}$$

$$v^f_k=\psi v'_k+(1-\psi)v''_k \tag{4.6}$$

否则，$v^f_k=0$。

2）**OCV** *向量元素的模糊加权计算方法*

令 **OCV**=[$\gamma_1, \gamma_2, \cdots, \gamma_p$]，$\forall k\in[1, 2, \cdots, p]$，$\gamma_k$ 表示由 PC 和 NS 推理得出的客户对产品特征（f_k）的总体要求为 v^f_k 时的置信度值，其计算过程如下。

若 $\sum\delta_{ik}\neq 0$ 且 $\sum\varphi_{ik}\neq 0$，则

$$\gamma_k=\psi\left(\sum_{i=1}^{m}\left((\delta_{ik})^{\lambda+1}\Big/\sum_{i=1}^{m}(\delta_{ik})^{\lambda}\right)\right)+(1-\psi)\left(\sum_{j=1}^{n}\left((\varphi_{jk})^{\lambda+1}\Big/\sum_{j=1}^{n}(\varphi_{jk})^{\lambda}\right)\right) \tag{4.7}$$

若 $\sum\delta_{ik}\neq 0$ 且 $\sum\varphi_{ik}=0$，则 γ_k 等于式（4.7）等号右边“+”左边项；若 $\sum\delta_{ik}=0$ 且 $\sum\varphi_{ik}\neq 0$，则 γ_k 等于式（4.7）等号右边“+”右边项；否则，$\gamma_k=0$。

3）**OAV** *向量元素的模糊加权计算方法*

令 **OAV**=[$\tau_1, \tau_2, \cdots, \tau_p$]，$\forall k\in[1, 2, \cdots, p]$，$\tau_k$ 表示由 PC 推理得出的客户对产品特征（f_k）的总体需求表达能力值，其计算过程如下。

若 $\mu_{\varpi ik}(y)\neq 0$，则

$$\sigma_{ik}=\int y\mu_{\varpi ik}(y)\mathrm{d}y\Big/\int \mu_{\varpi ik}(y)\mathrm{d}y \tag{4.8}$$

若 $\mu_{\omega ik}(y)=0$，则 $\sigma_{ik}=0$。若 $\sum\sigma_{ik}\neq 0$，则

$$\alpha_k = \sum_{i=1}^{m}((\sigma_{ik})^{\lambda}(\sigma_{ik}\mu_{\alpha ik}(z)+(1-\sigma_{ik})(1-\mu_{\alpha ik}(z))))\bigg/\sum_{i=1}^{m}(\sigma_{ik})^{\lambda} \tag{4.9}$$

$$\tau_k = \int z\alpha_k \mathrm{d}z \bigg/ \int \alpha_k \mathrm{d}z \tag{4.10}$$

否则，$\tau_k=0$。

4.2.4　置信度阈值检测

通过前面的模糊加权计算，可求得 **OFV** 和 **OCV** 向量中的所有元素，接下来，需要进行置信度阈值检测以判断 **OFV** 向量的各元素（v_k^f）能否作为产品特征（f_k）的确信值。为了不失一般性，可令置信度阈值为 $\gamma_0\,(0.5<\gamma_0\leqslant 1)$，$\gamma_0$ 的确定必须要保证前面推理得出的客户需求是可信的。若 $\gamma_k\geqslant\gamma_0$，即认为 v_k^f 是 f_k 的确信值；否则，认为 v_k^f 不能作为 f_k 的确信值，应将产品特征（f_k）反馈给客户，由其本人对该产品特征进行需求表达，以得到客户的确信要求。一般而言，γ_0 越趋近于 1，越能保障推理得到的客户需求的可信度；然而，如果 γ_0 趋近于 1，不能通过置信度检测的客户需求的数量也就越多，故需要客户本人描述的产品定制特征也就越多，客户的负担也就越重。因此，γ_0 的确定应该考虑前述两种情况之间的平衡，γ_0 的具体取值一开始可由领域专家（如设计人员）根据自身的经验确定，在获得一定的实验或初步应用数据之后，应通过数据分析确定 γ_0 的实际取值。

通过前述置信度阈值检测，客户只需对未通过检测的产品定制特征进行需求描述，从而减轻客户在客户需求信息获取过程中的负担。

4.2.5　反馈与需求表达

设未通过置信度阈值检测的产品定制特征集为 $F'=\{f_l'\,|\,l=1, 2, \cdots, q\}$，其中 $F'\subseteq F$。在线大规模定制环境下不同客户的需求表达能力存在异质性，因此，将 F' 中的产品定制特征反馈给客户的同时，应根据实际情况提供与其需求表达能力相匹配的需求表达方式。产品定制特征（参数）主要存在以下六种描述方式：①精确值；②大约某个值；③大于某个值；④小于某个值；⑤某两个值之间；⑥模糊语言值。一般而言，对于产品定制特征（f_l'），如果客户的需求表达能力“很高”，则向其提供“精确值”描述方式，该方式既可以是选项的形式，也可以是参数值输入的形式；如果客户的需求表达能力“较低”，则向其提供“模糊语言值”描述方式；如果客户的需求表达能力“较高”，则可根据实际情况向其提供其他四种描述方式之一。语言变量“需求表达能力”的三个语言值“很高”“较高”“较低”所对应的模糊特征函数由 $T(a)$给定，可分别表示为：$\mu_{\underline{\alpha}1}(z)$、$\mu_{\underline{\alpha}2}(z)$和 $\mu_{\underline{\alpha}3}(z)$。令 τ_l' 表示客户对于产品特征（f_l'）的需求表达能力值，$\tau_l'\in\mathbf{OAV}$。下面给出确定产品定制特征（f_l'）的需求表达方式的具体方法：

$$\varepsilon=\max(\mu_{\underline{\alpha}1}(\tau_l'),\mu_{\underline{\alpha}2}(\tau_l'),\mu_{\underline{\alpha}3}(\tau_l'))\tag{4.11}$$

（1）若 $\mu_{\underline{\alpha}1}(\tau_l')=\varepsilon$ 且 $\mu_{\underline{\alpha}2}(\tau_l')<\varepsilon$，则向客户提供“精确值”描述方式。

（2）若 $\mu_{\underline{\alpha}2}(\tau_l')\leqslant\varepsilon$ 且 $\mu_{\underline{\alpha}3}(\tau_l')=\varepsilon$，则向客户提供“模糊语言值”描述方式。

（3）若 $\mu_{\underline{\alpha}1}(\tau_l')\leqslant\varepsilon$ 且 $\mu_{\underline{\alpha}2}(\tau_l')=\varepsilon$，则可根据实际情况向客户提供其他四种描述方式之一。

在客户对 F' 中的所有产品定制特征进行需求描述之后，得到 ND=$\langle f_1', v_1^{f'}\rangle\vee\langle f_2', v_2^{f'}\rangle\vee\cdots\vee\langle f_q', v_q^{f'}\rangle$，$v_l^{f'}$ 表示客户对产品定制特征（f_l'）的需求描述，l=1, 2, …, q。$v_l^{f'}$ 所对应的模糊特征函数的表征方法如下。

（1）如果采用“精确值”描述方式，其相应的精确数值，可转化为三角模糊数形式。

（2）如果采用“大约某个值”“大于某个值”“小于某个值”“某两个值之间”等四种描述方式，分别用正态型特征函数、升半正态型特征函数、降半正态型特征函数、岭型特征函数来表示（谭建荣等，2005）。

（3）如果采用“模糊语言值”描述方式，模糊特征函数由语言变量（f_k）的 M_k 给定。

4.2.6　去模糊化处理

用ND中 $v_l^{f'}$ (l=1, 2, …, q) 的模糊特征函数替换向量**OFV**中相应位置的元素，即可得到客户的模糊需求信息：CN=$\langle f_1, \underline{v}_1^f\rangle\vee\langle f_2, \underline{v}_2^f\rangle\vee\cdots\vee\langle f_q, \underline{v}_q^f\rangle$，$\underline{v}_k^f$ 表示客户对产品定制特征（f_k）的要求。由于 $\underline{v}_k^f$ 是由模糊特征函数表示的模糊值，需要进行去模糊化处理，以便得到精确的客户需求信息。令 $\underline{v}_k^f$ 的模糊特征函数为 $\mu_{\underline{v}k}(x_k)$，去模糊化处理的计算公式如下：

$$\varsigma_k=\int x_k\mu_{\underline{v}k}(x_k)\mathrm{d}x_k\Big/\int\mu_{\underline{v}k}(x_k)\mathrm{d}x_k\tag{4.12}$$

其中，ζ_k 表示满足客户需求的产品定制特征（f_k）的某一精确值，k=1, 2, …, p。因此，最终得到精确的客户需求信息 CN=$\langle f_1,\zeta_1\rangle\vee\langle f_2,\zeta_2\rangle\vee\cdots\vee\langle f_p,\zeta_p\rangle$。

4.3　应用案例

为了说明上述考虑客户需求表达能力异质的客户需求信息获取方法的有效性，下面以踏板摩托车的定制过程为例进行说明。

1. 获取摩托车客户个人特征与需求情境信息

图 4.2 为摩托车客户个人特征与需求情境信息获取的一个示例图。首先，领

域专家（摩托车营销人员或设计人员）凭借以往经验，确定与客户的个性化需求和需求表达能力密切关联的个人特征集 C={性别(c_1), 年纪(c_2), 居住地区(c_3), 文化程度（c_4), 摩托车驾龄（c_5), 其他机动车驾龄（c_6)}，及需求情境特征集 S={主要用途（s_1), 行驶道路状况（s_2), 每天行驶时间（s_3), 愿意支付的价格（s_4）}。接着，确定每个特征 c_i 或 s_j 对应的特征值集 V_i^c 或 V_j^s，其中 i=1, 2, …, 6, j=1, 2, …, 4，如 V_1^c={男士（v_{11}^c), 女士（v_{12}^c）}。然后，客户通过 Internet 登录企业的摩托车定制界面，对自身的个人特征和需求情境特征进行描述（即为 c_i 和 s_j 选择特征值)，以便为其提供更好的在线产品定制服务。获得某客户的个人特征信息 PC 与需求情境信息 NS 形式化表示如下：

PC=⟨性别（c_1), 男士（v_1^c）⟩∨⟨年纪（c_2), 中年（v_2^c）⟩∨⟨居住地区（c_3), 大中型城市（v_3^c）⟩∨⟨文化程度（c_4), 初中以下（v_4^c）⟩∨⟨摩托车驾龄（c_5), 新手（v_5^c）⟩∨⟨其他机动车驾龄（c_6), 3 年以上（v_6^c）⟩

NS=⟨主要用途（s_1), 上班代步（v_1^s）⟩∨⟨行驶道路状况（s_2), 坡路（v_2^s）⟩∨⟨每天行驶时间（s_3), 1～2 h（v_3^s）⟩∨⟨愿意支付的价格（s_4), 5000～6000 元（v_4^s）⟩

个人特征	性别：◉男士　○女士
	年纪：○青年（18～35岁）　◉中年（36～59岁）　○老年（60岁及以上）
	居住地区：◉大中型城市　○小城镇　○农村
	文化程度：◉初中以下　○高中及中专技校　○大学以上
	摩托车驾龄：◉新手　○1年以内　○1～3年　○3年以上
	其他机动车驾龄：○新手　○1年以内　○1～3年　◉3年以上
需求情境	主要用途：◉上班代步　○休闲旅游　○客运　○送货
	行驶道路状况：○平坦路面　◉坡路　○颠簸路
	每天行驶时间：○1h以内　◉1～2h　○2～3h　○3h以上
	愿意支付的价格：○4000元以内　○4000～5000元　◉5000～6000元　○6000元以上

图 4.2　摩托车客户个人特征与需求情境信息获取示例图

2. 特征推理分析

摩托车企业向客户提供的产品定制特征集 F={排量(cm^3)(f_1), 油耗(L/100km)(f_2), 最大速度（km/h)（f_3), 最大载重（kg)（f_4), 启动性能（时间, s)（f_5), 爬坡性能（角度, °)（f_6), 可靠性（实验里程, km)（f_7), 最大噪声（dB)（f_8), 油箱容量（L)（f_9）}。通过提取摩托车领域专家知识，并形式化表示为模糊推理规则 R^c 和 R^s，再对这些规则进行结构化表示，则可形成模糊推理矩阵 **CF**、**CA** 和 **SF**。

将前面获取的客户 PC 信息映射到矩阵 **CF** 和 **CA**，可得到矩阵 **PCF** 和 **PCA**（表 4.1、表 4.2）；将客户 NS 信息映射到矩阵 **SF**，可得到矩阵 **NSF**（表 4.3）。表 4.1～表 4.3 中的“—”表示不存在推理关系；“( )”表示推理结果，其中在表 4.1、表 4.3 中分别表示由客户个人特征值和需求情境特征值推理出产品定制特征的取值及其置信度，而在表 4.2 中表示由客户个人特征值推理出客户对产品定制特征的需求表达能力值及其置信度。例如，在表 4.1 中，若客户的性别（c_1）为男士（v_1^c），则以“较高”置信度推断出摩托车排量（f_1）的取值应为“较大”。在表 4.2 中，若客户其他机动车的驾龄（c_6）为 3 年以上（v_6^c），则以“高”置信度推断出该客户对排量（f_1）的需求表达能力应为“很高”。在表 4.3 中，若客户购买摩托的主要用途（s_1）为上班代步（v_1^s），则以“很高”置信度推断出摩托车排量（f_1）的取值应为“较小”。

表 4.1　矩阵 PCF

	f_1	f_2	f_3	f_4	f_5	f_6	f_7	f_8	f_9
v_1^c	（较大，较高）	—	（较快，较高）	（较大，高）	—	—	—	—	（较大，高）
v_2^c	—	（较小，较高）	（一般，较高）	—	—	—	（较高，较高）	—	—
v_3^c	—	（小，较高）	（一般，较高）	—	—	（一般，高）	—	（小，高）	（一般，较高）
v_4^c	—	—	—	—	—	—	—	—	—
v_5^c	（一般，高）	—	（一般，高）	—	—	—	—	—	—
v_6^c	—	—	—	—	—	—	—	—	—

表 4.2　矩阵 PCA

	f_1	f_2	f_3	f_4	f_5	f_6	f_7	f_8	f_9
v_1^c	—	—	（较高，高）	（较高，高）	—	（较高，较高）	—	（较高，较高）	—
v_2^c	—	—	（较高，高）	（较高，高）	—	（较高，较高）	—	（较高，较高）	—
v_3^c	—	—	（高，高）	（高，高）	—	（高，高）	—	（高，高）	—
v_4^c	（较低，较高）	（较高，较高）	（较高，较高）	（较高，较高）	（低，高）	（较高，较高）	（较低，高）	（较低，较高）	（较高，较高）
v_5^c	（较低，高）	（较高，较高）	（较高，较高）	（较高，较高）	（较低，高）	（较高，较高）	（较低，高）	（较高，较高）	（较低，较高）
v_6^c	（很高，高）	（很高，很高）	（极高，极高）	（极高，极高）	（较高，高）	（高，高）	（较高，较高）	（高，高）	（很高，很高）

表 4.3 矩阵 NSF

	f_1	f_2	f_3	f_4	f_5	f_6	f_7	f_8	f_9
v_1^s	（较小，很高）	（较小，高）	（一般，很高）	（一般，高）	（较好，高）	—	（较高，高）	—	（一般，高）
v_2^s	（较大，很高）	—	—	—	—	（很好，极高）	—	—	（较大，较高）
v_3^s	—	—	—	—	—	—	—	—	（一般，极高）
v_4^s	（较大，高）	（小，高）	（较快，高）	—	（较好，较高）	（较好，较高）	（较高，较高）	（较小，较高）	—

3. 模糊加权计算

通过模糊特征分析，将矩阵 **PCF**、**PCA** 和 **NSF** 的所有元素转换为模糊特征函数表示形式：$(\mu_{vik}(x_k), \mu_{\omega ik}(y))$、$(\mu_{\alpha ik}(z), \mu_{\varpi ik}(y))$ 和 $(\mu_{\underline{v}jk}(x_k), \mu_{\underline{\omega}jk}(y))$，其中 i=1, 2, …, 6; j=1, 2, …, 4; k=1, 2, …, 9。例如，矩阵元素 $(\mu_{v11}(x_1), \mu_{\omega 11}(y))$、$(\mu_{\alpha 61}(z), \mu_{\varpi 61}(y))$ 和 $(\mu_{\underline{v}11}(x_1), \mu_{\underline{\omega}11}(y))$ 中各模糊特征函数如图 4.3 所示。

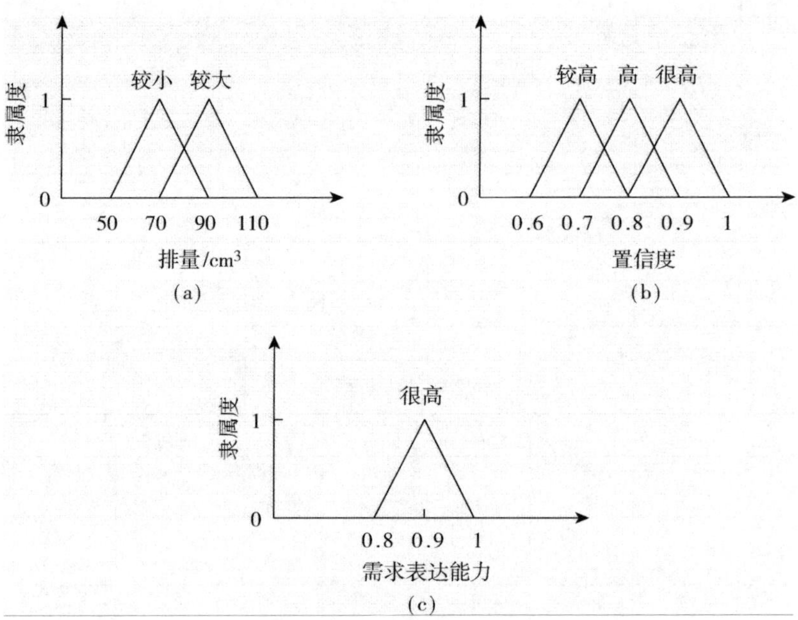

图 4.3 模糊特征函数

接下来，再根据模糊加权计算方法，求得总体特征值向量 **OFV**=$[v_1^f, v_2^f, \cdots, v_9^f]$，总体特征值的置信度值向量 **OCV**=$[\gamma_1, \gamma_2, \cdots, \gamma_9]$=[0.827, 0.753, 0.774, 0.800, 0.753, 0.808, 0.736, 0.853, 0.787]，总体需求表达能力值向量 **OAV**=$[\tau_1, \tau_2, \cdots, \tau_9]$=[0.715, 0.788, 0.812, 0.812, 0.537, 0.727, 0.545, 0.764, 0.761]。

4. 置信度阈值检测

令置信度阈值 γ_0=0.8，**OCV** 向量中大于等于 γ_0 的元素为$\{\gamma_1, \gamma_4, \gamma_6, \gamma_8\}$，说明 **OFV** 向量中的对应元素$\{v_1^f, v_4^f, v_6^f, v_8^f\}$，可作为客户对产品定制特征$\{f_1, f_4, f_6, f_8\}$的确信需求（确信值）；**OCV** 向量中小于 γ_0 的元素为$\{\gamma_2, \gamma_3, \gamma_5, \gamma_7, \gamma_9\}$，说明 **OFV** 向量中的对应元素$\{v_2^f, v_3^f, v_5^f, v_7^f, v_9^f\}$，不能作为客户对产品定制特征$\{f_2, f_3, f_5, f_7, f_9\}$的确信需求（确信值），应将这些产品定制特征反馈给客户，由其本人对该产品特征进行需求表达，以得到客户的确信要求。

5. 反馈与需求表达

将未通过置信度阈值检测的产品定制特征 $F'=\{f_l' \mid l=1, 2, \cdots, 5\}=\{f_2, f_3, f_5, f_7, f_9\}$反馈给客户的同时，应向客户提供与其产品定制特征（$f_l'$）的需求表达能力相匹配的需求表达方式。通过 4.2.5 节给出的方法，可确定与客户需求表达能力值相匹配的需求表达方式。例如，客户对产品定制特征（f_1'）的需求表达能力值为 $\tau_1'=\tau_2$=0.788，将 τ_1' 代入式（4.11），求得 $\mu_{\alpha 2}(\tau_1')$ 最大，再考虑到客户对产品定制特征“油耗（f_1'）”的描述习惯，确定向客户提供“小于某个值”的需求表达方式。图 4.4 为反馈与需求表达示例图。

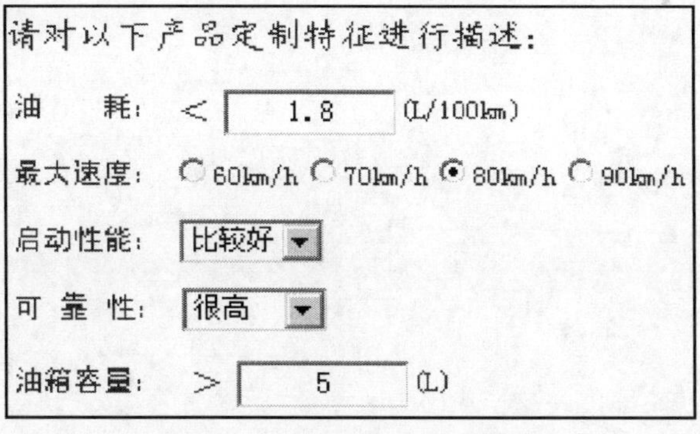

图 4.4　反馈与需求表达示例图

客户对 F'中所有产品定制特征进行需求描述后，即可得到 ND=$\langle f_1', v_1^{f'}\rangle \vee \langle f_2', v_2^{f'}\rangle \vee \langle f_3', v_3^{f'}\rangle \vee \langle f_4', v_4^{f'}\rangle \vee \langle f_5', v_5^{f'}\rangle$=⟨油耗, 小于 1.8L/100km⟩∨⟨最大速度, 80km/h⟩∨⟨启动性能, 比较好⟩∨⟨可靠性, 很高⟩∨⟨油箱容量, 大于 5L⟩。再根据 4.2.5 节给出的方法，将 $v_l^{f'}$（l=1, 2, ⋯, 5）转换成相应的模糊特征函数。

6. 去模糊化处理

用客户对产品定制特征（f_1'）需求描述的模糊特征函数，替换总体特征值向

量 **OFV** 中相应位置的元素。例如，用 $v_1^{f\prime}$ 的模糊特征函数代替 v_2^f，即可得到客户的模糊需求信息：CN=$\langle f_1, \underline{v}_1^f \rangle \vee \langle f_2, \underline{v}_2^f \rangle \vee \cdots \vee \langle f_9, \underline{v}_9^f \rangle$。再经过去模糊化处理，最终求得精确的客户需求信息：CN=⟨排量（f_1）, 87.5cm^3⟩∨⟨油耗（f_2）, 1.7L⟩∨⟨最大速度（f_3）, 80.0km/h⟩∨⟨最大载重（f_4）, 91.7kg⟩∨⟨启动性能（f_5）, 7.6s⟩∨⟨爬坡性能（f_6）, 24.8°⟩∨⟨可靠性（实验里程）（f_7）, 8124.7km⟩∨⟨最大噪声（f_8）, 74.6dB⟩∨⟨油箱容量（f_9）, 5.8L⟩。

在线产品定制系统可根据前述精确客户需求信息，从产品实例库中向客户推荐已有的产品。可通过加权欧氏距离计算公式，求出最接近客户需求的摩托车产品：Product*=⟨排量（f_1）, 90.0cm^3⟩∨⟨油耗（f_2）, 1.8L⟩∨⟨最大速度（f_3）, 80.0km/h⟩∨⟨最大载重（f_4）, 90.0kg⟩∨⟨启动性能（f_5）, 7.0s⟩∨⟨爬坡性能（f_6）, 22.0°⟩∨⟨可靠性（实验里程）（f_7）, 8000.0km⟩∨⟨最大噪声（f_8）, 75.0dB⟩∨⟨油箱容量（f_9）, 6.0L⟩。然后，将产品 Product*推荐给客户，如果客户满意则定制过程结束；否则，进入产品配置环节。

第 5 章　大规模定制下半结构化客户需求信息的转换处理方法

随着个性化需求的日益凸显，定制化产品开始备受消费者青睐。对于企业而言，定制化不仅能有效改善产品的市场表现、提升销售绩效，而且在促进基于消费者参与的产品创新、培养客户忠诚、形成差异化竞争优势等方面都具有重要的战略意义。在信息和网络技术的支持下，一些企业建立了网络平台以帮助消费者根据自己的偏好亲自设计独一无二的个性产品，并利用产品的定制化生产和营销作为迎合消费者需求和市场竞争的重要手段。研究人员发现，与消费者偏好高度匹配、提供过程体验和创作自豪感、传递独特的身份识别信息等，是定制化产品受到青睐的主要原因。产品定制交互界面的复杂性和消费者感知到的定制产品效用是影响消费者参与定制的主要因素。体验乐趣和满足独特性需求是客户在参与产品定制过程中追求的重要利益。企业应注重在定制过程中与客户共同创造充满乐趣的独特体验。定制任务的不同表述方式会影响消费者对定制过程的满意度。

对于普通消费者（非专业客户）而言，产品的技术和结构都比较复杂。在基于 Web 人机交互的产品定制过程中，他们难以通过选择产品模块、功能特征及技术参数等选项的结构化方式来表达其需求。他们往往更希望用模糊词汇（或词组）的半结构化方式来描述产品的定制特征。这一点已引起学者们的重视，并对模糊客户需求信息处理进行了较多研究，但关于从包含模糊词汇（或词组）的半结构化客户需求信息（semi-structured customer need，SCN）到产品功能要求的转换处理的研究较少，而明确产品功能要求正是进行产品定制设计的前提。

针对基于 Web 人机交互的产品定制过程中的客户需求信息获取，Slywotzky（2000）提出了选择菜单（choiceboard）的概念，即客户通过选择一组属性、部件、价格等选项来实现产品个性化设计的交互式在线系统。例如，Nike、Dell、Mattel、Austin-James 等公司为客户提供的在线产品定制界面就是典型的选择菜单模式（Wilson，1999；Lombardoni et al.，2005）。然而，选择菜单对于客户需求信息的表达和获取存在诸多局限性：一方面过多的选项会给客户的购买决策过程造成困扰（Huffman and Kahn，1998；Piller et al.，2005）；另一方面客户（普通消费者）往往缺乏相应的专门知识（Chen et al.，2001），难以独立完成定制特征参数的设置。

对于一些客户不了解或难以精确表达的定制特征参数，如果允许客户用模糊词汇（或词组）来描述，既符合客户的语言表达习惯，又有利于获取客户的真实需求信息，对于复杂的产品更是如此。然而，包含模糊词汇（或词组）描述的半结构化客户需求信息具有模糊性、不易处理等特点，因此难以向产品功能要求转换。当前国内外已有一些文献对模糊客户需求信息的处理和转换方法进行了研究，例如，Fung 等（1998）提出通过建立模糊推理规则，实现模糊客户需求信息到产品功能要求映射的方法，但该方法是面向单一产品开发模式的，而没有考虑大规模定制环境下的客户需求个性化和产品快速配置等因素；Chen 等（2001）借助于虚拟现实建模语言等工具，实现了模糊客户需求信息向可视化产品三维模型的转换，但这种模糊客户需求信息仅仅局限于客户对产品的几何外观需求，而实际上客户需求信息还包括对产品的功能、性能等需求描述信息；梁樑等（2003）较早地提出了用模糊数学方法来表达模糊客户需求信息的思路，以便进行定量分析；楼健人等（2004）、谭建荣等（2005）分别对客户需求信息的模糊表达方法和模糊客户需求信息的建模方法进行了研究，但没有考虑模糊客户需求信息到产品功能要求的转换问题。因此，在线大规模定制环境下，如何将客户通过 Web 提出的半结构化客户需求信息快速转换成精确产品功能要求仍然是亟待解决的问题。

5.1 半结构化客户需求信息的表达与转换处理

5.1.1 半结构化客户需求信息及其数学描述

客户需求是指客户域中一个解决方案未定的表述，用以表达客户考虑事项的关键基本特征（Zamirowski and Otto，1999）。一般说来，就是客户对产品的功能、性能、外观、价格等特征的要求。通过选择菜单获取的结构化客户需求信息具有明晰、精确、易处理等特点，而半结构化客户需求信息包含客户对某些定制特征参数的模糊词汇（或词组）描述，具有模糊性、不易处理等特点（但斌等，2008b）。一般而言，定制特征参数主要存在以下六种描述方式：①精确值；②大约某个值；③大于某个值；④小于某个值；⑤某两个值之间；⑥语言值。对于客户比较了解的定制特征参数，客户可选择用精确值进行描述；而对于客户不了解或难以精确描述的定制特征参数，客户可选择其他五种方式进行描述。因此，半结构化客户需求信息可表示成：CN=⟨Feature, (Type, Fea_value), Weight⟩。其中，Feature 表示定制特征参数名，Type 表示描述方式，Fea_value 表示定制特征参数的取值，Weight 表示定制特征参数的权重值，可用模糊语言变量子集{一般重要, 比较重要, 很重要, 非常重要}来描述。假如总共有 n 个定制特征参数，那么半结构化客户需求信息可表示成如下形式：

SCN=⟨Feature$_1$, (Type$_1$, Fea_value$_1$), Weight$_1$⟩∨⟨Feature$_2$, (Type$_2$, Fea_value$_2$), Weight$_2$⟩∨⋯∨⟨Feature$_n$, (Type$_n$, Fea_value$_n$), Weight$_n$⟩

5.1.2　半结构化客户需求信息转换问题的形式化描述

半结构化客户需求信息向产品功能要求的转换对成功实施大规模定制具有重要意义。SCN 转换问题实际上就是从客户域到功能域的映射问题（Suh，2001b），图 5.1 对该映射问题进行了形象的描述，其中图形左边区域表示客户域，右边区域表示功能域，CN_i 表示任意客户需求信息，FR_j 表示任意功能要求，r_{ij} 表示任意客户需求信息（CN_i）到任意功能要求（FR_j）的映射关系。一般而言，针对客户需求信息 CN_i=⟨Feature$_i$, (Type$_i$, Fea_value$_i$) ⟩，产品设计专家往往会联想到用某些 FR 来满足它。例如，客户对摩托车最大速度的需求描述是“很快”，那么产品设计专家往往会联想到摩托车排量要“很大”。

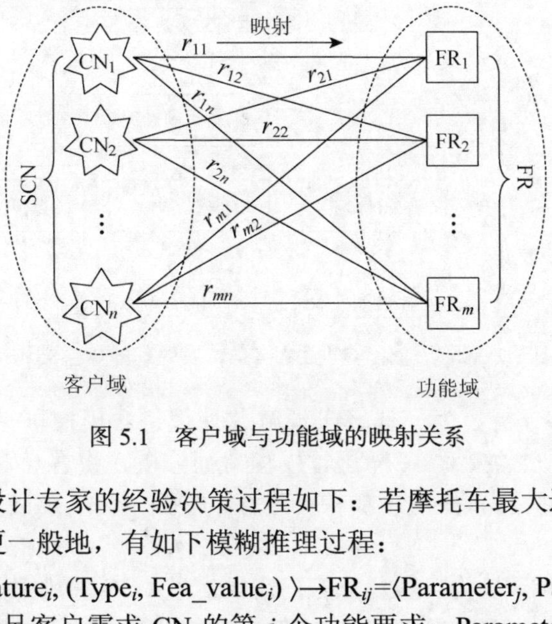

图 5.1　客户域与功能域的映射关系

因此，产品设计专家的经验决策过程如下：若摩托车最大速度很快，则摩托车排量要很大。更一般地，有如下模糊推理过程：

CN_i=⟨Feature$_i$, (Type$_i$, Fea_value$_i$) ⟩→FR_{ij}=⟨Parameter$_j$, Par_value$_{ij}$⟩

其中，FR_{ij} 表示满足客户需求 CN_i 的第 j 个功能要求；Parameter$_j$ 表示第 j 个功能特征参数名；Par_value$_{ij}$ 表示第 j 个功能特征参数的相应取值（可用模糊语言变量子集来描述）。i=1, 2, ⋯, n；j=1, 2, ⋯, m。

事实上，上述产品设计专家的经验决策是基于定制特征参数（Feature$_i$）与功能特征参数（Parameter$_j$）的模糊相关关系做出的，即摩托车最大速度和发动机排量存在“极大”的正相关关系。鉴于此，提出一种基于模糊关系矩阵（**FRM**）的智能模糊推理方法，该方法可以实现任意客户需求信息（CN_i）到任意功能要求

（FR_{ij}）的映射。在此基础上，再经过加权优化和去模糊化等处理步骤，即可实现半结构化客户需求信息的转换。因此，SCN 转换问题可形式化描述如下：

$$\text{SIC: SCN}\rightarrow\text{FR}=\langle \text{Parameter}_1, \xi_1\rangle \vee \langle \text{Parameter}_2, \xi_2\rangle \vee \cdots \vee \langle \text{Parameter}_m, \xi_m\rangle$$

其中，SIC 表示 SCN 转换过程；FR 表示满足 SCN 产品的功能要求；ξ_j 表示功能特征参数（Parameter_j）的某一精确值，j=1, 2, …, m。从而实现从 SCN 到精确的 FR 的转换。

5.1.3　半结构化客户需求信息转换的体系结构

在前述的半结构化客户需求信息转换问题形式化描述的基础上，建立半结构化客户需求信息转换体系结构，如图 5.2 所示。首先，客户通过企业提供的在线产品定制界面，对定制特征参数进行需求描述，得到半结构化客户需求信息；其次，依次进行模糊特征分析、智能模糊推理、加权优化和去模糊化四个处理步骤；最后，输出满足客户需求产品的功能要求。

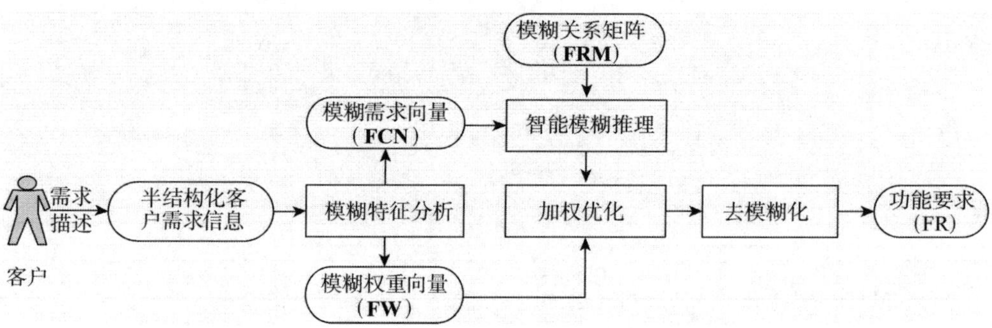

图 5.2　半结构化客户需求信息转换处理的体系结构

（1）模糊特征分析。为使计算机理解并处理包含模糊语义描述的半结构化客户需求信息，首先需要对 SCN 进行模糊特征分析，将客户对定制特征参数及其权重的需求描述信息转换成模糊特征函数，得到模糊需求向量 **FCN** 和模糊权重向量 **FW**。

（2）智能模糊推理。为实现任意客户需求信息（CN_i）到任意功能要求（FR_{ij}）的映射，需要建立一种基于模糊关系矩阵（**FRM**）的智能模糊推理方法。该方法根据定制特征参数（Feature_i）与功能特征参数（Parameter_j）的模糊相关关系，通过计算得出满足客户需求信息（CN_i）的功能要求（FR_{ij}）。

（3）加权优化。不同的客户需求需要不同的功能特征参数值去满足，因此需要根据各定制特征参数的权重值进行加权优化处理，得到总体优化的功能要求。

（4）去模糊化。加权优化处理之后得到的功能特征参数值仍然是模糊值，因而需要进行去模糊化处理，将之转换成精确值。从而实现半结构化客户需求信息到精确的功能要求的转换。

5.2　半结构化客户需求信息的转换处理过程

接下来介绍图 5.2 所示的半结构化客户需求信息转换体系结构中四个处理步骤的具体实现过程。

5.2.1　模糊特征分析

半结构化客户需求信息具有模糊性、不易处理等特点，因此需要将客户对需求的模糊性描述转换成相应的模糊特征函数，即模糊特征分析。下面首先给出定制特征参数六种描述方式的模糊特征函数的表征方法：①“精确值”描述方式，其相应的精确数值，可转化为三角模糊数形式；②“大约某个值”“大于某个值”“小于某个值”“某两个值之间”等四种描述方式，分别用正态型特征函数、升半正态型特征函数、降半正态型特征函数、岭型特征函数来表示；③“语言值”方式，用三角模糊特征函数表示（李士勇，2004）。其次，定制特征参数的权重是由模糊语言变量子集来描述的，因而权重值也可以用论域为[0，1]的三角模糊特征函数表示。经过模糊语义分析，可将客户对定制特征参数及其权重的需求描述信息，转化成相应的模糊特征函数，因此半结构化客户需求信息又可表示成如下形式：

$$\mathrm{SCN}=\langle \mathrm{Feature}_1, \mu_{F1}(x_1), \mu_{W1}(w) \rangle \vee \langle \mathrm{Feature}_2, \mu_{F2}(x_2), \mu_{W2}(w) \rangle \vee \cdots \vee \langle \mathrm{Feature}_n, \mu_{Fn}(x_1), \mu_{Wn}(w) \rangle$$

其中，对于 $i=1, 2, \cdots, n$，$\mu_{Fi}(x_i)$、$\mu_{Wi}(w)$分别表示客户对定制特征参数（$\mathrm{Feature}_i$）及其权重的需求描述信息的模糊特征函数。由此可以得到模糊需求向量 **FCN**=$\{\mu_{F1}(x_1), \mu_{F2}(x_2), \cdots, \mu_{Fn}(x_1)\}$和模糊权重向量 **FW**=$\{\mu_{W1}(w), \mu_{W2}(w), \cdots, \mu_{Wn}(w)\}$。

5.2.2　基于模糊关系矩阵的智能模糊推理

为解决任意客户需求信息（CN_i）到任意功能要求（FR_{ij}）的映射问题，建立一种基于模糊关系矩阵（**FRM**）的智能模糊推理方法（经有国等，2011）。该方法有别于传统的模糊推理方法，不需要事先建立复杂且成本高昂的模糊推理规则库，只需要输入客户需求信息，便可根据模糊关系矩阵（**FRM**）实现自动推理。

1. 模糊关系矩阵（FRM）的建立

定制特征参数（$\mathrm{Feature}_i$）与功能特征参数（$\mathrm{Parameter}_j$）的模糊相关关系可用模糊语言变量子集{不相关, 正（负）相关性比较大, 正（负）相关性非常大}来描述，并令上述模糊语言变量的论域为[−1, 0]（负相关时）或[0, 1]（正相关时）。产品设计专家可根据实际情况，确定用来描述参数间模糊相关关系的模糊语言变量，该模糊语言变量可用相应的三角模糊特征函数表示，由此，可以得到如下模糊关系矩阵 **FRM**：

$$\mathbf{FRM}=\begin{bmatrix} \mu_{R11}(r) & \mu_{R12}(r) & \cdots & \mu_{R1m}(r) \\ \mu_{R21}(r) & \mu_{R22}(r) & \cdots & \mu_{R2m}(r) \\ \vdots & \vdots & & \vdots \\ \mu_{Rn1}(r) & \mu_{Rn2}(r) & \cdots & \mu_{Rnm}(r) \end{bmatrix}$$

其中，对于 $i=1, 2, \cdots, n$，$j=1, 2, \cdots, m$，$\mu_{Rij}(r)$表示定制特征参数（Feature_i）与功能特征参数（Parameter_j）之间模糊相关关系的三角模糊特征函数。若定制特征参数（Feature_i）与功能特征参数（Parameter_j）不相关，则 $\mu_{Rij}(r)=0$。

2. 基于 **FRM** 的智能模糊推理方法

功能特征参数（Parameter_j）可用模糊语言变量子集 $P_j=\{P_{jk}|k=1, 2, \cdots, K_j\}$ 来描述，其中 P_{jk} 表示描述 Parameter_j 的第 k 个语言变量，K_j 表示模糊语言变量子集中模糊语言变量的数量，各模糊语言变量可用相应的三角模糊特征函数 $\mu_{Pjk}(y_j)$ 表示。智能模糊推理的作用就是根据定制特征参数（Feature_i）与功能特征参数（Parameter_j）的模糊相关关系，自动推理出满足客户需求信息（CN_i）约束的功能要求（FR_{ij}），即功能特征参数（Parameter_j）的取值 Par_value_{ij}（为模糊语言变量）。

令定制特征参数（Feature_i）与功能特征参数（Parameter_j）的论域分别为 (α_i, β_i) 和 (δ_j, θ_j)。下面给出智能模糊推理的计算过程。

（1）若定制特征参数（Feature_i）与功能特征参数（Parameter_j）存在正相关关系，则进行如下计算：

$$\phi_i=\frac{\int x_i\mu_{Fi}(x_i)\mathrm{d}x_i \Big/ \int \mu_{Fi}(x_i)\mathrm{d}x_i-\alpha_i}{\beta_i-\alpha_i} \tag{5.1}$$

$$\varphi_{jk}=\frac{\int y_j\mu_{Pjk}(y_j)\mathrm{d}y_j \Big/ \int \mu_{Pjk}(y_j)\mathrm{d}y_j-\delta_j}{\theta_j-\delta_j} \tag{5.2}$$

$$\rho_{ijk}=\frac{\min(\phi_i,\varphi_{jk})}{\max(\phi_i,\varphi_{jk})} \tag{5.3}$$

$$\sigma_{ijk}=\mu_{Rij}(\rho_{ijk}) \tag{5.4}$$

其中，$k=1, 2, \cdots, K_j$，若 $\underline{k}\in[1, K_j]$，且 $\sigma_{\underline{k}}\geqslant\sigma_k$，那么 $\mu_{Pj\underline{k}}(y_j)$ 即是功能特征参数（Parametcr_j）的取值。令满足客户需求（CN_i）的功能特征参数（Parameter_j）取值为 $\mu_{\underline{P}ij}(y_j)=\mu_{Pj\underline{k}}(y_j)$，那么对应的功能要求为 $\text{FR}_{ij}=\langle\text{Parameter}_j, \mu_{\underline{P}ij}(y_j)\rangle$。

（2）若定制特征参数（Feature_i）与功能特征参数（Parameter_j）存在负相关关系，只需对式（5.1）、式（5.3）作如下变动：

$$\phi_i' = \frac{\beta_i - \int x_i \mu_{Fi}(x_i)\mathrm{d}x_i \Big/ \int \mu_{Fi}(x_i)\mathrm{d}x_i}{\beta_i - \alpha_i} \tag{5.5}$$

$$\rho_{ijk}' = -\frac{\min(\phi', \varphi_k)}{\max(\phi', \varphi_k)} \tag{5.6}$$

同理，可得到与客户需求信息（CN_i）对应的功能要求 $\text{FR}_{ij}=\langle \text{Parameter}_j, \mu_{\underline{P}ij}(y_j) \rangle$。

通过以上计算，可以得到与各客户需求对应的模糊功能要求矩阵（**FFR**）：

$$\mathbf{FFR} = \begin{bmatrix} \mu_{\underline{P}11}(y_1) & \mu_{\underline{P}12}(y_2) & \cdots & \mu_{\underline{P}1m}(y_m) \\ \mu_{\underline{P}21}(y_1) & \mu_{\underline{P}22}(y_2) & \cdots & \mu_{\underline{P}2m}(y_m) \\ \vdots & \vdots & & \vdots \\ \mu_{\underline{P}n1}(y_1) & \mu_{\underline{P}n2}(y_2) & \cdots & \mu_{\underline{P}nm}(y_m) \end{bmatrix}$$

其中，若定制特征参数（Feature_i）与功能特征参数（Parameter_j）不相关，则 $\mu_{\underline{P}ij}(y_j)=0$。

5.2.3　加权优化

由模糊功能要求矩阵（**FFR**）的列向量可以看出，对同一个功能特征参数（Parameter_j）而言，不同的客户需求可能要求有不同的取值，然而对于一个产品而言，同一个功能特征参数（Parameter_j）只有一个取值。因此需要根据模糊权重向量（**FW**），进行加权优化处理。

下面给出加权优化处理的计算过程：

$$\omega_i = \frac{\lambda_i \times \int w\mu_{Wi}(w)\mathrm{d}w \Big/ \int \mu_{Wi}(w)\mathrm{d}w}{\sum_{i=1}^{n}\left(\lambda_i \times \int w\mu_{Wi}(w)\mathrm{d}w \Big/ \int \mu_{Wi}(w)\mathrm{d}w\right)} \tag{5.7}$$

$$\mu_{Pj}(y_j) = \sum_{i=1}^{n} \omega_i \times \mu_{\underline{P}ij}(y_j) \tag{5.8}$$

其中，若 $\mu_{\underline{P}ij}(y_j)\neq 0$，则 $\lambda_i=1$；否则，$\lambda_i=0$。$\mu_{Pj}(y_j)$表示满足半结构化客户需求信息的最终产品的功能特征参数（Parameter_j）的取值。

5.2.4　去模糊化

接下来，需要对 $\mu_{Pj}(y_j)$进行去模糊化处理，以便得到精确的产品功能要求值。去模糊化处理的计算公式如下：

$$\xi_j = \int y_j \mu_{Pj}(y_j)\mathrm{d}y_j \Big/ \int \mu_{Pj}(y_j)\mathrm{d}y_j \tag{5.9}$$

其中，ξ_j 表示满足半结构化客户需求信息的功能特征参数（Parameter_j）的某一精确值。因此，最终得到的产品功能要求 FR=$\langle \text{Parameter}_1, \xi_1\rangle \vee \langle \text{Parameter}_2, \xi_2\rangle \vee \cdots \vee \langle \text{Parameter}_m, \xi_m\rangle$。

5.3 摩托车产品半结构化客户需求信息转换处理的应用案例

为了论证上述客户需求信息转换处理方法的有效性，下面以普通骑式二轮摩托车的定制过程为例进行说明。

5.3.1 摩托车产品半结构化客户需求信息的交互式获取与描述

图 5.3 为面向普通骑式二轮摩托车的半结构化客户需求信息交互式获取示例图。企业在综合平衡客户关切和可定制性的基础上，确定两轮摩托车的定制特征参数如下：油耗、可靠性、耐用性、噪声、最大速度、爬坡性能、制动性能、启动性能。客户可以根据自身需求表述的方便性，选择相应的需求描述方式，如对于“油耗”，客户选择“语言值”的描述方式（即语言描述）。在图 5.3 中，客户选择不同的“描述方式”，“需求描述”的形式也将随之调整，例如，选择“精确值、大约某个值、大于某个值、小于某个值”等四种描述方式，“需求描述”的形式是单个文本框；选择“某两个值之间”描述方式，“需求描述”的形式是两个文本框；而选择“语言值”描述方式，“需求描述”的形式是一个列表框。客户还可以对不同定制特征参数的权重进行描述。

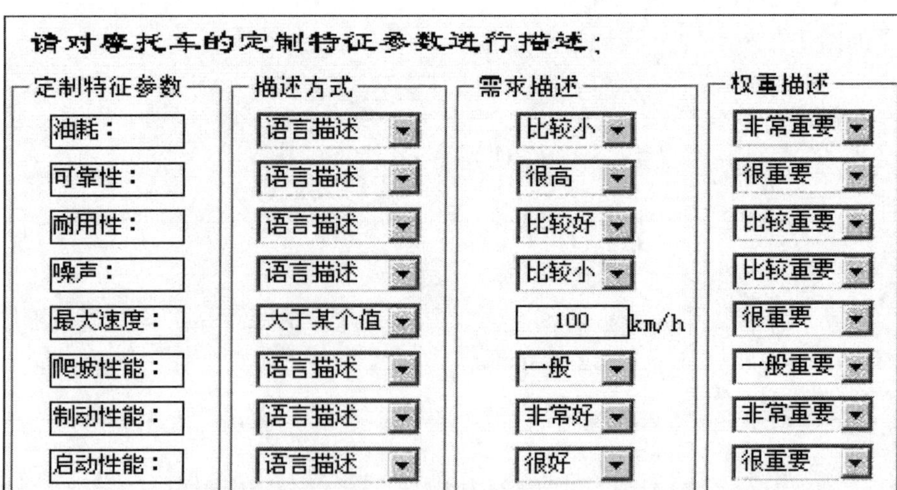

图 5.3 面向两轮摩托车的半结构化客户需求信息交互式获取示例图

通过Web获得的普通骑式二轮摩托车的半结构化客户需求信息的数学描述形式如下：

SCN=⟨油耗, (语言描述, 比较小), 非常重要⟩∨⟨可靠性, (语言描述, 很高), 很重要⟩∨⟨耐用性, (语言描述, 比较好), 比较重要⟩∨⟨噪声, (语言描述, 比较小), 比较重要⟩∨⟨最大速度, (大于某个值, 100km/h), 很重要⟩∨⟨爬坡性能, (语言描述, 一般), 一般重要⟩∨⟨制动性能, (语言描述, 非常好), 非常重要⟩∨⟨启动性能, (语言描述, 很好), 很重要⟩

5.3.2　摩托车产品半结构化客户需求信息的转换处理过程

1. 模糊特征分析过程

经过模糊特征分析，将需求描述转换成相应的模糊特征函数，因而半结构化客户需求信息（SCN）可表示为

SCN=⟨油耗, $\mu_{F1}(x_1)$, $\mu_{W1}(w)$⟩∨⟨可靠性, $\mu_{F2}(x_2)$, $\mu_{W2}(w)$⟩∨⟨耐用性, $\mu_{F3}(x_3)$, $\mu_{W3}(w)$⟩∨⟨噪声, $\mu_{F4}(x_4)$, $\mu_{W4}(w)$⟩∨⟨最大速度, $\mu_{F5}(x_5)$, $\mu_{W5}(w)$⟩∨⟨爬坡性能, $\mu_{F6}(x_6)$, $\mu_{W6}(w)$⟩∨⟨制动性能, $\mu_{F7}(x_7)$, $\mu_{W7}(w)$⟩∨⟨启动性能, $\mu_{F8}(x_8)$, $\mu_{W8}(w)$⟩

在 SCN 中，除了 $\mu_{F5}(x_5)$是升半正态型特征函数［见式（5.10）］之外，其他模糊特征函数都是三角模糊特征函数，如 $\mu_{F1}(x_1)$和 $\mu_{W1}(w)$分别如式（5.11）和式（5.12）所示。

$$\mu_{F5}(x_5)=\begin{cases}0, & x_5\leqslant 100\\ 1-\mathrm{e}^{-(x_5-100)}, & x_5>100\end{cases} \tag{5.10}$$

$$\mu_{F1}(x_1)=\begin{cases}0, & x_1\leqslant 1.5\\ 2x_1-3, & 1.5<x_1\leqslant 2\\ 5-2x_1, & 2<x_1\leqslant 2.5\\ 0, & x_1>2.5\end{cases} \tag{5.11}$$

$$\mu_{W1}(w)=\begin{cases}0, & w<0.75\\ 4w-3, & 0.75\leqslant w\leqslant 1\end{cases} \tag{5.12}$$

2. 基于模糊关系矩阵的智能模糊推理过程

普通骑式二轮摩托车的主要功能特征参数有：排量（cm^3）、最低等速油耗（L/100km）、可靠性（试验里程，km）、耐久性（试验里程，km）、最大噪声（dB）、最高车速（km/h）、爬坡角度（°）、制动距离（m/（30km/h））、启动时间（s）。定制特征参数与功能特征参数的模糊关系矩阵（**FRM**）可根据实际情况建立，如表 5.1 所示。▲表示正相关性非常大，△表示正相关性比较大，▽表示负相关性

比较大，▼表示负相关性非常大，它们分别对应的三角模糊特征函数如图 5.4 所示。表 5.1 中空格部分表示不相关。

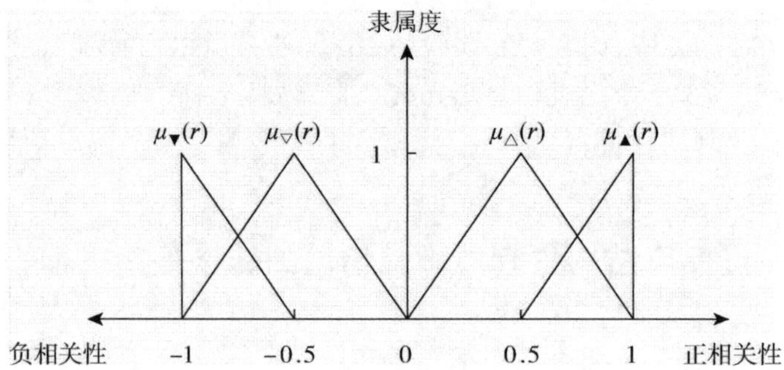

图 5.4 三角模糊特征函数

表 5.1 定制特征参数与功能特征参数的模糊关系矩阵（FRM）

FRM	排量/cm³	最低等速油耗/（L/100 km）	可靠性（试验里程）/km	耐久性（试验里程）/km	最大噪声/dB	最高车速/（km/h）	爬坡角度/（°）	制动距离/（m/（30 km/h））	启动时间/s
油耗	▲	▲							
可靠性			▲						
耐用性				▲					
噪声					▲				
最大速度	▲					▲			
爬坡性能	△						▲		
制动性能								▲	
启动性能									▲

将描述定制特征参数（Feature_i）与功能特征参数（Parameter_j）相关关系的模糊语言变量转换成相应的三角模糊特征函数 $\mu_{Rij}(r)$，例如，$\mu_{R11}(r)$如式（5.13）所示。若 Feature_i 与 Parameter_j 不相关，则 $\mu_{Rij}(r)=0$。因此可得到模糊关系矩阵 **FRM**。

$$\mu_{R11}(r)=\begin{cases}0, & r<0.5\\ 2r-1, & 0.5\leqslant r\leqslant 1\end{cases} \tag{5.13}$$

接下来，需要应用 5.2.2 小节介绍的方法，计算模糊功能要求矩阵 **FFR** 中的每个元素。下面以矩阵元素 $\mu_{\underline{P}11}(y_1)$的计算过程为例进行阐述。

（1）确定描述功能特征参数 Parameter_1（即摩托车排量）的模糊语言变量子集 $P_1=\{P_{1k}|k=1, 2,\cdots, 7\}=\{$非常小, 很小, 比较小, 一般, 比较大, 很大, 非常大$\}$，将 P_1 中的每个模糊语言变量转换成相应的三角模糊特征函数 $\mu_{P1k}(y_1)$，例如，$\mu_{P14}(y_1)$ 如式（5.14）所示。

$$\mu_{P14}(y_1)=\begin{cases} 0, & y_1 \leqslant 90 \\ 0.05y_1-4.5, & 90<y_1\leqslant 110 \\ 6.5-0.05y_1, & 110<y_1\leqslant 130 \\ 0, & y_1>130 \end{cases} \tag{5.14}$$

（2）确定定制特征参数 Feature_1（即油耗, L/100km）与功能特征参数 Parameter_1（即排量, cm^3）的论域分别为 $(\alpha_1, \beta_1)=(1, 3)$和$(\delta_1, \theta_1)=(70, 150)$。

（3）将模糊特征函数 $\mu_{F1}(x_1)$［见式（5.11）］和 $\mu_{P1k}(y_1)$ $(k=1, \cdots, 7)$分别代入式（5.1）、式（5.2），分别求得$\phi_1=0.500$，$\varphi_{11}=0.056$，$\varphi_{12}=0.167$，$\varphi_{13}=0.333$，$\varphi_{14}=0.5$，$\varphi_{15}=0.667$，$\varphi_{16}=0.833$，$\varphi_{17}=0.944$。

（4）将前面的计算结果代入式（5.3），得到 $\rho_{111}=0.112$，$\rho_{112}=0.334$，$\rho_{113}=0.666$，$\rho_{114}=1$，$\rho_{115}=0.750$，$\rho_{116}=0.600$，$\rho_{117}=0.530$。

（5）将前一步得到的计算结果代入式（5.4），在这里即为式（5.13），得到 $\sigma_{111}=0$，$\sigma_{112}=0$，$\sigma_{113}=0.332$，$\sigma_{114}=1$，$\sigma_{115}=0.500$，$\sigma_{116}=0.200$，$\sigma_{117}=0.060$。

（6）因为 $\sigma_{114}=1$ 为最大值，因此最终确定满足客户需求（CN_1）的功能特征参数（Parameter_1）取值应为 $\mu_{\underline{P}11}(y_1)=\mu_{P14}(y_1)$，即 $\text{FR}_{11}=\langle \text{Parameter}_1, \mu_{\underline{P}11}(y_1)\rangle$。也就是说，当客户对摩托车油耗的要求是“比较小”时，摩托车排量的大小应当为“一般”。

通过应用前述类似的计算过程，可求出任意不为零的矩阵元素 $\mu_{\underline{P}ij}(y_j)$，其中 $i\in[1, 8]$且 $j\in[1, 9]$，若定制特征参数（Feature_i）与功能特征参数（Parameter_j）不相关，则 $\mu_{\underline{P}ij}(y_j)=0$。从而得到模糊功能要求矩阵 **FFM**（8×9 阶）。

3. 加权优化及去模糊化处理

然后，对求得的矩阵 **FFM** 进行加权优化处理，再进行去模糊化处理，最终得到满足半结构化客户需求的精确产品功能要求为：FRs=⟨排量（cm^3）, 118.7⟩∨⟨最低等速油耗（L/100km）, 2.1⟩∨⟨可靠性（试验里程, km）, 7359.4⟩∨⟨耐久性（试验里程, km）, 21 875.3⟩∨⟨最大噪声（dB）, 77.6⟩∨⟨最高车速（km/h）, 105.2⟩∨⟨爬坡角度（°）, 19.5⟩∨⟨制动距离（m/（30km/h））, 5.2⟩∨⟨启动时间（s）, 11.8⟩。

普通骑式二轮摩托车的定制系统可根据前述半结构化客户需求信息转换处理

方法求得的产品功能要求（FRs），从产品实例库中向客户推荐已有的产品。可通过加权欧氏距离计算公式，得出与产品功能要求（FR）的距离最小的摩托车产品：Product*=⟨排量（cm^3）, 125⟩∨⟨最低等速油耗（L/100km）, 1.9⟩∨⟨可靠性（试验里程, km）, 7500⟩∨⟨耐久性（试验里程, km）, 25 000⟩∨⟨最大噪声（dB）, 75⟩∨⟨最高车速（km/h）, 110⟩∨⟨爬坡角度（°）, 25⟩∨⟨制动距离（m/（30km/h））, 5⟩∨⟨启动时间（s）, 10⟩。然后，将产品 Product*推荐给客户。

第6章　大规模定制下非结构化客户需求信息的结构化处理方法

随着Internet、Web技术的日益成熟，以及电子商务的蓬勃发展，在线大规模定制逐渐成为一种富有吸引力的新的商业模式。在这种商业模式下，客户通过企业提供的人机交互界面，在线提出个性化的需求信息，然后在线定制系统为客户配置出满意的产品（如摩托车、汽车、电脑等产品）。而如何有效获取、准确理解众多客户的需求信息是成功实施该商业模式的关键，也是企业界和学术界持续关注的一个热点。当客户（普通消费者）对产品的了解极为有限时，在基于Web人机交互的产品定制过程中，通过结构化和半结构化方式表达需求信息存在困难时，若能允许客户使用非结构化的自然语言方式（如短语和语句）描述其需求，不仅会提高客户对需求交互的满意程度，也有利于获取真实的客户需求信息。

产品定制任务的复杂性会降低消费者感知的产品效用和参与定制的意愿，特别是对于新手来说更是如此。然而目前关于基于Web人机交互的客户需求信息获取的研究主要集中在结构化的选择菜单（choiceboard或choice menu）设计与应用等领域。Slywotzky（2000）提出了选择菜单的概念，并预言所有行业的客户都将通过选择菜单中的选项和参数来设计他们心中的产品。之后众多学者对该领域进行了比较深入的研究。例如，Liechty等（2001）从实证的角度研究了客户对选择菜单中属性和选项的偏好及价格敏感性，通过建立多元概率（multi-variate probit，MVP）模型，帮助企业理解客户的选项与价格的最优组合及未来客户需求的变化趋势。Bharati和Chaudhury（2004）提出了面向选择菜单的金字塔理论，为企业实施选择菜单系统提供指导，并指出定制程度和客户体验是成功的两个关键因素。Lombardoni等（2005）研究了面向大规模定制的电子商务网站的开发，在充分考虑产品属性之间的关联性及相互约束的基础上，应用形式化理论，实现了选择菜单（网页）的快速生成技术。Fogliatto和Da Silveira（2008）提出了一种面向大规模定制的选择菜单设计方法，并将之应用于一家天然气分销公司。然而，选择菜单对于客户需求的表达和获取存在相当的局限性：一方面过多的选项为客户的购买决策过程造成很大的困扰（Huffman and Kahn，1998；Piller et al.，2005）；另一方面客户（普通消费者）往往缺乏相应的专门知识（Grenci and Watts，2007），难以独立完成参数的设置。因而，需要研究一种允许客户用自然语言（如短语和语句)来表达需求信息的方法，这样既符合客户的语言表达习惯(楼健人等，2004)，又有利于获取客户的真实需求信息。

由于自然语言（如短语和语句）表达的非结构化客户需求信息（unstructured constomer need，UCN）具有不规范性、模糊性、不一致性等特点，难以被计算机理解和转换，因此有必要研究一种 UCN 结构化处理方法。为此，Chai 等（2002）应用统计分词技术（statistical parsing techniques）和基于规则的技术（rule-based technology）研究了基于自然语言的人机交互对话系统；Zhang 和 Jiao（2007）研究了通过文本挖掘（text mining）技术和联合规则（association rule）技术处理以自然语言陈述的客户需求信息的方法。上述方法被成功地应用于电子商务产品推荐，但是不能直接适用于产品的在线定制。

6.1 非结构化客户需求信息结构化处理体系

6.1.1 非结构化客户需求信息与客户需求本体

定义 6.1 非结构化客户需求信息是指客户使用自身掌握的有关产品的领域知识（即客户域知识）对产品及其部件的特征（包括功能、性能、价格及外形等）的自然语言描述信息。

上述定义有以下三方面含义。

（1）客户具备一定的客户域知识，而客户域知识通常由与产品相关的概念（concepts)、属性（attributes)、关系（relationships）等构成。

（2）UCN 是客户使用非结构化的自然语言表达的需求语句，因而具有以下特性：第一，不规范性，隐性知识的省略，句法结构的多样性；第二，模糊性，对特征的描述通常是以客户的感性认识为依据，度量尺度本身具有模糊性；第三，不一致性，客户需求可能超出约束范围，或存在冲突。

（3）需求语句通常包含或隐含三个要素，即所描述的产品或部件（概念)、特征（属性)、对特征的描述（属性值)。

构建客户需求本体（customer need ontology，CNO)，即形式化定义客户域知识，有助于解决上述不规范性、模糊性及不一致性，是实现 UCN 结构化处理的有效途径。接下来，本书给出了客户需求本体的定义。

定义 6.2 客户需求本体是一个四元组 CNO=$\langle C, A, R, P\rangle$，$C$ 表示客户域知识的概念集，A 表示客户域知识的属性集，R 表示概念和属性间的关系集，P 表示属性的特征空间。

CNO 可以包含 n 个概念，则 $C=\{C_i|i=1, 2, \cdots, n\}$；概念 C_i 有 m_i 个属性，则 $A_i=\{A_{ij}|j=1, 2, \cdots, m_i\}$，那么 $A=A_1\cup A_2\cup\cdots\cup A_n$；关系集 R={part_of, kind_of, attribute_of, equivalent_to, coupling_with}，前二者分别表示概念间的部分与整体、继承关系，attribute_of 表示属性与概念的对应关系，equivalent_to 表示两个概念之间或两个属性之间的等价关系，coupling_with 表示两个属性间的耦合关系（系数），即一个属性的取值对另一个属性取值的影响的大小；P 本身是一个三元组$\langle U, \underline{U}, F\rangle$，$U$ 表示属性的市场可定制范围（论域），$\underline{U}$ 表示属性的企业可定制范围（论域），F 表示描述属性的语言值集合。

基于客户需求本体建立的客户需求本体知识库可以为 UCN 结构化和模糊一致性检验提供有效的支持。

6.1.2　非结构化客户需求信息的结构化描述

对非结构化客户需求信息进行结构化处理的最终目的是要输出满足模糊一致性的结构化客户需求信息。结构化客户需求信息是指结构化、能被计算机理解的客户需求信息，其数学描述形式为：$\langle C^*, A^*, V^*\rangle$，$C^*$表征概念变量，$A^*$表征属性变量，$V^*$表征属性值变量。

一般而言，UCN 是由若干需求语句组成的一段文本，而需求语句是客户对产品或部件（概念）的某个特征（属性）的描述（属性值）。令 UCN=$\{S_k | k=1, 2, \cdots, K\}$, K 表示需求语句的数量，S_k 表示第 k 个需求语句。因此，UCN 结构化处理的首要任务是将需求语句 $S_k\ (k=1, 2, \cdots, K)$ 结构化，即

$$\text{UFP}:\ S_k \rightarrow \langle \underline{C}^k, \underline{A}^k, \underline{V}^k\rangle$$

其中，UFP 表示 UCN 的结构化处理过程；$\underline{C}^k$、$\underline{A}^k$、$\underline{V}^k$ 分别表示第 k 个需求语句对应的概念、属性及属性值（通常是可用模糊隶属函数表示的语言值）。由定义 6.1 可知，初始客户需求可能超出约束范围，或存在冲突，因此需要进行模糊一致性检验，它其实是一个“检验—反馈—再检验”的反复过程，并最终输出满足模糊一致性的结构化客户需求，即

$$\text{FCT}:\ \langle \underline{C}, \underline{A}, \underline{V}\rangle \rightarrow \langle \underline{\underline{C}}, \underline{\underline{A}}, \underline{\underline{V}}\rangle$$

其中，FCT 表示模糊一致性检验过程，$\langle \underline{C}, \underline{A}, \underline{V}\rangle$和$\langle \underline{\underline{C}}, \underline{\underline{A}}, \underline{\underline{V}}\rangle$分别为

$$\langle \underline{C}, \underline{A}, \underline{V}\rangle = \langle \underline{C}^1, \underline{A}^1, \underline{V}^1\rangle \vee \cdots \vee \langle \underline{C}^k, \underline{A}^k, \underline{V}^k\rangle \vee \cdots \vee \langle \underline{C}^K, \underline{A}^K, \underline{V}^K\rangle$$

$$\langle \underline{\underline{C}}, \underline{\underline{A}}, \underline{\underline{V}}\rangle = \langle \underline{\underline{C}}^1, \underline{\underline{A}}^1, \underline{\underline{V}}^1\rangle \vee \cdots \vee \langle \underline{\underline{C}}^l, \underline{\underline{A}}^l, \underline{\underline{V}}^l\rangle \vee \cdots \vee \langle \underline{\underline{C}}^L, \underline{\underline{A}}^L, \underline{\underline{V}}^L\rangle$$

其中，$\langle \underline{C}, \underline{A}, \underline{V}\rangle$表示结构化之后所有的结构化客户需求信息，其数量为 K；$\langle \underline{\underline{C}}, \underline{\underline{A}}, \underline{\underline{V}}\rangle$表示经模糊一致性检验之后所有的结构化客户需求信息，其数量为 L；$\underline{\underline{C}}^l$、$\underline{\underline{A}}^l$、$\underline{\underline{V}}^l$ 分别表示经模糊一致性检验之后，第 l 个客户需求信息所对应的概念、属性及属性值，其中 $l=1, 2, \cdots, L$。

6.1.3　基于 CNO 的非结构化客户需求信息结构化处理的体系结构

在前述客户需求本体构建方法及 UCN 结构化描述方法的基础上，提出了一

种非结构化客户需求信息结构化处理的体系结构，如图 6.1 所示。CNO 通过形式化定义客户域知识来建立，而 UCN 是客户使用客户域知识对产品或部件的特征的自然语言描述。UCN 结构化处理功能模块主要由 UCN 结构化处理和模糊一致性检验两个重要阶段构成。当客户需求出现不一致时，则通过向客户反馈的方式，最终输出满足模糊一致性的结构化客户需求信息。

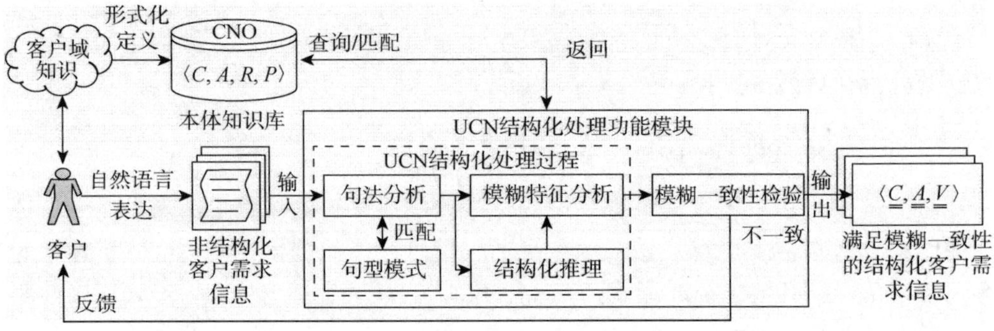

图 6.1　基于 CNO 的非结构化客户需求信息结构化处理的体系结构

（1）UCN 结构化处理，即非结构化的形式化处理（unstructured to forma lized process，UFP）映射阶段。首先，通过句型模式匹配，实现需求语句的句法分析；然后通过结构化推理识别需求语句 S_k（k=1, 2, ⋯, K）的构造，即$\langle \underline{C}^k, \underline{A}^k, \underline{V}^k\rangle$；最后通过模糊特征分析，将语言值转换成模糊隶属函数，以及将宏观需求转换成对具体特征参数的需求。

（2）模糊一致性检验（fuzzy consistency test，FCT）映射过程，主要包括：①模糊属性值约束检验，例如，某电脑定制企业提供的价格定制范围是 8000 元以上，而客户需求“价格要很便宜”，则在一定程度上超出了价格的约束范围；②模糊属性值冲突检验，例如，客户要求“显示器价格要很便宜，尺寸要很大”在一定程度上存在冲突。当客户需求出现上述不一致的情况时，系统自动向客户反馈，然后客户根据相应提示，更改需求表达。再转回（1），直至输出满足模糊一致性的结构化客户需求信息。

6.2　非结构化客户需求信息的结构化处理过程

非结构化客户需求信息是由若干需求语句组成的一段文本，而每个需求语句又是客户对产品或部件（概念）的某个特征（属性）的描述（属性值）。显然，任一需求语句 S_k（k=1, 2, ⋯, K）的语义可结构化为三元组$\langle \underline{C}^k, \underline{A}^k, \underline{V}^k\rangle$。在 UCN 结构化处理体系结构中，UCN 结构化处理包括三个关键步骤：句型模式匹配、结构化推理、模糊特征分析。

6.2.1　句型模式匹配

需求语句信息往往具有不规范性（见定义 6.1），需要进行句法分析以确定其句型结构，因此提出一种基于句型模式匹配的句法分析方法。句型模式由句子结构函数 SSF( )生成，SSF( )的自变量包括 C^*, A^*, V^*及相关过渡词（如“的”“要”等），运算符“+”“[]”“/”分别表示连接运算、可取可不取运算、二者取一运算。需求语句句型模式（sentence pattern，SP）可以由 SSF( )函数生成，例如，SP∷= C^*+[的]+A^*+[要/需要/…]+V^*。

一般而言，客户总是不自觉地参照某种句型模式来表达其需求，因此可以通过建立完整的句型模式库，将需求语句与句型模式库中的句型模式进行匹配，即能实现该需求语句的句法分析。句型模式匹配算法如下。

（1）取需求语句 S_k（k=1）。

（2）检查 S_k 是否包含过渡词，如果包含过渡词，则确定它们在 S_k 中的位置，否则，转到（3）。

（3）应用正向最大匹配（forward maximum matching，FMM）算法（骆正清等，1997；史忠植和王文杰，2007）对除过渡词之外的字符串进行自动分词处理，同时通过检索 CNO 本体知识库，以识别 S_k 所包含的概念（$\underline{C}^k$）和属性（$\underline{A}^k$）。

（4）将 S_k 与句型模式库中的句型模式进行匹配，找到与之对应的 SP^k。

（5）如果 $k=K$，则算法结束；否则，取下一需求语句 S_{k+1}，并返回（2）。

通过应用上述句型模式匹配算法，实现了从需求语句到句型模式的映射：$S_k \to \mathrm{SP}^k$，$k=1, 2, \cdots, K$。

6.2.2　结构化推理

句型模式匹配成功之后，部分句型模式未包含概念（C^*）或属性（A^*），仍然需要进行结构化推理，以确定被省略的概念（C^*）或属性（A^*）。比如需求语句“显示器要大”，其中省略了属性 A^*（尺寸）。具体的结构化推理准则如下。

（1）如果需求语句 S_k 省略了概念（$\underline{C}^k$），则按照以下次序进行推理：①检查在 CNO 中属性（$\underline{A}^k$）所对应的概念是否是唯一的，如果是唯一的，则该概念即是 S_k 所包含的概念（$\underline{C}^k$）；②否则，由客户的语言表达习惯可知，前一需求语句 S_{k-1} 的概念（$\underline{C}^{k-1}$）即是 S_k 所包含的概念（$\underline{C}^k$）。

（2）如果需求语句 S_k 省略了属性（$\underline{A}^k$），则按照以下次序进行推理：①检查在 CNO 中概念（$\underline{C}^k$）所对应的属性是否是唯一的，如果是唯一的，则该属性即是 S_k 所包含的属性（$\underline{A}^k$）；②否则，将属性值（$\underline{V}^k$）与 CNO 中概念（$\underline{C}^k$）所对应各属性的语言值（F）进行匹配，如果匹配成功，则对应的属性即是 S_k 所包含的属性（$\underline{A}^k$）。

经过上述结构化推理，可将需求语句 S_k（k=1, 2, …, K）结构化为：$\langle \underline{C}^k, \underline{A}^k, \underline{V}^k \rangle$。

6.2.3 模糊特征分析

非结构化客户需求信息往往具有模糊性（见定义 6.1），即属性值（V^*）往往是一些模糊的语言值，比如描述价格的语言值有“便宜、很便宜等”，此时属性（A^*）可看成语言变量。根据模糊理论（de Soto and Trillas，1999；Herrera et al.，2000），语言变量可表征为一个五元组$\langle X, T(X), U, G, M \rangle$。其中，$X$ 表示语言变量名，$T(X)$ 表示所有语言值的集合，U 表示语言变量的论域，G 表示构成语言值的语法，M 表示语言值的含义（即模糊集）。在本书的研究中，语言值一般由取反算子（如不、不能等）、语气算子（如很、非常等）、模糊化算子（如大约、左右等）、形容词、数字及度量单位等根据语法 G 组合而成。

现举例说明如下，令家用台式电脑价格的论域为[2500, 15 000]元，描述价格的模糊语言值有：$\mu_{便宜}$、$\mu_{较便宜}$、$\mu_{相当便宜}$、$\mu_{很便宜}$、$\mu_{极便宜}$。假设隶属函数$\mu_{便宜}$(价格)=u，则上述语言值可作如下表示：$\mu_{较便宜}$(价格)=$u^{0.8}$，$\mu_{相当便宜}$(价格)=$u^{1.5}$，$\mu_{很便宜}$(价格)=u^2，$\mu_{极便宜}$(价格)=u^4。

通过模糊特征分析，语言值即可转换成相应的模糊隶属函数，从而使计算机能够理解模糊的属性值。因此，对于 UCN 结构化过程，有如下转换：将模糊语言值（$\underline{V}^k$）用 $\mu_{\underline{V}^k}(\underline{A}^k)$替换，则需求语句 S_k(k=1, 2, …, K) 结构化形式为：$\langle \underline{C}^k, \underline{A}^k, \mu_{\underline{V}^k}(\underline{A}^k) \rangle$。

如果需求语句 S_k 所表达的是一个宏观需求，那么它可能会相应于多个具体技术参数的需求。例如，客户对笔记本电脑性能的需求是一个宏观需求，它相应于客户对内存容量和处理器运行速度的需求。这种相应关系对应于客户需求本体中定义的 coupling_with 关系，即“笔记本电脑性能”属性跟“内存容量”属性及“处理器运行速度”属性存在 coupling_with 关系。因此，通过模糊推理方法，可由一个宏观需求推理出对具体技术参数的需求：⟨笔记本电脑, 性能, $\mu_{高}$(性能)⟩→⟨内存, 容量, $\mu_{大}$(容量)⟩∨⟨处理器, 运行速度, $\mu_{快}$(运行速度)⟩。

6.3 模糊一致性检验方法

非结构化客户需求信息往往具有不一致性（见定义 6.1），而且客户对特征（属性）的描述往往具有模糊性，因此，本节主要对属性值为模糊语言值的模糊一致性检验方法进行了研究。模糊一致性检验主要包括模糊属性值约束检验和冲突检验。

6.3.1　模糊属性值约束检验

一般而言，企业往往专注于有限的市场区间，因而提供的产品或部件的特征（属性）的可定制范围（论域 $\underline{U}$）通常要小于等于整个市场提供的可定制范围（论域 U），即 $\underline{U}\subseteq U$。然而，客户通常基于市场的可定制范围（论域 U）来表达其需求，因此，需要进行模糊属性值约束检验。

由 6.2.3 小节的模糊特征分析可知，模糊语言值 $\underline{V}^k$（k=1, 2, …, K）的模糊隶属函数为 $\mu_{\underline{V}^k}(\underline{A}^k)$，有关模糊属性值约束检验的计算公式如下：

$$\omega^k = \frac{\int_{\underline{U}^k} \mu_{\underline{V}^k}(\underline{A}^k)\mathrm{d}x}{\int_{U^k} \mu_{\underline{V}^k}(\underline{A}^k)\mathrm{d}x} \tag{6.1}$$

其中，ω^k 表示属性值（$\underline{V}^k$）的吻合度，$0\leqslant\omega^k\leqslant1$，吻合度 ω^k 越大，则说明该需求越符合属性值约束。设定一阈值 $\omega_0\in(0, 1)$，如果 $\omega^k\geqslant\omega_0$，则认为该需求符合属性值约束；反之，则向客户反馈并解释更改需求表达的理由。

6.3.2　模糊属性值冲突检验

在处理客户需求信息间冲突时，传统的做法是赋予客户需求一定的权重，然后在满足权重比较大的需求的基础上，对权重比较小的需求进行调整，然而在线大规模定制环境下，一般而言，客户通过自然语言输入的需求都是自身比较关注的需求，这些需求对客户来说一般都很重要，因此，这里采用向客户反馈需求冲突信息的做法，由客户来消解两个需求之间的冲突。下面给出了模糊需求冲突检验的具体过程。

在 CNO 中两个属性间的耦合关系（系数）由谓词 coupling_with 定义，现假设任意两个属性 A^i 和 A^j 的耦合系数 coupling_with $(A^i, A^j)=\theta$，$\theta\in(-1, 1)$，若$-1<\theta<0$，表示属性 A^i 和属性 A^j 是负耦合关系，即提高属性 A^i 的取值，会相应降低属性 A^j 的取值，反之亦然；若 $\theta=0$，表示属性 A^i 和属性 A^j 不存在耦合关系；若 $0<\theta<1$，表示属性 A^i 和属性 A^j 是正耦合关系，即提高属性 A^i 的取值，会相应提高属性 A^j 的取值，反之亦然。

事实上，θ 的精确值很难确定，因而可用模糊语言值表示，如$\mu_{大}$、$\mu_{较大}$、$\mu_{相当大}$、$\mu_{很大}$、$\mu_{极大}$等，描述正耦合关系（θ^+）的语言值的隶属函数分别为：$\mu_{大}(\theta^+)=\underline{u}$，$\mu_{较大}(\theta^+)=\underline{u}^{0.8}$，$\mu_{相当大}(\theta^+)=\underline{u}^{1.5}$，$\mu_{很大}(\theta^+)=\underline{u}^2$，$\mu_{极大}(\theta^+)=\underline{u}^4$，而描述负耦合关系（$\theta^-$）的语言值的隶属函数与上述隶属函数有对称关系。

令$\langle\underline{C}^k, \underline{A}^k, \underline{V}^k\rangle$、$\langle\underline{C}^h, \underline{A}^h, \underline{V}^h\rangle$分别表示两个不同的结构化客户需求信息，$k, h$=1, 2, …, K，属性 $\underline{A}^k$ 和 $\underline{A}^h$ 存在正耦合关系（θ^+），即 coupling_with $(\underline{A}^k, \underline{A}^h) = \mu_{\theta^+}(\theta^{kh})$，

$\underline{V}^k$、$\underline{V}^h$ 分别是模糊语言值，$U^k=[a_k, b_k]$，$U^h=[a_h, b_h]$，则模糊属性值冲突检验的计算公式如下：

$$\varphi^k = \frac{\int_{U^k} x\mu_{\underline{V}^k}(\underline{A}^k)\mathrm{d}x \Big/ \int_{U^k} \mu_{\underline{V}^k}(\underline{A}^k)\mathrm{d}x - a_k}{b_k - a_k} \tag{6.2}$$

$$\varphi^h = \frac{\int_{U^h} x\mu_{\underline{V}^h}(\underline{A}^h)\mathrm{d}x \Big/ \int_{U^h} \mu_{\underline{V}^h}(\underline{A}^h)\mathrm{d}x - a_h}{b_h - a_h} \tag{6.3}$$

$$\rho^{kh} = \frac{\min(\varphi^k, \varphi^h)}{\max(\varphi^k, \varphi^h)} \tag{6.4}$$

令 $\theta^{kh}=\rho^{kh}$，求得 $\mu_{\theta^+}(\rho^{kh})$，称之为协调度，协调度越高则说明两个客户需求间的冲突越低；现取阈值 $\lambda_0\in[0.5, 1)$，若 $\mu_{\theta^+}(\rho^{kh})\geqslant\lambda_0$，则说明 $\underline{V}^k$、$\underline{V}^h$ 不存在冲突；反之，则说明 $\underline{V}^k$、$\underline{V}^h$ 存在冲突，应向客户反馈并解释更改需求表达的理由。若 coupling_with $(\underline{A}^k, \underline{A}^h)=\mu_{\theta^-}(\theta^{kh})$，只需将式（6.2）作如下转换即可：

$$\hat{\varphi}^k = \frac{b_k - \int_{U^k} x\mu_{\underline{V}^k}(\underline{A}^k)\mathrm{d}x \Big/ \int_{U^k} \mu_{\underline{V}^k}(\underline{A}^k)\mathrm{d}x}{b_k - a_k} \tag{6.5}$$

若协调度 $\mu_{\theta^-}(\theta^{kh})\geqslant\lambda_0$，则说明 $\underline{V}^k$、$\underline{V}^h$ 不存在冲突；反之，则说明 $\underline{V}^k$、$\underline{V}^h$ 存在冲突，应向客户反馈并解释更改需求表达的理由。

6.4　非结构化客户需求信息处理的应用案例

6.4.1　笔记本电脑产品的应用案例

第一个案例以笔记本电脑产品的定制过程来进行说明。

1. 笔记本电脑 CNO 知识库的建立

一般而言，客户在定制笔记本电脑的过程中，通常考虑的因素主要有：笔记本电脑的价格、性能及重量，以及电池的持续工作时间、处理器的运行速度、显示器的尺寸、内存的容量、硬盘的容量等。将上述客户域知识形式化定义，如表 6.1 和表 6.2 所示。

表 6.1　形式化的客户域知识

概念（C）	属性（A）	市场可定制范围（U）	企业可定制范围（$\underline{U}$）	模糊语言值（F）
笔记本电脑（C_1）	价格（A_{11}）	3 000 ~ 20 000 元	5 000 ~ 15 000 元	$\mu_{便宜}$，$\mu_{较便宜}$，$\mu_{相当便宜}$，$\mu_{很便宜}$，$\mu_{极便宜}$
	性能（A_{12}）	0 ~ 1	0 ~ 1	$\mu_{好}$，$\mu_{较好}$，$\mu_{相当好}$，$\mu_{很好}$，$\mu_{极好}$
	重量（A_{13}）	1 ~ 5kg	2 ~ 4kg	$\mu_{轻}$，$\mu_{较轻}$，$\mu_{相当轻}$，$\mu_{很轻}$，$\mu_{极轻}$

续表

概念（C）	属性（A）	市场可定制范围（U）	企业可定制范围（$\underline{U}$）	模糊语言值（F）
电池（C_2）	持续工作时间（A_{21}）	1 ~ 6h	2 ~ 4h	$\mu_{长}$，$\mu_{较长}$，$\mu_{相当长}$，$\mu_{很长}$，$\mu_{极长}$
处理器（C_3）	运行速度（A_{31}）	1 000 ~ 3 600MHz	1 800 ~ 3 200MHz	$\mu_{快}$，$\mu_{较快}$，$\mu_{相当快}$，$\mu_{很快}$，$\mu_{极快}$
显示器（C_4）	尺寸（A_{41}）	8 ~ 19 英寸	13 ~ 16 英寸	$\mu_{大}$，$\mu_{较大}$，$\mu_{相当大}$，$\mu_{很大}$，$\mu_{极大}$
内存（C_5）	容量（A_{51}）	200 ~ 3 000MB	500 ~ 2 000MB	$\mu_{大}$，$\mu_{较大}$，$\mu_{相当大}$，$\mu_{很大}$，$\mu_{极大}$
硬盘（C_6）	容量（A_{61}）	40 ~ 400GB	80 ~ 300GB	$\mu_{大}$，$\mu_{较大}$，$\mu_{相当大}$，$\mu_{很大}$，$\mu_{极大}$

表 6.2　属性间的耦合关系

θ	A_{11}	A_{12}	A_{13}	A_{21}	A_{31}	A_{41}	A_{51}	A_{61}
A_{11}	—							
A_{12}	$\mu_{极大}$	—						
A_{13}	$\mu_{很大}$	0	—					
A_{21}	$\mu_{较大}$	0	0	—				
A_{31}	$\mu_{较大}$	$\mu_{极大}$	0	0	—			
A_{41}	0	0	$\mu_{很大}$	0	0	—		
A_{51}	$\mu_{较大}$	$\mu_{极大}$	0	0	0	0	—	
A_{61}	$\mu_{较大}$	$\mu_{很大}$	0	0	0	0	0	—

在表 6.1 中，概念集 $C=\{C_1, C_2, C_3, C_4, C_5, C_6\}$, C_i（i=2, 3, 4, 5, 6）与 C_1 有 part_of 关系，即部件与整体的关系；属性集 $A=\{A_{11}, A_{12}, A_{13}, A_{21}, A_{31}, A_{41}, A_{51}, A_{61}\}$，每个属性通过 attribute_of 与其中一个概念关联；市场可定制范围（U）表明市场可供客户选择的范围区间，如笔记本电脑市场可供客户选择的价格区间为 3000～20 000 元；企业可定制范围（$\underline{U}$）表明笔记本电脑企业可供客户选择的范围区间，如企业可供客户选择的价格区间为 5000～15 000 元，通常 $\underline{U}\subseteq U$; 模糊语言值（F）是客户对属性的一种定性描述，如对价格的描述有$\mu_{便宜}$、$\mu_{较便宜}$等，通过模糊语义分析（见 6.2.3 小节）可为每个模糊语言值构造一个模糊隶属函数。对于属性性能（A_{12}），令其论域为[0, 1]，若取值趋近于 0 则表示性能极差，若取值趋近于 1 则表示性能极好。

在表 6.2 中，定义了属性间的耦合关系（系数），它说明了一个属性取值对另一个属性取值影响的大小，由于耦合系数的精确值很难确定，可以用模糊的语言值来描述（见 6.3.2 小节），如属性价格（A_{11}）与性能（A_{12}）的耦合系数为$\mu_{极大}$。

由表 6.2 可知，各属性间的耦合关系都是正耦合关系，如是负耦合关系，在前面加“–”。

2. UCN 智能解析功能模块的计算机实现

根据 6.2 节和 6.3 节所述的方法，应用计算机语言（Java）进行编程，最终实现 UCN 智能解析功能模块。功能模块的输入是由若干需求语句组成的一段文本，即 UCN；输出是满足模糊一致性的结构化客户需求。功能模块对 UCN 的处理机制如下：首先，根据标点符号位置，将文本（UCN）切分成若干需求语句；其次，通过句型模式匹配和结构化推理，将每个需求语句转化成结构化形式，再通过模糊语义分析将描述属性的模糊语言值转换成相应的隶属函数；最后，进行模糊属性值约束检验和模糊属性值冲突检验，当发现存在不一致的情况时，系统自动向客户反馈，以使客户更正需求表达。

3. 应用过程

通过笔记本电脑定制界面，客户可在文本框内直接输入对需求特征的描述（图 6.2），如某客户提出的需求如下：价格要较便宜，性能要好，运行速度要快，内存要相当大，硬盘要很大，显示器尺寸在 14 英寸左右，重量要轻，电池持续工作时间要长。客户在确认之后，点击提交按钮，其需求信息即可传输至服务器端，由 UCN 智能解析功能模块执行处理。

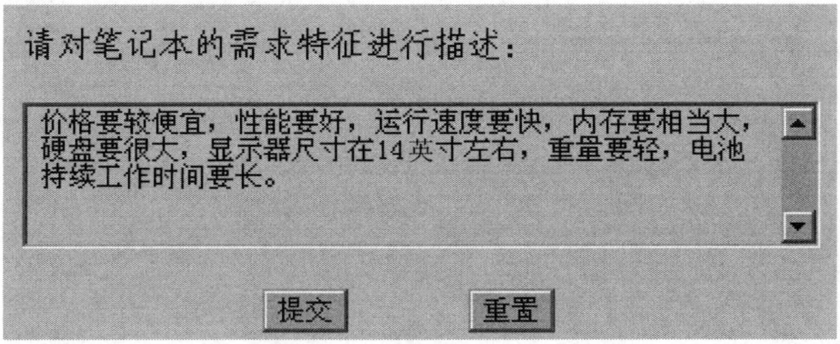

图 6.2　UCN 获取界面

首先，通过句型模式匹配和结构化推理，即可将 UCN 转化成一组结构化客户需求：$\langle \underline{C}, \underline{A}, \underline{V} \rangle$=⟨笔记本电脑（$\underline{C}^1$），价格（$\underline{A}^1$），$\mu_{\text{较便宜}}$（$\underline{V}^1$）⟩∨⟨笔记本电脑（$\underline{C}^2$），性能（$\underline{A}^2$），$\mu_{\text{好}}$（$\underline{V}^2$）⟩∨⟨处理器（$\underline{C}^3$），运行速度（$\underline{A}^3$），$\mu_{\text{快}}$（$\underline{V}^3$）⟩∨⟨内存（$\underline{C}^4$），容量（$\underline{A}^4$），$\mu_{\text{相当大}}$（$\underline{V}^4$）⟩∨⟨硬盘（$\underline{C}^5$），容量（$\underline{A}^5$），$\mu_{\text{很大}}$（$\underline{V}^5$）⟩∨⟨显示器（$\underline{C}^6$），尺寸（$\underline{A}^6$），$\mu_{14\text{英寸左右}}$（$\underline{V}^6$）⟩∨⟨笔记本电脑（$\underline{C}^7$），重量（$\underline{A}^7$），$\mu_{\text{轻}}$（$\underline{V}^7$）⟩∨⟨电池（$\underline{C}^8$），持续工作时间（$\underline{A}^8$），$\mu_{\text{长}}$（$\underline{V}^8$）⟩。

其次，通过模糊语义分析将模糊语言值 $\underline{V}^k$（k=1, 2, ⋯, 8）转换成相应的模糊隶属函数，即$\langle \underline{C}, \underline{A}, \underline{V}\rangle$=⟨笔记本电脑（$\underline{C}^1$），价格（$\underline{A}^1$），$\mu_{较便宜}$（$\underline{A}^1$）⟩∨⟨笔记本电脑（$\underline{C}^2$），性能（$\underline{A}^2$），$\mu_{好}$（$\underline{A}^2$）⟩∨⟨处理器（$\underline{C}^3$），运行速度（$\underline{A}^3$），$\mu_{快}$（$\underline{A}^3$）⟩∨⟨内存（$\underline{C}^4$），容量（$\underline{A}^4$），$\mu_{相当大}$（$\underline{A}^4$）⟩∨⟨硬盘（$\underline{C}^5$），容量（$\underline{A}^5$），$\mu_{很大}$（$\underline{A}^5$）⟩∨⟨显示器（$\underline{C}^6$），尺寸（$\underline{A}^6$），$\mu_{14英寸左右}$（$\underline{A}^6$）⟩∨⟨笔记本电脑（$\underline{C}^7$），重量（$\underline{A}^7$），$\mu_{轻}$（$\underline{A}^7$）⟩∨⟨电池（$\underline{C}^8$），持续工作时间（$\underline{A}^8$），$\mu_{长}$（$\underline{A}^8$）⟩。

再次，通过模糊属性值约束检验，以判断客户需求是否超出企业可定制范围（$\underline{U}$）。将 U^k、$\underline{U}^k$、$\mu_{\underline{V}^k}(\underline{A}^k)$（$k$=1, 2, ⋯, 8）分别代入式（6.1），求得吻合度 ω^1=0.53，ω^2=0.71，ω^3=0.87，ω^4=0.94，ω^5=0.73，ω^6=0.96，ω^7=0.89，ω^8=0.77。设定一阈值 ω_0=0.5，因为 ω^k＞0.5（k=1, 2, ⋯, 8），说明所有的客户需求都符合属性值约束。

最后，通过模糊属性值冲突检验，以判断各客户需求间是否存在矛盾。根据 6.3.2 小节介绍的计算方法，求得各客户需求间的协调度 $\mu_u(\rho^{kh})$，其中 k, h=1, 2,⋯, 8，如表 6.3 所示，$\mu_u(\rho^{kh})$=1 说明属性 $\underline{A}^k$ 和 $\underline{A}^h$ 的耦合系数为 0。设定一阈值 λ_0=0.5，因为 $\mu_u(\rho^{kh})$＞0.5（k, h=1, 2, ⋯, 8），说明各客户需求间不存在冲突。因而，$\langle \underline{\underline{C}}, \underline{\underline{A}}, \underline{\underline{V}}\rangle = \langle \underline{C}, \underline{A}, \underline{V}\rangle$。

表 6.3　客户需求间的协调度

$\mu_u(\rho^{kh})$	$\underline{V}^1$	$\underline{V}^2$	$\underline{V}^3$	$\underline{V}^4$	$\underline{V}^5$	$\underline{V}^6$	$\underline{V}^7$	$\underline{V}^8$
$\underline{V}^1$	—							
$\underline{V}^2$	0.57	—						
$\underline{V}^3$	0.63	0.95	—					
$\underline{V}^4$	0.74	0.91	1	—				
$\underline{V}^5$	0.65	0.83	1	1	—			
$\underline{V}^6$	1	1	1	1	1	—		
$\underline{V}^7$	0.72	1	1	1	1	0.79	—	
$\underline{V}^8$	0.64	1	1	1	1	1	1	—

通常情况下，客户只输入自身比较关注、比较熟悉的需求，因而会造成客户需求残缺的情况，处理这种情况的比较妥善的做法是采用基于实例的产品配置设计方法，即计算实例产品与客户需求$\langle \underline{C}, \underline{A}, \underline{V}\rangle$的相似度，并对相似度最大的实例产品进行改型设计。由于产品配置设计超出了本文的研究范围，因此，下面仅就向客户推荐实例产品为例进行说明。假设有 5 个笔记本电脑实例产品，它们的特征参数如表 6.4 所示。其中，各实例产品的性能（A_{12}）参数可通过领域专家评分来确定。

表 6.4 笔记本电脑产品特征参数

特征参数	A_{11}/元	A_{12}	A_{13}/kg	A_{21}/h	A_{31}/MHz	A_{41}/英寸	A_{51}/MB	A_{61}/GB
Laptop1	5 600	0.65	3.5	2.0	1 800	13.3	512	80
Laptop2	6 300	0.72	3.1	2.5	2 000	14.1	1 024	160
Laptop3	7 900	0.78	2.5	3.0	2 100	14.1	1 024	160
Laptop4	8 800	0.83	2.3	3.5	2 400	15.4	2 048	200
Laptop5	9 999	0.91	2.1	4.0	2 800	14.1	2 048	250

将笔记本电脑实例产品的各个特征参数分别代入相应的模糊隶属函数 $\mu_{\underline{V}^k}(\underline{A}^k)$，求得特征参数相对客户需求的可信度，如表 6.5 所示。可信度越高说明客户需求获得满足的可能性就越大，Π表示各可信度的乘积，Π越大说明该产品越贴近客户需求。由表 6.5 可知，$\Pi_3>\Pi_2>\Pi_4>\Pi_5>\Pi_1$，因此，系统优先向客户推荐实例产品 Laptop3。

表 6.5 特征参数相对客户需求的可信度

$\mu_{\underline{V}^k}(\underline{A}^k)$	$\underline{V}^1$	$\underline{V}^2$	$\underline{V}^3$	$\underline{V}^4$	$\underline{V}^5$	$\underline{V}^6$	$\underline{V}^7$	$\underline{V}^8$	Π
Laptop1	1.00	0.68	0.64	0.51	0.47	0.64	0.57	0.52	0.020
Laptop2	1.00	0.92	1.00	0.86	0.83	0.97	0.71	0.84	0.380
Laptop3	0.74	1.00	1.00	0.86	0.83	0.97	1.00	1.00	0.512
Laptop4	0.33	1.00	1.00	1.00	1.00	0.48	1.00	1.00	0.158
Laptop5	0.08	1.00	1.00	1.00	1.00	0.97	1.00	1.00	0.078

6.4.2 摩托车产品的应用案例

第二个案例以普通骑式二轮摩托车产品的定制过程来进行说明。

1. 摩托车产品的客户需求本体

为了结构化处理用自然语言语句（或短语）描述的非结构化客户需求信息，首先需要形式化定义客户域知识中的相关概念、属性及其关系，建立摩托车产品客户需求本体。

一般而言，客户（普通消费者）在普通骑式二轮摩托车产品的定制过程中，通常考虑的因素主要有摩托车产品的价格、油耗、最大速度、载重、可靠性、安全性、耐用性、噪声、爬坡性能、启动性能、制动性能、动力性能、发动机的功率和排量、车身的颜色、油箱的容积、轮毂的样式等。将上述客户域知识进行形式化定义：概念集 C={C_1（摩托车）, C_2（发动机）, C_3（车身）, C_4（油箱）, C_5（轮毂）}；属性集 A={A_{11}（价格）, A_{12}（油耗）, A_{13}（最大速度）, A_{14}（载重）, A_{15}（可靠性）,

A_{16}（安全性）, A_{17}（耐用性）, A_{18}（噪声）, A_{19}（爬坡性能）, A_{110}（启动性能）, A_{111}（制动性能）, A_{112}（动力性能）, A_{21}（功率）, A_{22}（排量）, A_{31}（颜色）, A_{41}（容积）, A_{51}（样式）}；关系集 R={part_of, kind_of, attribute_of, equivalent_to, coupling_with}，表示关系集定义概念与概念之间、概念与属性之间及属性与属性之间的关系。可以通过对摩托车产品市场的调查，定义不同属性的市场可定制范围（即论域 U），例如，U={U_{11} ([3000, 10 000]￥), U_{12} ([1.5, 5]L/100km), U_{13}([80, 150]km/h), U_{14} ([100, 250]kg), U_{15}([0, 1]), U_{16}([0, 1]), U_{17}([0, 1]), U_{18}([50, 100]dB), U_{19}([15, 50]°), U_{110}([5, 15]s), U_{111}([0, 1]), U_{112}([0, 1]), U_{21}([2, 10]kW), U_{22}([90, 150]mL), U_{41}([5, 10]L)}。其中，对于那些取值只能为选项的属性（如轮毂样式），其论域为一组选项（在 U 中进行了省略）；对于那些难以用选项和数值描述的属性（如可靠性、安全性等），令其论域为[0, 1]。根据企业的实际情况定义摩托车产品不同属性的企业可定制范围（即论域 $\underline{U}$），$\underline{U}$={$\underline{U}_{11}$([5000, 8000]￥), U_{12}([1.8, 3]L/100km), U_{13}([80, 120]km/h), U_{14}([100, 200]kg), U_{15}([0, 1]), U_{16}([0, 1]), U_{17}([0, 1]), U_{18}([60, 90]dB), U_{19}([20, 45]°), U_{110}([6, 10]s), U_{111}([0, 1]), U_{112}([0, 1]), U_{21}([4, 8]kW), U_{22}([90, 150]mL), U_{41}([5, 8]L)}。针对上述摩托车产品不同属性定义相应的描述属性的语言值集合（F）。例如，描述油耗（A_{12}）的语言值集合为 F_{12}={$\mu_{比较小}$, $\mu_{一般}$, $\mu_{很小}$,…}，通过模糊特征分析（见 6.3.3 小节）可为每个模糊语言值构造一个模糊隶属函数。前述的摩托车产品客户需求本体知识可通过语义网技术来表示，如图 6.3 所示为语义网表示的部分客户需求本体知识。

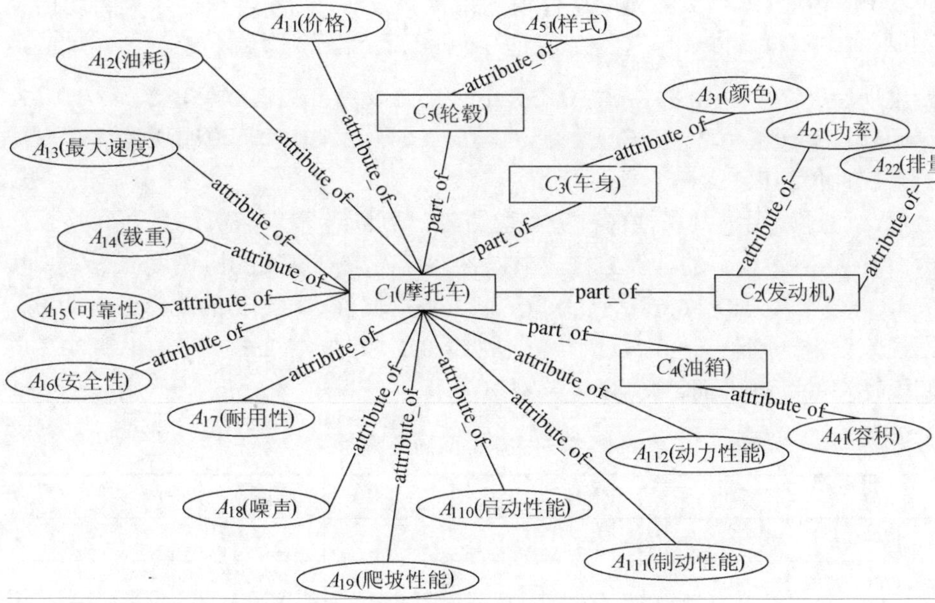

图 6.3　语义网表示的部分客户需求本体知识

2. 摩托车产品非结构化客户需求信息的结构化处理过程

通过摩托车产品的 Web 人机交互产品定制界面，客户可在文本框内直接输入用自然语言语句（或短语）描述的产品需求信息，如某客户输入的需求信息如下：价格低于 8000 元，油耗比较小，可靠性比较高，最大速度不低于 100 km/h，噪声要小，功率要比较大，油箱要比较大。下面对上述非结构化客户需求信息的结构化处理为例进行详细说明。

首先，通过应用句型模式匹配方法（见 6.3.1 小节）和结构化推理方法（见 6.3.2 小节），将上述非结构化客户需求信息转化成一组结构化客户需求信息形式：$\langle \underline{C}, \underline{A}, \underline{V}\rangle$=⟨摩托车（$\underline{C}^1$）, 价格（$\underline{A}^1$）, $\mu_{低于8000元}$（$\underline{V}^1$）⟩∨⟨摩托车（$\underline{C}^2$）, 油耗（$\underline{A}^2$）, $\mu_{比较小}$（$\underline{V}^2$）⟩∨⟨摩托车（$\underline{C}^3$）, 可靠性（$\underline{A}^3$）, $\mu_{比较高}$（$\underline{V}^3$）⟩∨⟨摩托车（$\underline{C}^4$）, 最大速度（$\underline{A}^4$）, $\mu_{不低于100km/h}$（$\underline{V}^4$）⟩∨⟨摩托车（$\underline{C}^5$）, 噪声（$\underline{A}^5$）, $\mu_{小}$（$\underline{V}^5$）⟩∨⟨发动机（$\underline{C}^6$）, 功率（$\underline{A}^6$）, $\mu_{比较大}$（$\underline{V}^6$）⟩∨⟨油箱（$\underline{C}^7$）, 容积（$\underline{A}^7$）, $\mu_{比较大}$（$\underline{V}^7$）⟩。

其次，通过应用模糊特征分析方法（见 6.3.3 小节）将模糊语言值 $\underline{V}^k$（k=1, 2, ⋯, 7）转换成相应的模糊隶属函数，即$\langle \underline{C}, \underline{A}, \underline{V}\rangle$=⟨摩托车（$\underline{C}^1$）, 价格（$\underline{A}^1$）, $\mu_{低于8000元}$（$\underline{V}^1$）⟩∨⟨摩托车（$\underline{C}^2$）, 油耗（$\underline{A}^2$）, $\mu_{比较小}$（$\underline{V}^2$）⟩∨⟨摩托车（$\underline{C}^3$）, 可靠性（$\underline{A}^3$）, $\mu_{比较高}$（$\underline{V}^3$）⟩∨⟨摩托车（$\underline{C}^4$）, 最大速度（$\underline{A}^4$）, $\mu_{不低于100km/h}$（$\underline{V}^4$）⟩∨⟨摩托车（$\underline{C}^5$）, 噪声（$\underline{A}^5$）, $\mu_{小}$（$\underline{V}^5$）⟩∨⟨发动机（$\underline{C}^6$）, 功率（$\underline{A}^6$）, $\mu_{比较大}$（$\underline{V}^6$）⟩∨⟨油箱（$\underline{C}^7$）, 容积（$\underline{A}^7$）, $\mu_{比较大}$（$\underline{V}^7$）⟩。

再次，应用 6.3.1 小节的模糊属性值约束检验方法，判断客户需求是否超出企业可定制范围（$\underline{U}$）。将 U^k、$\underline{U}^k$、$\mu_{\underline{V}^k}(\underline{A}^k)$（$k$=1, 2, ⋯, 7）分别代入式（6.1），求得吻合度 ω^1=0.67，ω^2=0.84，ω^3=0.73，ω^4=0.71，ω^5=0.91，ω^6=0.82，ω^7=0.78。可根据经验设定一阈值 ω_0=0.6，因为 ω^k>0.6（k=1, 2, ⋯, 7），说明所有的客户需求都符合属性值约束。

最后，通过应用模糊属性值冲突检验方法，判断各客户需求信息之间是否存在矛盾。根据 6.3.2 小节的计算方法，求得各客户需求信息间的协调度 $\mu_u(\rho^{kh})$，其中 k, h=1, 2, ⋯, 7，如表 6.6 所示，$\mu_u(\rho^{kh})$=1 说明属性 $\underline{A}^k$ 和 $\underline{A}^h$ 的耦合系数为 0。可根据经验设定一阈值 λ_0=0.7，因为 $\mu_u(\rho^{kh})$>0.7（k, h=1, 2, ⋯, 7），说明各客户需求间不存在冲突。因而，$\langle \underline{C}, \underline{A}, \underline{V}\rangle = \langle \underline{C}, \underline{A}, \underline{V}\rangle$。

表 6.6 客户需求之间的协调度

$\mu_u(\rho^{kh})$	$\underline{V}^1$	$\underline{V}^2$	$\underline{V}^3$	$\underline{V}^4$	$\underline{V}^5$	$\underline{V}^6$	$\underline{V}^7$
$\underline{V}^1$	—						
$\underline{V}^2$	0.75	—					
$\underline{V}^3$	0.87	1	—				

续表

$\mu_u(\rho^{kh})$	$\underline{V}^1$	$\underline{V}^2$	$\underline{V}^3$	$\underline{V}^4$	$\underline{V}^5$	$\underline{V}^6$	$\underline{V}^7$
$\underline{V}^4$	0.92	0.83	1	—			
$\underline{V}^5$	0.79	1	1	1	—		
$\underline{V}^6$	0.95	0.71	1	0.93	0.76	—	
$\underline{V}^7$	0.96	1	1	1	1	1	—

通过以上处理过程求得$\langle\underline{C},\underline{A},\underline{V}\rangle$=⟨摩托车（$\underline{C}^1$），价格（$\underline{A}^1$），$\mu_{低于8000元}$（$\underline{V}^1$）⟩∨⟨摩托车（$\underline{C}^2$），油耗（$\underline{A}^2$），$\mu_{比较小}$（$\underline{V}^2$）⟩∨⟨摩托车（$\underline{C}^3$），可靠性（$\underline{A}^3$），$\mu_{比较高}$（$\underline{V}^3$）⟩∨⟨摩托车（$\underline{C}^4$），最大速度（$\underline{A}^4$），$\mu_{不低于100km/h}$（$\underline{V}^4$）⟩∨⟨摩托车（$\underline{C}^5$），噪声（$\underline{A}^5$），$\mu_{小}$（$\underline{V}^5$）⟩∨⟨发动机（$\underline{C}^6$），功率（$\underline{A}^6$），$\mu_{比较大}$（$\underline{V}^6$）⟩∨⟨油箱（$\underline{C}^7$），容积（$\underline{A}^7$），$\mu_{比较大}$（$\underline{V}^7$）⟩，从而完成对非结构化客户需求信息的结构化处理。$\langle\underline{C},\underline{A},\underline{V}\rangle$是一种结构化的需求信息表示形式，由于其中包含了模糊特征函数表示的需求信息，又可以看成是半结构化的客户需求信息，可采用第 5 章的半结构化客户需求信息转换处理方法作进一步的处理。需要强调的是，通常情况下客户往往只输入自身比较关注、比较熟悉的需求信息，因而会造成客户需求残缺的情况，处理这种情况的比较妥善的做法是采用基于实例的产品配置设计方法，即计算实例产品与客户需求$\langle\underline{C},\underline{A},\underline{V}\rangle$的相似度，然后向客户推荐相似度最大的实例产品或在此基础上进行改型设计。

第 7 章　大规模定制下客户需求的映射与转换方法

客户需求的映射与转换是产品定制设计（产品配置）的基础，只有通过建立高效、准确的映射和转换方法将客户需求转换成产品功能要求和设计参数，才能更好地实现以接近大规模生产的成本和效率为客户提供定制化产品的目标。客户需求的映射与转换就是要建立从客户域的客户需求到功能域的功能要求的映射以及从功能域的功能要求到物理域的设计参数的映射，从而发现满足客户需求的产品的特性和要求。在大规模定制环境下，客户需求的映射与转换旨在建立客户的个性化需求与产品族中特定的产品变量的对应关系。为此，首先基于本体的客户需求映射与转换方法，建立从类客户需求到类功能要求的映射关系；然后基于公理化设计的产品族映射方程建立从类功能要求到类设计参数的映射关系；最后阐述基于柔性指数的大规模定制基产品选择以及产品变量（定制产品）生成方法。

7.1　基于本体的客户需求映射与转换

客户需求到产品族的映射是客户与设计者之间沟通的桥梁。本节将基于本体映射方法研究类客户需求与类功能要求之间的内在关联，建立从类客户需求到类功能要求的映射与转换过程。

7.1.1　基于本体的客户需求映射框架

1. 类客户需求到类功能要求映射描述

客户需求是客户域中一个解决方案未定的表述，用以表达客户考虑事项的关键基本特征（Zamirowski and Otto，1999）。由于大规模定制环境下的产品设计是面向某一细分市场的一类产品——产品族，而同一细分市场内的客户需求存在相似性，如果对相似的客户需求进行合并和规范，面向某产品族的客户群体需求则可用一组带属性（U）的通用客户需求——类客户需求来表示。这种类客户需求就是一个能覆盖或替代一组相似客户需求的通用客户需求及其取值或实例。其中，参数 U 用于识别客户的定制需求。而功能要求是在功能域中表征对产品功能要求的独立需求（Suh，2001b）。由于同一产品族内的定制产品的功能要求之间存在相似性，如果对客户相似的功能要求进行分类，则产品族便可用一组带属性（A）的通用功能要求——类功能要求来表达，其中的属性 A 用于识别定制的功能要求。基于以上描述，客户域到功能域的映射也就可以相应地简化为 GCN 到 GFR 的映射。

一般来说，GCN 与 GFR 的映射关系可分为以下 4 种。

（1）一对一关系（1∶1），即一个客户需求需由一个功能要求予以满足。

（2）一对多关系（1∶n），即一个客户需求需由多个功能要求予以满足。

（3）多对一关系（m∶1），即一个功能要求可满足多个客户需求。

（4）多对多关系（m∶n），即多个客户需求同时需要多个功能要求予以满足。

那么如何实现 GCN－GFR 映射便是接下来所要探讨的问题。

2. 映射框架

由于具有共同研究目标的不同领域对目标问题的视点不同，对问题看法的表达方式也就不同，这就造成了领域与领域之间的沟通障碍。本体则为解决这一问题提供了有效手段。本体描述了各自领域的共享知识，通过建立领域本体间的映射，构造领域知识的语义对应关系，实现领域知识在语义层上的互联，增强领域知识的互操作性，从而在深层次上解决知识的正确沟通问题。因此，本节采用本体作为客户域与功能域之间进行信息转换的媒介，通过建立客户需求本体、功能要求本体以及两者之间的映射来实现客户域到功能域的知识转化。具体映射框架如图 7.1 所示。

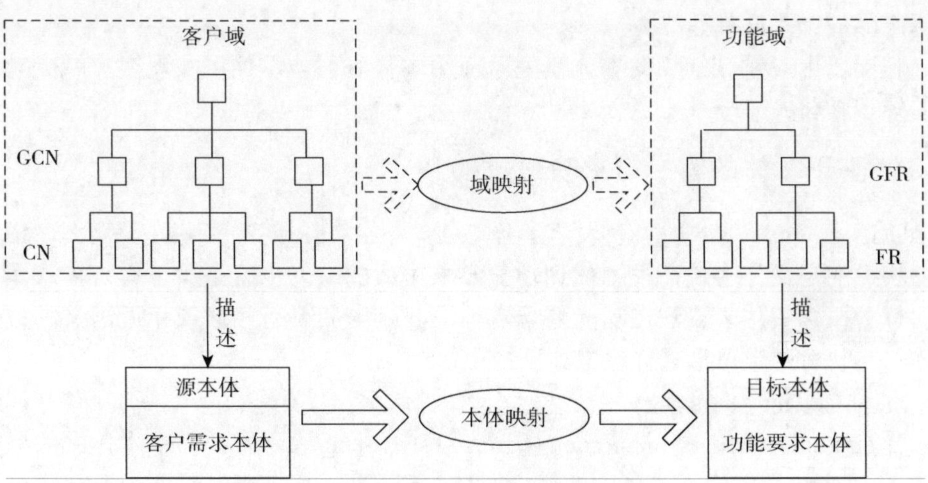

图 7.1　基于本体的客户需求映射框架（姜燕和但斌，2009）

在上述框架中，作为源本体的客户需求本体和作为目标本体的功能要求本体分别描述了现实产品对象在客户需求领域空间和功能要求领域空间的投影。由于描述的目标相同，两者就具有一定的语义相关性，这种语义相关性可以通过本体映射建立相应的映射规则来反映。下面根据以上映射框架运用本体理论对 GCN—GFR 的映射关系进行研究。

3. 本体建模

利用形式化理论，客户需求本体和功能要求本体可以定义如下。

定义 7.1 客户需求本体可定义为一个五元组 CNOnt＝(CND, CNC, CAN, CNR, CNI)。其中，CND={客户域}；CNC 表示客户域中描述产品的概念实体，即类客户需求和客户需求；CNA 表示客户域中各概念实体属性的有限集，对于各类客户需求 $GCN_x(U_x)$概念均包含交易编号、产品编码及参数 U_x 三项属性，其取值类型可为多种，如字符型、数值型等；CNR 表示本体 CNOnt 中各概念之间的关系集，包括继承关系 is-a、复合关系 part-of、实例关系 instance-of 以及属性关系 attribute-of；CNI 表示本体 CNOnt 的实例集，可根据已有类似产品的历史销售记录建立。

定义 7.2 功能要求本体也可定义为一个五元组 FROnt＝(FRD, FRC, FRA, FRR, FRI)。其中，FRD={功能域}；FRC 表示功能域中描述产品的概念实体，即类功能要求和功能要求；FRA 表示功能域中各概念实体属性的有限集，对于各类功能要求 $GFR_y(A_y)$概念均包含产品编码和参数 A_y 这两项属性，其取值类型也可为多种；FRR 表示本体 FROnt 中各概念之间的关系集，同样包括 is-a、part-of、attribute-of 及 instance-of 4 种关系；FRI 表示本体 FROnt 中的实例集，可根据以往类似产品的产品文件建立。

基于以上各领域知识的本体模型，应用本体映射方法便可实现客户域到功能域的知识转化。

7.1.2 基于本体的客户需求映射过程

GCN 与 GFR 的映射关系表示了各 GCN 与各 GFR 间的相关性。那么，根据本体映射的定义，客户需求本体到功能要求本体的映射也就是对于客户需求本体上的每一概念实体，设法在功能要求本体上找到与其具有相同或相近语义的概念实体。其映射函数可形式化定义如下：

Map: CNOnt → FROnt;

若 $\mathrm{sim}(cnc_i, frc_j) > s$，$\mathrm{map}(cnc_i) \to frc_j$。其中，$cnc_i$ 表示客户需求本体中的概念实体；frc_j 表示功能要求本体中的概念实体；$\mathrm{sim}(cnc_i, frc_j)$ 表示这两个概念实体之间的相似度，$\mathrm{sim}(cnc_i, frc_j) \in [0, 1]$；$s$ 表示相似度阈值，$s \in [0, 1]$，主要是根据企

业要求的强度来进行设定，即若企业要求达到较高的客户满意度时，s 取值也就相应较高。

而整个基于本体的 GCN 到 GFR 的映射过程可归结为如图 7.2 所示的流程。

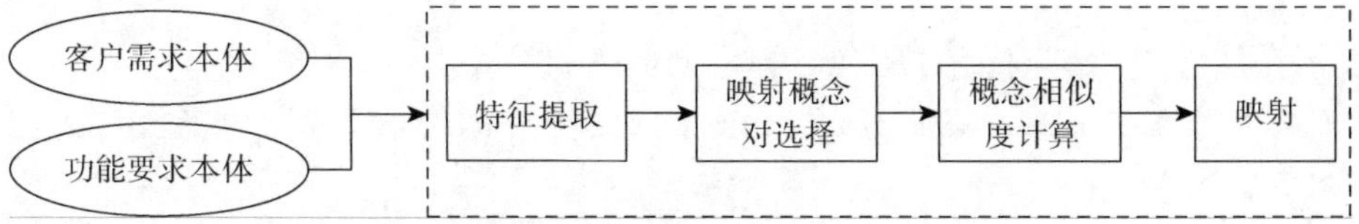

图 7.2　基于本体的 GCN—GFR 映射过程

整个基于本体的 GCN 到 GFR 的映射过程分为以下 4 步。

1. 特征提取

基于已建立的各领域本体模型（即客户需求本体模型、功能要求本体模型），提取用于计算相似度的相关特征，如概念、实例以及属性等。

2. 映射概念对选择

根据第一步所提取的概念特征，结合实际需要，选择用于映射的概念对（cnc_i, frc_j）。

3. 概念相似度计算

针对之前选定用于映射的概念对进行相似度 $\mathrm{sim}(\mathrm{cnc}_i, \mathrm{frc}_j)$计算。

对各概念实体间相似度的计算均采用基于概念实例的方法来实现。一个概念的实例也是它祖先概念的实例。记概念 cnc_i 与概念 frc_j 之间的相似度为 $\mathrm{sim}(\mathrm{cnc}_i, \mathrm{frc}_j)$，则其计算公式为

$$\mathrm{sim}(\mathrm{cnc}_i, \mathrm{frc}_j)=\frac{P(\mathrm{cnc}_i \cap \mathrm{frc}_j)}{P(\mathrm{cnc}_i \cup \mathrm{frc}_j)}=\frac{P(\mathrm{cnc}_i, \mathrm{frc}_j)}{P(\mathrm{cnc}_i, \mathrm{frc}_j)+P(\mathrm{cnc}_i, \overline{\mathrm{frc}_j})+P(\overline{\mathrm{cnc}_i}, \mathrm{frc}_j)} \tag{7.1}$$

式（7.1）中涉及 3 个概率：$P(\mathrm{cnc}_i, \mathrm{frc}_j)$、$P(\mathrm{cnc}_i, \overline{\mathrm{frc}_j})$、$P(\overline{\mathrm{cnc}_i}, \mathrm{frc}_j)$。以 $P(\mathrm{cnc}_i, \mathrm{frc}_j)$的计算为例，用 $N(\mathrm{CNI})$表示本体 CNOnt 的实例集中的实例个数，$N(\mathrm{FRI})$表示本体 FROnt 的实例集中的实例个数，$N(\mathrm{CNI}^{\mathrm{cnc}_i,\mathrm{frc}_j})$表示 CNI 中既属于 cnc_i 又属于 frc_j 的实例个数，$N(\mathrm{FRI}^{\mathrm{cnc}_i,\mathrm{frc}_j})$表示 FRI 中既属于 cnc_i 又属于 frc_j 的实例个数。$\mathrm{sim}(\mathrm{cnc}_i，\mathrm{frc}_j)$的计算有以下六个子步骤。

（1）将实例集 CNI 分成属于概念 cnc_i 的实例集 $\mathrm{CNI}^{\mathrm{cnc}_i}$ 和不属于概念 cnc_i 的实例集 $\mathrm{CNI}^{\overline{\mathrm{cnc}_i}}$。

（2）将这两个实例集中的实例分别作为正反样本用朴素贝叶斯（Naive Bayes）学习方法来计算概念 cnc_i 的先验概率 P（cnc_i）和 $P(\overline{\mathrm{cnc}_i})$ 以及条件概率 P（$X \mid \mathrm{cnc}_i$）和 P（$X \mid \overline{\mathrm{cnc}_i}$）。其中，$X$ 表示每个数据样本的特征标识，用以描述样本中的

产品编码这一分类属性的度量。$P(\text{cnc}_i)=\dfrac{s_i}{s}$，$P(\overline{\text{cnc}_i})=\dfrac{s-s_i}{s}$，$P(x_k\mid\text{cnc}_i)=\dfrac{s_{ik}}{s_i}$，$P(x_k\mid\overline{\text{cnc}_i})=\dfrac{s_i-s_{ik}}{s_i}$，$s_i$ 表示样本中包含概念 cnc_i 的样本数，s 表示总的样本数，s_{ik} 表示在属性 X 上具有值 x_k 的包含概念 cnc_i 的样本数。

（3）将实例集 FRI 分成属于概念 frc_j 的实例集 $\text{FRI}^{\text{frc}_j}$ 和不属于概念 frc_j 的实例集 $\text{FRI}^{\overline{\text{frc}_j}}$。

（4）基于第二步中得到的概率 $P(\text{cnc}_i)$、$P(\overline{\text{cnc}_i})$、$P(X\mid\text{cnc}_i)$以及 $P(X\mid\overline{\text{cnc}_i})$，通过比较 $P(X\mid\text{cnc}_i)P(\text{cnc}_i)$与 $P(X\mid\overline{\text{cnc}_i})P(\overline{\text{cnc}_i})$ 的大小将实例集 $\text{FRI}^{\text{frc}_j}$ 分类成两个实例集 $\text{FRI}^{\text{cnc}_i,\text{frc}_j}$ 和 $\text{FRI}^{\overline{\text{cnc}_i},\text{frc}_j}$。例如，若实例集中某实例的分类属性取值 x_1，且 $P(x_1\mid\text{cnc}_1)P(\text{cnc}_1)>P(x_1\mid\overline{\text{cnc}_1})P(\overline{\text{cnc}_1})$，则判定此实例包含概念 cnc_1，否则判定此实例不包含概念 cnc_1。同理可将实例集 $\text{FRI}^{\overline{\text{frc}_j}}$ 分成实例集 $\text{FRI}^{\text{cnc}_i,\overline{\text{frc}_j}}$ 和 $\text{FRI}^{\overline{\text{cnc}_i},\overline{\text{frc}_j}}$。这样便可获得实例集 $\text{FRI}^{\text{cnc}_i,\text{frc}_j}$、$\text{FRI}^{\overline{\text{cnc}_i},\text{frc}_j}$、$\text{FRI}^{\text{cnc}_i,\overline{\text{frc}_j}}$ 和 $\text{FRI}^{\overline{\text{cnc}_i},\overline{\text{frc}_j}}$。

（5）将本体 CNOnt 和 FROnt 的位置调换，重复以上步骤，这样最终可以获得实例集 $\text{CNI}^{\text{cnc}_i,\text{frc}_j}$、$\text{CNI}^{\overline{\text{cnc}_i},\text{frc}_j}$、$\text{CNI}^{\text{cnc}_i,\overline{\text{frc}_j}}$ 和 $\text{CNI}^{\overline{\text{cnc}_i},\overline{\text{frc}_j}}$。

（6）从上述各步计算中求得 $N(\text{CNI})$，$N(\text{FRI})$，$N(\text{CNI}^{\text{cnc}_i,\text{frc}_j})$和 $N(\text{FRI}^{\text{cnc}_i,\text{frc}_j})$，利用式（7.2）计算 $P(\text{cnc}_i,\ \text{frc}_j)$。

$$P(\text{cnc}_i,\ \text{frc}_j)=\frac{N(\text{CNI}^{\text{cnc}_i,\text{frc}_j})+N(\text{FRI}^{\text{cnc}_i,\text{frc}_j})}{N(\text{CNI})+N(\text{FRI})} \tag{7.2}$$

采用同样的步骤方法可计算得到 $P(\text{cnc}_i,\overline{\text{frc}_j})$ 和 $P(\overline{\text{cnc}_i},\text{frc}_j)$，计算公式分别为式（7.3）和式（7.4）。

$$P(\text{cnc}_i,\ \overline{\text{frc}_j})=\frac{N(\text{CNI}^{\text{cnc}_i,\overline{\text{frc}_j}})+N(\text{FRI}^{\text{cnc}_i,\overline{\text{frc}_j}})}{N(\text{CNI})+N(\text{FRI})} \tag{7.3}$$

$$P(\overline{\text{cnc}_i},\ \text{frc}_j)=\frac{N(\text{CNI}^{\overline{\text{cnc}_i},\text{frc}_j})+N(\text{FRI}^{\overline{\text{cnc}_i},\text{frc}_j})}{N(\text{CNI})+N(\text{FRI})} \tag{7.4}$$

4. 映射

根据各概念对的相似度确定其相互之间的映射关系，进而确立各 GCN 与各 GFR 之间的映射关系（即确立 GCN 到 GFR 的映射矩阵 $\boldsymbol{R}$），实现 GCN 到 GFR 的映射。

$$\boldsymbol{R}=\begin{bmatrix} r_{11} & r_{12} & \cdots & r_{1n} \\ r_{21} & r_{22} & \cdots & r_{2n} \\ \vdots & \vdots & & \vdots \\ r_{m1} & r_{m2} & \cdots & r_{mn} \end{bmatrix} \tag{7.5}$$

其中，

$$r_{xy}(\mathrm{cnc}_i,\mathrm{frc}_j)=\begin{cases}T, & \mathrm{sim}(\mathrm{cnc}_i,\mathrm{frc}_j)>s\\0, & \text{otherwise}\end{cases}$$

$r_{xy}(\mathrm{cnc}_i, \mathrm{frc}_j)=T$ 表示概念 cnc_i 和概念 frc_j 存在对应关系，进而有概念 cnc_i 在相应应用域（客户域）中的对应 GCN_x 与概念 frc_j 在其应用域（功能域）中的对应 GFR_y 之间存在映射关系，即类客户需求 GCN_x 映射到类功能要求 GFR_y，在产品族开发设计过程中是通过对 GFR_y 的应用实现对 GCN_x 的满足；而 $r_{xy}(\mathrm{cnc}_i, \mathrm{frc}_j)=0$ 则表示概念 cnc_i 和概念 frc_j 不存在对应关系，进而有 GCN_x 与 GFR_y 之间不存在映射关系。从而实现 GCN 到 GFR 的映射。

7.1.3　案例分析

现以某类洗衣机产品族为例来说明该方法的应用。该洗衣机产品族的类客户需求和类功能要求分别如表 7.1 和表 7.2 所示。

表 7.1　类客户需求列表

类客户需求	参数 U 取值	取值描述
洗涤容量 $\mathrm{GCN}_1(U_1)$	U_{11}	一次性能洗少量（1～4 件）轻巧衣物
	U_{12}	一次性能洗少量（1～3 件）厚重衣物
	U_{13}	一次性能洗较大量（3～5 件）厚重衣物
脱水容量 $\mathrm{GCN}_2(U_2)$	U_{21}	一次性能甩少量（1～4 件）轻巧衣物
	U_{22}	一次性能甩少量（1～3 件）厚重衣物
	U_{23}	一次性能甩较大量（3～5 件）厚重衣物
机形 $\mathrm{GCN}_3(U_3)$	U_{31}	容易摆放
	U_{32}	使机器运行时比较稳定，不发生挪动
自动化程度 $\mathrm{GCN}_4(U_4)$	U_{41}	无需人手操控洗衣过程
	U_{42}	人手操控洗衣过程
价格 $\mathrm{GCN}_5(U_5)$	U_{51}	500 元以下
	U_{52}	500～1000 元
	U_{53}	1000～1500 元
	U_{54}	1500～2000 元
	U_{55}	2000 元以上

表 7.2　类功能要求列表

类功能要求	参数 A 取值	取值描述
容纳衣物和水 $\mathrm{GFR}_1(A_1)$	A_{11}	12kg
	A_{12}	18kg
	A_{13}	26kg

续表

类功能要求	参数 A 取值	取值描述
脱水能力 GFR$_2$(A_2)	A_{21}	9kg
	A_{22}	13.5kg
	A_{23}	19.5kg
厚度 GFR$_3$(A_3)	A_{31}	44cm
	A_{32}	58cm
能量转换 GFR$_4$(A_4)	A_{41}	150w
	A_{42}	240w
	A_{43}	300w
控制时间和进排水 GFR$_5$(A_5)	A_{51}	是
	A_{52}	否

分别建立客户需求本体和功能要求本体。两本体间的具体映射过程如下。

（1）提取用于计算相似度的特征——概念和实例，分别如表 7.3 和表 7.4 所示。

表 7.3　CNOnt 本体实例集 CNI

概念	属性		
	交易编号	产品编码	参数 U
GCN$_1$	1	p_8	U_{11}
GCN$_3$	1	p_8	U_{31}
GCN$_4$	1	p_8	U_{41}
GCN$_1$	2	p_{14}	U_{13}
⋮	⋮	⋮	⋮
GCN$_5$	60	p_6	U_{53}

表 7.4　FROnt 本体实例集 FRI

概念	属性	
	产品编码	参数 A
GFR$_1$	p_1	A_{11}
GFR$_2$	p_1	A_{21}
GFR$_4$	p_1	A_{42}
GFR$_5$	p_1	A_{51}
GFR$_3$	p_2	A_{32}
⋮	⋮	⋮
GFR$_5$	p_{50}	A_{52}

（2）选择用于映射的概念对(GCN_x, GFR_y)，其中 $1 \leqslant x \leqslant 5$，$1 \leqslant y \leqslant 5$。

（3）基于朴素贝叶斯分类方法，根据式（7.1）~式（7.4）计算用于映射的概念对的相似度 sim(GCN_x, GFR_y)，得到如表 7.5 所示的概念相似度结果表。

表 7.5　概念相似度结果表

相似度 sim(GCN_x, GFR_y)		类客户需求				
		GCN_1	GCN_2	GCN_3	GCN_4	GCN_5
类功能要求	GFR_1	0.81	0.38	0.39	0.76	0.31
	GFR_2	0.38	0.76	0.26	0.69	0.34
	GFR_3	0.3	0.42	1	0.37	0.29
	GFR_4	0.22	0.31	0.2	0.29	1
	GFR_5	0.78	0.72	0.65	0.84	0.64

（4）根据上述概念相似度，确定各概念间的对应关系，进而确定各 GCN 与各 GFR 的映射关系。

由于在此假设企业要求的客户满意度较高，故令 s=0.6（此值可根据企业的具体实际需要进行调整）。于是，对于相似度大于 0.6 的概念对来说，其对应的 GCN_x 和 GFR_y 映射对之间便存在映射关系，即有 $r_{xy}=T$；反之，$r_{xy}=0$。例如，GCN_1 与 GFR_1 在本体中的概念相似度为 0.81，因此可以得到 GCN_1 与 GFR_1 存在映射关系，即有 $r_{11}=T$。那么，基于上述描述，便可得到该洗衣机产品族的 GCN 到 GFR 的映射矩阵如下：

$$
\boldsymbol{R}=\begin{bmatrix} T & 0 & 0 & T & 0 \\ 0 & T & 0 & T & 0 \\ 0 & 0 & T & 0 & 0 \\ 0 & 0 & 0 & 0 & T \\ T & T & T & T & T \end{bmatrix}
$$

由此，可确立 GCN—GFR 映射结果为：洗涤容量映射（GCN_1）到容纳衣物和水（GFR_1）及能量转换（GFR_4）；脱水容量（GCN_2）映射到脱水能力（GFR_2）和能量转换（GFR_4）；机形（GCN_3）映射到厚度（GFR_3）；自动化程度（GCN_4）映射到控制时间和水（GFR_5）；而价格（GCN_5）则分别映射到容纳衣物和水（GFR_1）、脱水能力（GFR_2）、厚度（GFR_3）、能量转换（GFR_4）以及控制时间和水（GFR_5）。从而实现了洗衣机产品族的类客户需求到类功能要求的映射转换。

7.2　基于公理化设计的产品族映射方程

在大规模定制模式下，多品种和低复杂性是一对矛盾。为了满足客户潜在的需求和吸引客户，制造商可以发布大量的产品品种以迎合尽可能多的客户的口味。但是，多品种策略也存在着一些问题，如大量的产品选项会增加复杂性而使客户推迟或放弃购买（Huffman and Kahn，1998）；另外，向客户实际提供大量品种的定制产品也意味着产品成本的增加。解决这个问题的办法是向客户提供适当的定制选项，既保证客户能够充分表达其定制需求，又不至于造成高复杂性和高成本，而向客户提供多少和哪些定制功能和特性就显得尤为重要。针对上述问题，本节将基于公理化设计理论建立产品族客户需求的映射模型，研究大规模定制产品族的功能性评价与选择方法，使制造商能够通过少量简明、低复杂性的属性选项向客户提供尽可能多的产品品种。

7.2.1 基于公理化设计的产品族描述与映射

1. 产品族的描述

在公理化设计中，产品可以用功能域中的一组功能要求和物理域中的一组设计参数来描述（Suh，2001b）。大规模定制产品通常是产品族中的派生产品。显然，同一产品族内的定制产品的功能要求之间存在相似性。通过对客户相似的功能要求的分类，产品族可以用一组通用功能要求来表达，而满足这些客户需求的产品设计则可以看成是从功能域到物理域的映射。为了有效地表达产品族内的派生产品及其映射关系，需要在功能域和物理域中对产品族及其派生产品进行描述。

在功能域，定制产品可以用一组带属性（A）的类功能要求和约束条件（C）来表示。类功能要求用来表达产品族的通用功能要求，而用属性（A）来识别定制的功能要求。约束条件界定可接受的设计方案的范围。基于这种描述，制造商提供给客户的是一个由一组 GFR 表达的类产品（generic product）和属性选项或属性字段。客户通过选择属性选项或填入属性值来表达自己对产品的特定需求。

在物理域，定制产品可用一组带变量（V）的类设计参数来表示。GDP 表达产品族的通用物理特征，而变量（V）则用来具体表达派生产品的定制物理特征。依据公理化设计理论，一个理想设计的 DP 个数应该与 FR 个数相等，并且始终保持 FR 相互独立（Suh，2001b）。因此，表达一个产品族也需要相同数量的 GFR 和 GDP。

2. 产品族的映射

向客户提供产品以满足其需求的过程可看成是从功能域到物理域的映射过程，即从 FR 到 DP 的映射。

1）GFR 和 GDP 之间的映射

GFR 和 GDP 之间的映射关系可以用如下设计方程表示：

$$\{\mathbf{GFR}\}=[\boldsymbol{D}]\{\mathbf{GDP}\} \tag{7.6}$$

其中，$[\boldsymbol{D}]$表示设计矩阵，它也表达产品族的接口关系。

根据独立公理（independent axiom），$[\boldsymbol{D}]$为对角矩阵的设计（称为非耦设计，uncoupled design）或$[\boldsymbol{D}]$为下三角矩阵的设计（称为解耦设计，decoupled design）是可接受的设计（Suh，2001b）。

非耦设计的 GFR 和 GDP 之间的映射关系为“一对一”，即一个 GFR 的变化（定制）只对一个 GDP 产生影响；而解耦设计的 GFR 和 GDP 之间的映射关系为“多对多”，即一个 GFR 的变化可能会对多个 GDP 产生影响，一个 GDP 的变化也可能会对多个 GFR 产生影响。显然，产品族的非耦设计比解耦设计更适合于大规模定制。

对于绝大多数产品（特别是复杂产品），要获得非耦设计的可能性很小，因此针对解耦设计的研究更具有现实意义，而非耦设计则可以看成是解耦设计的一种简单特例（非对角元素为零）。不失一般性，设计方程可表示为

$$\begin{Bmatrix} \mathrm{GFR}_1 \\ \mathrm{GFR}_2 \\ \vdots \\ \mathrm{GFR}_n \end{Bmatrix} = \begin{bmatrix} D_{11} & 0 & \cdots & 0 \\ D_{21} & D_{22} & \cdots & 0 \\ \vdots & \vdots & & \vdots \\ D_{n1} & D_{n2} & \cdots & D_{nn} \end{bmatrix} \begin{Bmatrix} \mathrm{GDP}_1 \\ \mathrm{GDP}_2 \\ \vdots \\ \mathrm{GDP}_n \end{Bmatrix} \tag{7.7}$$

2）A 和 V 之间的映射

大规模定制的策略是以低技术多样性（即复杂性）来实现高产品多样性，即以尽可能少的物理域变量及其选项（对应于零部件或模块）产生所有客户需要的（或潜在需要的）功能域属性组合（对应于派生产品）。

理论上讲，由于解耦设计 GFR 到 GDP 是“多对多”的映射，即一个 GFR 的 A 可能映射给多个 GDP 的 V，这种映射无疑会大大增加复杂性，因此从 A 到 V 的映射应该设法找到“一对一”的映射关系，即一个 GFR 的 A 只映射给一个 GDP 的 V。对于“多对多”的从 GFR 到 GDP 的映射关系，GFR 的 A 应该映射到哪个 GDP 的 V 呢？

根据信息公理（information axiom），好的设计应是鲁棒设计（robust design）。为了达到鲁棒设计，设计矩阵$[\boldsymbol{D}]$的对角元素应充分大于非对角元素（Suh，2001b），即 $D_{ii} \gg D_{ji}$，$D_{jj} \gg D_{ji}$（$j=i+1, i+2, \cdots, n$；$i=1, 2, \cdots, n$）。由此可知，通过调整 GDP_i 来满足对应的 GFR_i 的变化（定制）是最佳的。因此，A 和 V 之间的映射被处理成为从 A_i 到 V_i 的“一对一”的映射关系，即 V_i 应与 A_i 有相同数量

的取值或选项。

通过从 V_i 到 A_i 的这种映射，可以达到以低的技术多样性实现高的产品多样性的目的。其原因如下：一个产品平台的子系统（零部件或模块）总数 N_V 表示了技术多样性，它等于所有 GDP 的 V 的取值个数和选项个数的总和，即

$$N_V = \sum_{i=1}^{n} l_i \tag{7.8}$$

其中，l_i 表示 V_i（或 A_i）的取值个数或选项个数，$l_i \geqslant 1$。在这个产品平台上建立的产品族包含的产品品种数 N_P 则等于所有 GFR 的 A 的取值或选项数的乘积，即

$$N_P = \prod_{i=1}^{n} l_i \tag{7.9}$$

显然，$N_P \gg N_V$。

7.2.2 产品族功能的定制度和定制功能的选择

如前所述，产品定制最好是定制部分的而不是所有的功能和特性。对于产品族，选择适当的定制 GFR 十分重要。定制 GFR 的选择需要基于对 GFR 的评估。以往的研究者提出了一些产品品种评估方法。例如，Ishii 等（1995）提出了一种重要性成本图法，给出了判断“好的设计”“可接受设计”等的粗略范围以帮助设计者改善面向产品多样性的设计；Moore 等（1998）通过产品选项对销售量变化百分比和效益的影响来选择产品平台的特性。这些方法需要知道每种派生产品的数据，只适合于产品品种数量较少的情况。而大规模定制产品族的派生产品品种数量庞大，获得每种派生产品的数据几乎是不可能的。因此，提出一种简明的综合指数——GFR 的定制度（customizable degree，CD），用以评估产品族 GFR 的定制性（但斌，2004b）。

1. 定制度的定义

一个 GFR 的定制度被用来评估此 GFR 在产品族所有 GFR 中面向大规模定制的相对成本—效益性。GFR 的定制度 CD 的定义如式（7.10）所示。

$$\mathrm{CD}_i = w_1\mathrm{EI}_i + w_2\mathrm{CI}_i + w_3\mathrm{II}_i\,,\ \ i=1, 2, \cdots, n \tag{7.10}$$

其中，CD_i、EI_i、CI_i 和 II_i 分别表示 GFR_i 的定制度、效果指数、成本指数和影响指数；w_1、w_2 和 w_3 分别表示 EI_i、CI_i 和 II_i 的权重，$w_1+w_2+w_3=1$；CD_i、EI_i、CI_i 和 $\mathrm{II}_i \in [0, 1]$。

在功能域和物理域中，客户满意和成本是面向大规模定制两个重要的因素。EI_i 表示定制 GFR_i 对客户满意的贡献。CI_i 表示实现 GFR_i 的成本指数。II_i 表示为定制 GFR_i 而改变 GDP_i 对其他 GFR 的影响程度，对应的是面向大规模定制的另一

个重要因素—— GFR_i 的定制复杂性。

1）效果指数

效果指数 EI_i 表示在所有的 GFR 中定制 GFR_i 对客户满意产生的相对效果，它用来描述客户对定制 GFR_i 的预期相对喜好程度。EI 的值可以通过两两比较各 GFR 的预期定制效果（customized effect，CE）来获得。如果认为 GFR_i 的预期定制效果比 GFR_j 的好，则取

$$CE_{ij}=1,\quad CE_{ji}=0,\quad i\neq j$$

于是 EI 的值可由式（7.11）计算出：

$$EI_i=\frac{1}{n-1}\sum_{\substack{j=1\\ j\neq i}}^{n}CE_{ij}\text{ , } i=1,\ 2,\ \cdots,\ n \tag{7.11}$$

2）成本指数

成本指数 CI 与实现 GFR 的成本有关。成本越高，则 CI 越低。CI 可表示为

$$CI_i=\begin{cases}1-\dfrac{PC_i}{PC_{UL}}, & PC_i\leqslant PC_{UL}, i=1,2,\cdots,n\\ 0, & PC_i>PC_{UL}, i=1,2,\cdots,n\end{cases} \tag{7.12}$$

其中，PC_i 表示 GFR 的预计成本占类产品预计总成本的百分比，即

$$PC_i=\frac{C_i}{\sum_{j=1}^{n}C_j}\text{ , } i=1, 2, \cdots, n$$

PC_{UL} 表示 PC 的上限，$0<PC_{UL}\leqslant 1$；C_i 表示 GFR_i 的预计成本。C_i 可以通过两种途径获得：一是根据现有产品成本估计；二是在产品族规划时进行估计。

3）影响指数

影响指数 II_i 表示 GFR_i 的独立程度，它通过 GDP_i 对其他 GFR 的影响来描述。GDP_i 对其他 GFR 的影响可以分为直接影响和间接影响。如果在设计矩阵中 $D_{ji}\neq 0$（$i\neq j$），则 GDP_i 对 GFR_j 有直接影响；如果 $D_{ji}=0$（$i\neq j$），但至少能找到一对 $D_{ki}\neq 0$（$i\neq k$）和 $D_{jk}\neq 0$（$k\neq j$），则 GDP_i 对 GFR_j 有间接影响；否则，GDP_i 对 GFR_j 无影响。根据鲁棒设计原则，有 $D_{kk}\gg D_{ki}$ 和 $D_{jj}\gg D_{jk}$，可知间接影响比直接影响要小得多，可以忽略。因此，II 可表示为

$$II_i=\begin{cases}1-\dfrac{NN_i-1}{NN_{UL}-1}, & NN_i\leqslant NN_{UL}, i=1,2,\cdots,n\\ 0, & NN_i>NN_{UL}, i=1,2,\cdots,n\end{cases} \tag{7.13}$$

其中，NN_i 表示设计矩阵中 GDP_i 所在列（第 i 列）非零元素的个数；NN_{UL} 表示

NN_i 的上限，$2 \leqslant NN_{UL} \leqslant n$。

这种描述也符合设计公理定性和定量分析相结合的原则。

4）权重

权重 w_1、w_2 和 w_3 分别表示 EI、CI 和 II 在 CD 中的重要性。一般情况下，EI 比 CI 更重要，CI 比 II 更重要，因此应有 $w_1>w_2>w_3$。权重可以采用如下方法进行量化。首先对三个指标的相对重要性进行评估。如果 EI 的重要性是 CI 的 a_1 倍，而 CI 的重要性是 II 的 a_2 倍，则根据逻辑一致性原则，EI 的重要性应是 II 的 $a_1 \times a_2$ 倍。然后，可以得到权重为

$$\begin{cases} w_1 = \dfrac{a_1 \times a_2}{a_1 \times a_2 + a_2 + 1} \\ w_2 = \dfrac{a_2}{a_1 \times a_2 + a_2 + 1} \\ w_3 = \dfrac{1}{a_1 \times a_2 + a_2 + 1} \end{cases} \tag{7.14}$$

2. 定制功能的选择

应用上述方法对产品族每个 GFR 的定制度进行评估，再根据定制度的大小对 GFR 进行排序。可以应用如下原则选择定制 GFR：一是设定一个阈值，然后选择定制度大于或等于这个阈值的 GFR 作为定制 GFR。另一种是设定定制 GFR 的数量，然后根据定制度由大到小选择定制 GFR。也可以根据这两个原则进行综合选择。通过选择，GFR 被分为定制 GFR 和非定制 GFR 两类。

GFR 的属性（A）可以有一个或多个取值或选项，由这些不同的取值或选项派生出不同的产品类型。一个非定制 GFR 的 A 只有一个固定的取值。一个定制 GFR 的 A 可以有两个或以上的取值或选项。一般情况下，GFR 的 CD 越大，则其 A 应该有更多的取值或选项，以满足更大范围的客户化功能要求。值得注意的是，一个 A 的取值或选项也不宜过多，因为过多的取值或选项可能会使客户难以做出选择或决策。另外，由式（7.8）和式（7.9）可知，一个 A 的取值或选项过多，并非是以低的技术多样性实现高的产品多样性的有效途径。

7.2.3　案例分析

应用本节的方法，对某种类型的 PC 机产品族进行分析和定制 GFR 的选择。该 PC 机产品族的 GFR 和相应的 GDP 如表 7.6 所示。GFR_0 为顶层，分解 GFR_1~GFR_7。GFR_2、GFR_3 和 GFR_4 又可进一步分解成更下一层的 GFR。这些 GFR 可以分为基本和附加两类（表 7.6）。基本 GFR 是指该产品的每个产品变量

都必须具备的类功能要求，其属性值不能为“空”；附加 GFR 属于可选项，其属性值可以为“空”，即表示不选这个功能。GFR 和 GDP 之间的设计方程如表 7.7 所示，其中 X 表示非零。出现在设计方程中的是不可进一步分解的 GFR 和相应的 GDP。

表 7.6　PC 机产品族的 GFR 和 GDP

GFR	GDP	类型 1	类型 2
GFR_0：计算、存储、输入和输出等	GDP_0：PC 机系统		
GFR_1：计算	GDP_1：CPU	基本	定制
GFR_2：存储	GDP_2：存储部件		
GFR_{21}：存储不变基础数据	GDP_{21}：ROM	基本	非定制
GFR_{22}：存储临时数据	GDP_{22}：RAM	基本	定制
GFR_{23}：长期存储可变数据	GDP_{23}：硬盘	基本	定制
GFR_3：输入和输出	GDP_3：外围设备		
GFR_{31}：显示	GDP_{31}：显示器	基本	定制
GFR_{32}：直接输入数据	GDP_{32}：键盘	基本	定制
GFR_{33}：直接输入选择	GDP_{33}：鼠标	基本	定制
GFR_{34}：输入/输出少量可变数据	GDP_{34}：软驱	附加	非定制
GFR_{35}：输入不变数据	GDP_{35}：CD-ROM	附加	定制
GFR_{36}：输出不变数据	GDP_{36}：CD-Write	附加	非定制
GFR_{37}：从/向其他设备输入/输出数据	GDP_{37}：COM	基本	非定制
GFR_{38}：与网络连接	GDP_{38}：网卡	附加	定制
GFR_{39}：通过电话连接	GDP_{39}：modem	附加	定制
GFR_4：娱乐	GDP_4：多媒体		
GFR_{41}：发声	GDP_{41}：声卡和扬声器	附加	定制
GFR_{42}：与视频连接	GDP_{42}：视频卡	附加	非定制
GFR_5：连接内部部件	GDP_5：主板和插口	基本	非定制
GFR_6：使系统运行	GDP_6：电源	基本	非定制
GFR_7：封装	GDP_7：机箱	基本	定制

表 7.7　GFR 和 GDP 的设计方程

GFR \ GDP		1	2	2	2	3	3	3	3	3	3	3	3	3	4	4	5	6	7
			1	2	3	1	2	3	4	5	6	7	8	9	1	2			
1		X	0	0	0	0	0	0	0	0	0	0	0	0	0	0	0	0	0
2	1	0	X	0	0	0	0	0	0	0	0	0	0	0	0	0	0	0	0
2	2	0	0	X	0	0	0	0	0	0	0	0	0	0	0	0	0	0	0
2	3	0	0	0	X	0	0	0	0	0	0	0	0	0	0	0	0	0	0
3	1	0	0	0	0	X	0	0	0	0	0	0	0	0	0	0	0	0	0
3	2	0	0	0	0	0	X	0	0	0	0	0	0	0	0	0	0	0	0
3	3	0	0	0	0	0	0	X	0	0	0	0	0	0	0	0	0	0	0

续表

GDP / GFR		1	2	2	2	3	3	3	3	3	3	3	3	3	4	4	5	6	7
			1	2	3	1	2	3	4	5	6	7	8	9	1	2			
3	4	0	0	0	0	0	0	0	X	0	0	0	0	0	0	0	0	0	0
3	5	0	0	0	0	0	0	0	0	X	0	0	0	0	0	0	0	0	0
3	6	0	0	0	0	0	0	0	0	0	X	0	0	0	0	0	0	0	0
3	7	0	0	0	0	0	0	0	0	0	0	X	0	0	0	0	0	0	0
3	8	0	0	0	0	0	0	0	0	0	0	0	X	0	0	0	0	0	0
3	9	0	0	0	0	0	0	0	0	0	0	0	0	X	0	0	0	0	0
4	1	0	0	0	0	0	0	0	0	0	0	0	0	0	X	0	0	0	0
4	2	0	0	0	0	0	0	0	0	0	0	0	0	0	0	X	0	0	0
5		X	X	X	0	0	0	0	0	0	0	X	0	0	0	0	X	0	0
6		0	0	0	0	0	0	0	0	0	0	0	0	0	0	0	0	X	0
7		0	0	0	0	0	0	0	0	0	0	0	0	0	0	0	X	X	X

通过评估，对各 GFR 的客户预期相对喜好程度为

$$31=41>23>1=22=35=38=7>32=33=36=39=42>21=34=37=5=6$$

其中，“=”表示相当；“>”表示优于。于是得出各 GFR 的 EI 值。通过成本预算可得出各 GFR 的 PC 值；由表 7.7 可得出各 GFR 的 NN 值。取 $PC_{UL}=0.3$，$NN_{UL}=6$，于是可得到各 GFR 的 CI 和 NI 值。通过评估得 $a_1=2$，$a_2=1.5$，于是得 $w_1=0.55$，$w_2=0.27$，$w_3=0.18$。最后可计算出各 GFR 的定制度 CD 值，如表 7.8 所示。

表 7.8 PC 机产品族 GFR 的定制度

GFR	EI	PC	CI	NN	II	CD	排序
GFR_1	0.71	0.14	0.55	2	0.83	0.69	8
GFR_{21}	0.12	0.01	0.95	2	0.83	0.47	17
GFR_{22}	0.71	0.09	0.70	2	0.83	0.73	7
GFR_{23}	0.88	0.09	0.70	1	1.00	0.85	3
GFR_{31}	0.97	0.14	0.55	1	1.00	0.86	2
GFR_{32}	0.41	0.02	0.92	1	1.00	0.66	9
GFR_{33}	0.41	0.01	0.95	1	1.00	0.66	9
GFR_{34}	0.12	0.02	0.94	1	1.00	0.50	14
GFR_{35}	0.71	0.09	0.70	1	1.00	0.76	6
GFR_{36}	0.41	0.15	0.52	1	1.00	0.54	13
GFR_{37}	0.12	0.01	0.97	2	0.83	0.48	15
GFR_{38}	0.71	0.03	0.91	1	1.00	0.82	5

续表

GFR	EI	PC	CI	NN	II	CD	排序
GFR_{39}	0.41	0.02	0.92	1	1.00	0.66	9
GFR_{41}	0.97	0.03	0.91	1	1.00	0.96	1
GFR_{42}	0.41	0.11	0.64	1	1.00	0.58	12
GFR_{5}	0.12	0.03	0.91	2	0.83	0.46	18
GFR_{6}	0.12	0.01	0.97	2	0.83	0.48	15
GFR_{7}	0.71	0.01	0.97	1	1.00	0.83	4

如果设置 CD 的阈值为 0.6，则可得定制 GFR 为 41、31、23、7、38、35、22、1、32、33 和 39，如表 7.6 所示。其余的 GFR 为非定制 GFR。

7.3　基于柔性指数的大规模定制基产品选择与产品定制方法

在大规模定制下，大多数定制产品往往是在标准配置的基础上做一些小改动以满足客户的特殊订单（Ulrich and Eppinger，2000）。因此，定制产品可以通过在一个基产品（base product）上对一些参数进行变换获得，基本的变换有缩放（scaling）、粘贴（attaching）、剥离（detaching）和交换（swapping）四种，更复杂的变换可看成是这些基本变换的组合（Du et al.，2001）。在一组产品中，有些产品易于变换，而另一些却较难；甚至对于同一个产品，不同的参数变换的难易程度也不一样。要达到以高效率、低成本满足客户定制需求的目的，选择适当的基产品和定制参数是十分重要的。针对上述问题，本节将提出一种基于柔性指数的大规模定制基产品选择与产品定制方法。

7.3.1　柔性指数

根据公理化设计理论（Suh，2001b），向客户提供产品以满足其需求的过程可看成是从功能域到物理域的映射过程，即从 FR 到 DP 的映射。FR 和 DP 之间的映射关系可以用如下设计方程表示：

$$\{\mathbf{FR}\}=[\boldsymbol{A}]\{\mathbf{DP}\} \tag{7.15}$$

其中，$[\boldsymbol{A}]$表示设计矩阵。

根据独立公理（independent axiom），设计矩阵$[\boldsymbol{A}]$为对角矩阵的设计（称为非耦设计，uncoupled design）或$[\boldsymbol{A}]$为下三角矩阵的设计（称为解耦设计，decoupled design）是可接受的设计（Suh，2001b）。

对于绝大多数产品（特别是复杂产品），要获得非耦设计的可能性很小，因此针对解耦设计的研究更具有现实意义，而非耦设计则可以看成是解耦设计的一种简单特例（非对角元素为零）。不失一般性，设计方程可表示为

$$\begin{Bmatrix} \mathrm{FR}_1 \\ \mathrm{FR}_2 \\ \vdots \\ \mathrm{FR}_n \end{Bmatrix} = \begin{bmatrix} A_{11} & 0 & \cdots & 0 \\ A_{21} & A_{22} & \cdots & 0 \\ \vdots & \vdots & & \vdots \\ A_{n1} & A_{n2} & \cdots & A_{nn} \end{bmatrix} \begin{Bmatrix} \mathrm{DP}_1 \\ \mathrm{DP}_2 \\ \vdots \\ \mathrm{DP}_n \end{Bmatrix} \tag{7.16}$$

当一个功能要求 FR_i 变为 $\mathrm{FR}_i+\delta\,\mathrm{FR}_i$ 以满足客户定制的需求，则对应的设计参数 DP_i 将变为 $\mathrm{DP}_i+\delta\,\mathrm{DP}_{ii}$ 以适应 FR_i 的变化。另外，DP_j（$j=i+1,\ i+2,\ \cdots,\ n$）也将变为 $\mathrm{DP}_j+\delta\,\mathrm{DP}_{ji}$ 以消除 DP_i 变化造成的影响。这里称 DP_i 的变化 $\delta\,\mathrm{DP}_{ii}$ 为 FR_i 定制的有效变化，称 DP_j 的变化 $\delta\,\mathrm{DP}_{ji}$（$j=i+1, i+2, \cdots, n$）为 FR_i 定制的无效变化。$\delta\,\mathrm{DP}_{ii}$ 和 $\delta\,\mathrm{DP}_{ji}$（$j=i+1, i+2, \cdots, n$）也可表示为

$$\begin{aligned} &\delta\mathrm{DP}_{ii} = \alpha_{\mathrm{DP}ii}\mathrm{DP}_i \\ &\delta\mathrm{DP}_{ji} = \alpha_{\mathrm{DP}ji}\mathrm{DP}_j, \quad j = i+1, i+2, \cdots, n \end{aligned} \tag{7.17}$$

其中，$\alpha_{\mathrm{DP}ii}$ 表示有效相对变化；$\alpha_{\mathrm{DP}ji}$（$j=i+1, i+2, \cdots, n$）表示无效相对变化。

DP_i 的柔性指数 FI_i 可定义为有效相对变化 $\alpha_{\mathrm{DP}ii}$ 与总相对变化的比值，如式（7.18）所示。它代表了改变设计参数适应定制 FR_i 的效率。

$$\mathrm{FI}_i = \frac{|\alpha_{\mathrm{DP}ii}|}{\sum_{j=i}^{n}|\alpha_{\mathrm{DP}ji}|} = \frac{|\alpha_{\mathrm{DP}ii}|}{|\alpha_{\mathrm{DP}ii}| + \sum_{j=i+1}^{n}|\alpha_{\mathrm{DP}ji}|} \tag{7.18}$$

这里，$0 \leqslant \mathrm{FI}_i \leqslant 1$。

当一个产品的 m 个 DP（$1 \leqslant m \leqslant n$）被选为定制时，则这个产品的柔性指数 FI^{P} 为所有被选 DP 的柔性指数的乘积，即

$$\mathrm{FI}^{\mathrm{P}} = \prod_{i=1}^{m}\mathrm{FI}_i^{\mathrm{C}} \tag{7.19}$$

其中，$\mathrm{FI}_i^{\mathrm{C}}$ 表示第 i 个被选 DP 的柔性指数；而 $0 \leqslant \mathrm{FI}^{\mathrm{P}} \leqslant \mathrm{FI}_i^{\mathrm{C}}$，$i=1, 2, \cdots, m$。

不难看出，在进行大规模定制时，应该选择柔性指数较大的作为基产品；而在一个产品中，柔性指数较大的设计参数及其相应的功能要求更适合大规模定制（Dan and Tseng，2007）。

7.3.2 定制方程

1. 基本定制方程

由式（7.16）和式（7.17）可得

$$\begin{aligned} &A_{ii}\alpha_{\mathrm{DP}ii}\mathrm{DP}_i = \delta\mathrm{FR}_i \\ &\sum_{k=i}^{j-1}A_{jk}\alpha_{\mathrm{DP}ki}\mathrm{DP}_k + A_{jj}\alpha_{\mathrm{DP}ji}\mathrm{DP}_j = 0 \\ &j = i+1, i+2, \cdots, n \end{aligned} \tag{7.20}$$

式（7.20）称为定制方程，有

$$\alpha_{\mathrm{DP}ii} = \frac{\delta \mathrm{FR}_i}{A_{ii}\,\mathrm{DP}_i} \tag{7.21a}$$

$$\alpha_{\mathrm{DP}ji} = -\sum_{k=i}^{j-1} \frac{A_{jk}}{A_{jj}} \frac{\mathrm{DP}_k}{\mathrm{DP}_j} \alpha_{\mathrm{DP}ki}, \quad j=i+1, i+2,\cdots, n \tag{7.21b}$$

引入系数

$$C_{ii}=1$$

$$C_{ji} = \sum_{k=i}^{j-1}\left(-\frac{A_{jk}}{A_{jj}} C_{ki}\right), \quad j=i+1, i+2,\cdots, n$$

则

$$\alpha_{\mathrm{DP}ji} = \frac{\mathrm{DP}_i}{\mathrm{DP}_j} C_{ji} \alpha_{\mathrm{DP}ii}, \quad j=i+1, i+2,\cdots, n \tag{7.22}$$

引入参数

$$\alpha_{ji} = \left|\frac{\alpha_{\mathrm{DP}\,ji}}{\alpha_{\mathrm{DP}\,ii}}\right|, \quad j=i+1, i+2,\cdots, n$$

即

$$\alpha_{ji} = \left|\frac{\mathrm{DP}_i}{\mathrm{DP}_j} C_{ji}\right|, \quad j=i+1, i+2,\cdots, n$$

则柔性指数也可表示为

$$\mathrm{FI}_i = \frac{1}{1+\sum\limits_{j=i+1}^{n} \alpha_{ji}} = \frac{1}{1+\sum\limits_{j=i+1}^{n}\left|\frac{\mathrm{DP}_i}{\mathrm{DP}_j} C_{ji}\right|} \tag{7.23}$$

若 $A_{ji}=0$，$j=i+1, i+2,\cdots, n$，则 $\mathrm{FI}_i=1$。

2. 非耦设计产品

如果一个产品为非耦设计产品，即

$$A_{ij}=0, \quad i\neq j$$

则可得

$$\alpha_{\mathrm{DP}ji} = 0, \quad j = i+1, i+2,\cdots,n; \quad i = 1,2,\cdots,n$$

于是

$$\begin{gathered} \mathrm{FI}_i = 1, \quad i = 1,2,\cdots,n \\ \mathrm{FI}^{\mathrm{P}} = 1 \end{gathered} \tag{7.24}$$

由此可知，具有非耦设计的产品及其设计参数的柔性指数为最大，最适合作为大规模定制的基产品。

3. 模块化产品

如果一个解耦设计产品的设计矩阵可被划分为子矩阵，即

$$\begin{Bmatrix} \mathbf{FR}^1 \\ \mathbf{FR}^2 \\ \vdots \\ \mathbf{FR}^N \end{Bmatrix} = \begin{bmatrix} A^1 & 0 & \cdots & 0 \\ 0 & A^2 & \cdots & 0 \\ \vdots & \vdots & & \vdots \\ 0 & 0 & \cdots & A^N \end{bmatrix} \begin{Bmatrix} \mathbf{DP}^1 \\ \mathbf{DP}^2 \\ \vdots \\ \mathbf{DP}^N \end{Bmatrix} \tag{7.25}$$

则该产品称为模块化产品。

在模块化产品中，每一组功能需求$\{\mathbf{FR}^I\}$所映射的一组设计参数$\{\mathbf{DP}^I\}$可被集成到一个模块中。式（7.15）可分解为N个方程，即

$$\begin{aligned} \{\mathbf{FR}^1\} &= [A^1]\{\mathbf{DP}^1\} \\ \{\mathbf{FR}^2\} &= [A^2]\{\mathbf{DP}^2\} \\ &\vdots \\ \{\mathbf{FR}^N\} &= [A^N]\{\mathbf{DP}^N\} \end{aligned} \tag{7.26}$$

改变某一个模块中的设计参数，其他模块中的设计参数均不受影响。例如，当模块I中的设计参数DP_i变为$\mathrm{DP}_i\ (1+\alpha_{\mathrm{DP}ii})$以适应功能要求$\mathrm{FR}_i$的变化时，模块$J$（$J\neq I$）中的设计参数$\mathrm{DP}_j$无需改变，即

$$\alpha_{\mathrm{DP}ji}=0，J\neq I$$

由此可知，一个模块化产品中的不同模块可以独立地被定制。模块化产品比非模块化产品更适合大规模定制。

7.3.3 柔性指数的性质

根据柔性指数的定义、基本定制方法和产品变量生成方程，可以得到柔性指数的性质如下。

（1）对于DP_i，$A_{ij}=0\ \forall i\neq j \rightarrow \mathrm{FI}_i=1$。

（2）柔性指数代表了一个产品改变设计参数适应定制功能要求的效率。柔性指数较大的设计参数所对应的功能要求更适合定制。具有 FI=1 的 FR 和 DP 最适合定制。

（3）具有非耦设计的产品及其设计参数的柔性指数为最大，最适合作为大规模定制的基产品。

（4）一个模块化产品中的不同模块可以独立地被定制。模块化产品比非模块化产品更适合大规模定制。

（5）柔性指数表达了产品及其参数进行功能定制的难易程度。如果一个柔性指数较小的设计参数需要被定制，则它不适宜进行功能定制，最好是进行装饰定制。

7.3.4 产品变量生成方程

根据式（7.16）、式（7.17）和式（7.20），可以得到基产品四种基本变换的产品变量生成方程。

1. 缩放

很明显，缩放可以看成是改变基产品的一个 DP 以满足相应 FR 的变化，因此它应该适合基本定制方程。当一个 DP，如 DP_i，从 $\mathrm{DP}_i(V_i^{(1)})$ 化为 $\mathrm{DP}_i(V_i^{(2)})$ 以满足相应 FR_i 的变化 $\delta\mathrm{FR}_i$，则 DP_i 的最终值为

$$\mathrm{DP}_i(V_i^{(2)}) = \mathrm{DP}_i(V_i^{(1)}) + \frac{\delta\mathrm{FR}_i}{A_{ii}} \tag{7.27}$$

DP_i 的缩放值 $\delta\mathrm{DP}_{ii}$（即为了定制 FR_i 的变化值）为

$$\delta\mathrm{DP}_{ii} = \mathrm{DP}_i(V_i^{(2)}) - \mathrm{DP}_i(V_i^{(1)}) = \frac{\delta\mathrm{FR}_i}{A_{ii}} \tag{7.28}$$

其中，DP_i（$V_i^{(1)}$）和 DP_i（$V_i^{(2)}$）表示同一个 DP 的不同取值。另外，为了定制 FR_i，DP_j 的变化值 $\delta\mathrm{DP}_{ji}$ 为

$$\delta\mathrm{DP}_{ji} = \alpha_{\mathrm{DP}ji}\mathrm{DP}_j = C_{ji}\delta\mathrm{DP}_{ii}, \quad j = i+1, i+2, \cdots, n \tag{7.29}$$

当 $\alpha_{\mathrm{DP}ji}=0$（$j=i+1, i+2, \cdots, n$），即 $\mathrm{FI}_i=1$ 时，有 $\delta\mathrm{DP}_{ji}=0$（$j=i+1, i+2, \cdots, n$），即缩放 DP_i 不会引起 DP_j 变化。

2. 粘贴

当增加一个 FR 到基产品时，也需要增加一个对应的 DP 到基产品。一个能够满足 FR 并维持非耦或解耦设计的 DP 才是可接受的。当一个映射附加 FR 的 DP 被粘贴到由 nFR 和 nDP 构成的基产品时，设 FR_i 映射到 DP_i，DP_j（$j=i+1, i+2, \cdots, n$）将变为 $\mathrm{DP}_j(1+\alpha_{\mathrm{DP}ji})$ 以消除粘贴 DP_i 的影响。于是有

$$\begin{gathered}\mathrm{FR}_i = A_{ii}\mathrm{DP}_i + \sum_{k=1}^{i-1} A_{ki}\mathrm{DP}_k \\ A_{ji}\mathrm{DP}_i + \sum_{k=i+1}^{j-1} A_{jk}\alpha_{\mathrm{DP}ki}\mathrm{DP}_k + A_{jj}\alpha_{\mathrm{DP}ji}\mathrm{DP}_j = 0 \\ j = i+1, i+2, \cdots, n+1\end{gathered} \tag{7.30}$$

式（7.30）称为粘贴方程。令

$$\delta\mathrm{FR}_i = \mathrm{FR}_i - \sum_{k=1}^{i-1} A_{ki}\,\mathrm{DP}_k$$

和

$$\alpha_{\mathrm{DP}ii}=1$$

则粘贴方程转换为

$$\begin{gathered} A_{ii}\alpha_{\mathrm{DP}ii}\mathrm{DP}_i=\delta\mathrm{FR}_i \\ \sum_{k=i}^{j-1}A_{jk}\alpha_{\mathrm{DP}ki}\mathrm{DP}_k+A_{jj}\alpha_{\mathrm{DP}ji}\mathrm{DP}_j=0 \\ j=i+1,i+2,\cdots,n+1 \end{gathered} \tag{7.31}$$

可以看出它与基本定制方程相同。于是基产品的定制方法也可以用于粘贴。

如果有几个 $\mathrm{DP}_i, \mathrm{DP}_i^1, \mathrm{DP}_i^2,\cdots, \mathrm{DP}_i^L$ 都能够满足 FR_i，且每个 DP_i 对应一组 A_{ji}（$j=i, i+1, \cdots, n+1$），即 $\mathrm{DP}_i^1\to A_{ji}^1$；$\mathrm{DP}_i^2\to A_{ji}^2$；…；$\mathrm{DP}_i^L\to A_{ji}^L$，则相应的柔性指数为

$$\mathrm{FI}_i^l=\frac{1}{1+\sum_{j=i+1}^{n+1}\left|\frac{\mathrm{DP}_i^l}{\mathrm{DP}_j}C_{ji}^l\right|},\quad l=1,2,\cdots,L \tag{7.32}$$

其中，

$$C_{ii}^l=1$$

$$C_{ji}^l=-\frac{A_{ji}^l}{A_{jj}}+\sum_{k=i+1}^{j-1}\left(-\frac{A_{jk}}{A_{jj}}C_{ki}^l\right),\quad j=i+1,\ i+2,\cdots,\ n+1$$

p 则选取具有最大柔性指数的 DP_i 用于粘贴。

3. 剥离

当从基产品剥离一个 FR 及其对应的 DP 时，如 FR_i 和 DP_i，DP_j（$j=i+1, i+2,\cdots, n$）将变为 $\mathrm{DP}_j(1+\alpha_{\mathrm{DP}ji})$以消除剥离 DP_i 的影响。剥离可以考虑为将 DP_i 缩放 $\delta\mathrm{DP}_{ii}=-\mathrm{DP}_i$，即$\alpha_{\mathrm{DP}ii}=-1$，则有

$$\begin{gathered} \delta\mathrm{DP}_{ii}=-\mathrm{DP}_i \\ \sum_{k=i}^{j-1}A_{jk}\alpha_{\mathrm{DP}ki}\mathrm{DP}_k+A_{jj}\alpha_{\mathrm{DP}ji}\mathrm{DP}_j=0 \\ j=i+1,i+2,\cdots,n \end{gathered} \tag{7.33}$$

式（7.33）称为剥离方程。

当$\alpha_{\mathrm{DP}ji}=0$（$j=i+1, i+2,\cdots, n$），即 $\mathrm{FI}_i=1$ 时，剥离 DP_i 不会引起 DP_j 变化。

4. 交换

如果将一个 DP 交换为另一个 DP 以满足对应 FR 的变化，则可以接受的新 DP 应能够维持非耦或解耦设计。当 DP_i 交换为 $\mathrm{DP}_i^{\mathrm{S}}$ 以满足 FR_i 的变化$\delta\,\mathrm{FR}_i$ 时，则 DP_j（$j=i+1, i+2,\cdots, n$）将变为 $\mathrm{DP}_j(1+\alpha_{\mathrm{DP}ji})$以消除交换 DP_i 的影响，有

$$
\begin{aligned}
&A_{ii}^{\mathrm{S}}\mathrm{DP}_i^{\mathrm{S}} - A_{ii}\mathrm{DP}_i = \delta\mathrm{FR}_i \\
&(A_{ji}^{\mathrm{S}}\,\mathrm{DP}_i^{\mathrm{S}} - A_{ji}\,\mathrm{DP}_i) + \sum_{k=i+1}^{j-1} A_{jk}\alpha_{\mathrm{DP}jk}\,\mathrm{DP}_k + A_{jj}\alpha_{\mathrm{DP}ji}\,\mathrm{DP}_j = 0 \\
&j = i+1, i+2, \cdots, n
\end{aligned} \tag{7.34}
$$

式（7.34）称为交换方程。

有如下两种交换情形。

1）情形 1

$A_{ji}{}^{\mathrm{S}}=A_{ji}$（$j=i+1, i+2,\cdots, n$）。交换方程可变换为

$$
\begin{aligned}
&A_{ii}\alpha_{\mathrm{DP}ii}\mathrm{DP}_i = \delta\mathrm{FR}_i \\
&\sum_{k=i}^{j-1} A_{jk}\alpha_{\mathrm{DP}ki}\mathrm{DP}_k + A_{jj}\alpha_{\mathrm{DP}ji}\mathrm{DP}_j = 0 \\
&j = i+1, i+2, \cdots, n
\end{aligned} \tag{7.35}
$$

其中，

$$
\alpha_{\mathrm{DP}ii} = \frac{\mathrm{DP}_i^{\mathrm{S}} - \mathrm{DP}_i}{\mathrm{DP}_i}
$$

与基本定制方程相同。因此，这种情形可看成是缩放

$$
\delta\mathrm{DP}_i=\mathrm{DP}_i{}^{\mathrm{S}}-\mathrm{DP}_i
$$

2）情形 2

至少存在一个 $A_{ji}{}^{\mathrm{S}}\neq A_{ji}$（$j=i+1, i+2,\cdots, n$）。这种情形可以考虑为剥离 DP_i 然后粘贴 $\mathrm{DP}_i{}^{\mathrm{S}}$。剥离方程为

$$
\begin{aligned}
&\alpha_{\mathrm{DP}ii}^{\mathrm{D}} = -1 \\
&\sum_{k=i}^{j-1} A_{jk}\alpha_{\mathrm{DP}ki}^{\mathrm{D}}\,\mathrm{DP}_k + A_{jj}\alpha_{\mathrm{DP}ji}^{\mathrm{D}}\,\mathrm{DP}_j = 0
\end{aligned} \tag{7.36}
$$

粘贴方程为

$$
\begin{aligned}
&\mathrm{FR}_i^{\mathrm{S}} = A_{ii}^{\mathrm{S}}\mathrm{DP}_i^{\mathrm{S}} + \sum_{k=1}^{i-1} A_{ki}\mathrm{DP}_k \\
&A_{ji}^{\mathrm{S}}\mathrm{DP}_i^{\mathrm{S}} + \sum_{k=i+1}^{j-1} A_{jk}\alpha_{\mathrm{DP}ki}^{\mathrm{A}}\mathrm{DP}_k + A_{jj}\alpha_{\mathrm{DP}ji}^{\mathrm{A}}\mathrm{DP}_j = 0 \\
&j = i+1, i+2, \cdots, n
\end{aligned} \tag{7.37}
$$

其中，

$$
\mathrm{FR}_i{}^{\mathrm{S}}=\mathrm{FR}_i+\delta\mathrm{FR}_i
$$

则

$$
\alpha_{\mathrm{DP}ji} = \alpha_{\mathrm{DP}ji}^{\mathrm{D}} + \alpha_{\mathrm{DP}ji}^{\mathrm{A}}, \quad j=i+1, i+2,\cdots, n \tag{7.38}
$$

根据对上述两种情形的分析可知，无论是原来的 DP 还是用于交换的新 DP 最好都有较大的柔性系数，尤其 FI=1 最好。

7.3.5 比较柔性指数的简便方法

一个产品的功能要求和设计参数是否相关比较容易判断，即容易判断一个解耦设计矩阵的元素 A_{ji} （$j=i+1, i+2,\cdots, n$；$i=1, 2,\cdots, n$）是否为零，但是，其精确值有时却较难获得。在这种情况下，就难以精确计算柔性指数的值。为了解决这个问题，本小节提出一种比较柔性指数的简便方法。

对于一个鲁棒的（robust）设计，必须保证设计矩阵的非对角元素远小于对角元素（Suh，2001b），即 $A_{ji} \ll A_{jj}$（$j=i+1, i+2,\cdots, n$；$i=1, 2,\cdots, n$）。则可知式（7.23）中的系数 C_{ji} 有

$$C_{ji}\Big|_{A_{ji}=0} \ll C_{ji}\Big|_{A_{ji}\neq 0}\text{，}\ j=i+1, i+2,\cdots, n\text{；}\ i=1, 2,\cdots, n$$

引入三个术语，即无影响设计参数、直接影响设计参数和间接影响设计参数，分别为：①当 $C_{ji}=0$ 时，DP_j 称为 DP_i 的无影响设计参数，如式（7.39）中的 DP_4 之于 DP_1；②当 $C_{ji}\neq 0$ 且 $A_{ji}\neq 0$ 时，DP_j 称为 DP_i 的直接影响设计参数，如式（7.39）中的 DP_2 之于 DP_1；③当 $C_{ji}\neq 0$ 且 $A_{ji}=0$ 时，DP_j 称为 DP_i 的间接影响设计参数，如式（7.39）中的 DP_3 之于 DP_1。

$$\begin{Bmatrix} FR_1 \\ FR_2 \\ FR_3 \\ FR_4 \end{Bmatrix} = \begin{bmatrix} A_{11} & 0 & 0 & 0 \\ A_{21} & A_{22} & 0 & 0 \\ 0 & A_{32} & A_{33} & 0 \\ 0 & 0 & 0 & A_{44} \end{bmatrix} \begin{Bmatrix} DP_1 \\ DP_2 \\ DP_3 \\ DP_4 \end{Bmatrix} \tag{7.39}$$

在式（7.23）中，由于间接影响设计参数的系数远远小于直接影响设计参数的系数，柔性指数非零的设计参数的柔性可以通过计算该设计参数的直接影响设计参数数量 N_D 和间接影响设计参数数量 N_I 来进行比较。

7.3.6 案例分析

以一类石英手表产品为例。该类产品主要的 12 个功能要求和相应的设计参数如表 7.9 所示，式（7.40）为该产品的设计方程。

表 7.9 一类石英手表产品的功能要求和设计参数

FR	DP
FR_1：提供电源	DP_1：电池
FR_2：计量时间	DP_2：表芯
FR_3：调节时间	DP_3：调节杆柄

续表

FR	DP
FR_4：划分时间单元	DP_4：表面
FR_5：显示秒	DP_5：秒针
FR_6：显示分	DP_6：分针
FR_7：显示小时	DP_7：时针
FR_8：固定核心部件	DP_8：表壳
FR_9：保护和保持透明	DP_9：前盖
FR_{10}：封装	DP_{10}：后盖
FR_{11}：环绕手腕	DP_{11}：表带
FR_{12}：连接整个系统	DP_{12}：弹簧杆

$$\begin{Bmatrix} FR_1 \\ FR_2 \\ FR_3 \\ FR_4 \\ FR_5 \\ FR_6 \\ FR_7 \\ FR_8 \\ FR_9 \\ FR_{10} \\ FR_{11} \\ FR_{12} \end{Bmatrix} = \begin{bmatrix} A_{11} & 0 & 0 & 0 & 0 & 0 & 0 & 0 & 0 & 0 & 0 & 0 \\ A_{12} & A_{22} & 0 & 0 & 0 & 0 & 0 & 0 & 0 & 0 & 0 & 0 \\ 0 & A_{23} & A_{33} & 0 & 0 & 0 & 0 & 0 & 0 & 0 & 0 & 0 \\ 0 & A_{24} & 0 & A_{44} & 0 & 0 & 0 & 0 & 0 & 0 & 0 & 0 \\ 0 & A_{25} & 0 & A_{45} & A_{55} & 0 & 0 & 0 & 0 & 0 & 0 & 0 \\ 0 & A_{26} & 0 & A_{46} & 0 & A_{66} & 0 & 0 & 0 & 0 & 0 & 0 \\ 0 & A_{27} & 0 & A_{47} & 0 & 0 & A_{77} & 0 & 0 & 0 & 0 & 0 \\ 0 & A_{28} & A_{38} & 0 & 0 & 0 & 0 & A_{88} & 0 & 0 & 0 & 0 \\ 0 & 0 & 0 & 0 & 0 & 0 & 0 & A_{89} & A_{99} & 0 & 0 & 0 \\ 0 & 0 & 0 & 0 & 0 & 0 & 0 & A_{8,10} & 0 & A_{10,10} & 0 & 0 \\ 0 & 0 & 0 & 0 & 0 & 0 & 0 & A_{8,11} & 0 & 0 & A_{11,11} & 0 \\ 0 & 0 & 0 & 0 & 0 & 0 & 0 & A_{8,12} & 0 & 0 & A_{11,12} & A_{12,12} \end{bmatrix} \begin{Bmatrix} DP_1 \\ DP_2 \\ DP_3 \\ DP_4 \\ DP_5 \\ DP_6 \\ DP_7 \\ DP_8 \\ DP_9 \\ DP_{10} \\ DP_{11} \\ DP_{12} \end{Bmatrix} \quad (7.40)$$

根据式（7.40），可得出该类产品各个 DP 的 FI、N_D 和 N_I 的值，如表 7.10 所示。由此可知，各个 DP_5、DP_6、DP_7、DP_9、DP_{10} 和 DP_{12} 的柔性最大，其余 DP 的柔性由大到小为 DP_{11}、DP_3、DP_1、DP_8 和 DP_2。

表 7.10　一类石英手表产品的 FI、ND 和 NI

FR 和 DP	FI	ND	NI
FR_1 和 DP_1	<1	1	11
FR_2 和 DP_2	<1	6	4
FR_3 和 DP_3	<1	1	4
FR_4 和 DP_4	<1	3	0
FR_5 和 DP_5	=1	0	0
FR_6 和 DP_6	=1	0	0
FR_7 和 DP_7	=1	0	0

续表

FR 和 DP	FI	ND	NI
FR_8 和 DP_8	<1	4	0
FR_9 和 DP_9	=1	0	0
FR_{10} 和 DP_{10}	=1	0	0
FR_{11} 和 DP_{11}	<1	1	0
FR_{12} 和 DP_{12}	=1	0	0

第 8 章　大规模定制下产品平台扩展策略及优化分析

大规模定制的产品多样性给产品的开发与管理提出了新的要求。大规模定制的有效产品种类往往非常庞大，例如，摩托罗拉公司定制传呼机的品种达 2900 万种（Strobel and Johnson，1993）；戴尔公司网站上的一个产品族的配置组合就可达到 10^{15}（但斌，2004a）。大规模定制要以较低的技术多样性去满足较高的产品多样性，即通过标准化、通用化和模块化，以尽量少的零部件品种组成尽可能多的产品品种。这就要求要有一种有效的产品管理方法来帮助企业实现大规模定制。

然而，传统的产品开发和管理方法不能适应大规模定制发展的要求，主要不足表现在以下几点。

（1）传统的产品开发是基于单个产品的开发，产品的营销、开发和生产是以单个产品的形式来进行，忽略了产品之间的相似性、兼容性、通用化和模块化，导致产品技术的生命周期大大缩短，这样就无形地增加了产品的成本。另外，基于单个产品的开发方式往往不能有效地利用先前的技术，使得企业在延长了产品开发周期的同时还浪费了大量的人力、物力和财力。

（2）传统企业产品开发的组织模式是按照一个部门到另一个部门的“抛过墙”式的方式，任务是根据各个职能部门来进行划分，一个部门的工作结束才能到达另一个部门，各个部门之间责任不明确，相互合作、相互交流的机会较少，而大规模定制所面临的挑战之一就是时间，因此，传统的组织模式并不能满足大规模定制发展的要求。

（3）当企业从一个市场细分进入另一个市场细分，或者市场上消费者的需求发生变化的时候，传统的产品开发往往忽略了市场细分之间的联系，也忽略了产品之间所能共享的技术，从而导致企业在技术开发过程中增加了成本，也有可能因此而降低了产品的品牌效应，同时也增加了产品的开发周期。这也给大规模定制企业的进一步发展带来了新的难题。

8.1　大规模定制下的产品平台管理

在大规模定制的生产模式下，为了用较低的技术多样性来实现足够多的功能多样性，产品平台和产品族作为其关键技术也得到了充分的发展。企业为了在激烈的市场竞争中求得生存并实现长远的发展，就要不断发展新产品，不断开发新技术，不断以新技术代替旧技术，不断地占领新的市场。而这一切都需要在产品平台的基础上进行。在以产品平台为基础的产品开发和管理的模式中，多样化产品是最终目的；技术是产品开发的必要条件；产品的功能要求划分是技术开发的前提；而所有的这些需要在组织的基础上进行，组织是实现产品平台的人的条件。上述这些是实现产品平台的重要元素，它们共同构成了产品平台管理模型。另外，产品平台和产品族开发项目管理也是产品平台和产品族管理中的重要内容。

8.1.1 大规模定制下的产品平台管理的体系结构

大规模定制产品平台管理模型的体系结构如图 8.1 所示，由功能视图、技术视图和组织视图三部分组成（林森和但斌，2005）。功能视图分为基本功能、附加功能和潜在功能三部分，它们描述了当前市场和预测的未来市场中产品的功能类型，为产品平台当前和未来的发展指明方向。技术视图可分为需求分析、产品平台设计、产品族设计和工艺设计四部分，揭示了产品从信息的形式转化为具体的满足消费者需求的真实产品的整个技术管理过程。组织视图也可分为三部分，即产品平台团队、多功能设计团队和市场团队，反映了产品平台管理中的人的管理，是实现功能和技术的人的条件。三个视图构成了产品平台管理的体系结构，描述了产品平台的管理模式。

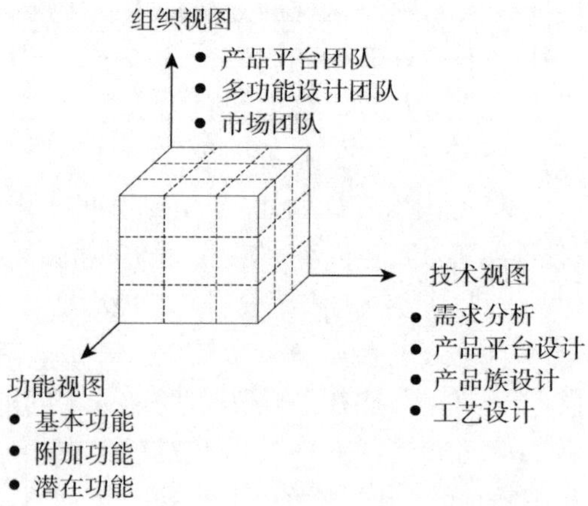

图 8.1 产品平台管理的体系结构（林森和但斌，2005）

1. 功能视图

功能视图旨在描述产品平台所定位的市场中的功能类型，并把多种功能类型进行归类，分为基本、附加和潜在功能三种。

1）基本功能

基本功能就是在产品平台基础上所开发的现存产品族中众多产品所共有的功

能。产品平台是大量可定制产品的基础，所以基本功能描述企业所定义的产品平台的性质和内容。基本功能依靠一些相互关联的子系统和接口来实现。这些子系统和接口是企业核心技术中的一部分，企业可以把这些相互关联的子系统和接口定义为一个产品平台，基于这个产品平台，就可以根据企业的市场战略开发出相应的产品以满足市场的需要。

2）附加功能

附加功能就是指现存产品族中众多产品的功能除去基本功能后余下的那部分功能。在大规模定制生产模式下，基本功能并不能充分满足广大消费者的个性化需求，附加功能就是在产品平台的基础上，增加产品的功能来满足市场需求。

3）潜在功能

潜在功能是企业面向未来市场而预测未来产品族的产品中可能出现的功能，是相对于现存产品族的基本功能和附加功能而言的。合理定义潜在功能是产品平台自身发展和修复的必要条件。产品平台不是一成不变的，是不断发展的，潜在功能的定义和实现是产品平台发展的动力。

其中基本功能和附加功能又可以分成定制功能和非定制功能两种（图 8.2）。定制功能是产品族的众多产品中可定制的那部分功能，非定制功能就是不可定制的那部分功能。产品平台是不断发展的。随着科技的发展，潜在功能会被实现，这时潜在功能就成为了基本或者附加功能。随着消费水平的提高，附加功能也会成为基本功能。同时，基本功能在技术进步的过程中也可以成为附加功能，如现在的显卡就可以用主板中集成的芯片来代替。在另一方面，非定制功能也会变成定制功能，如鼠标的类型现在就有很多种可以选择。但定制功能在一般的情况下不会转化为非定制功能，这是由大规模定制自身特点所决定的。

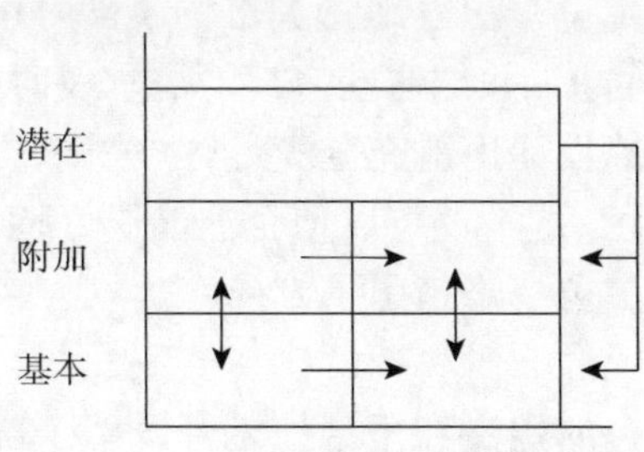

图 8.2　产品功能的分类

2. 技术视图

技术视图是关于产品平台的过程视图或控制视图。具体结构如图 8.3 所示。技术视图可以分成需求分析、产品平台设计、产品族设计和工艺设计四部分。

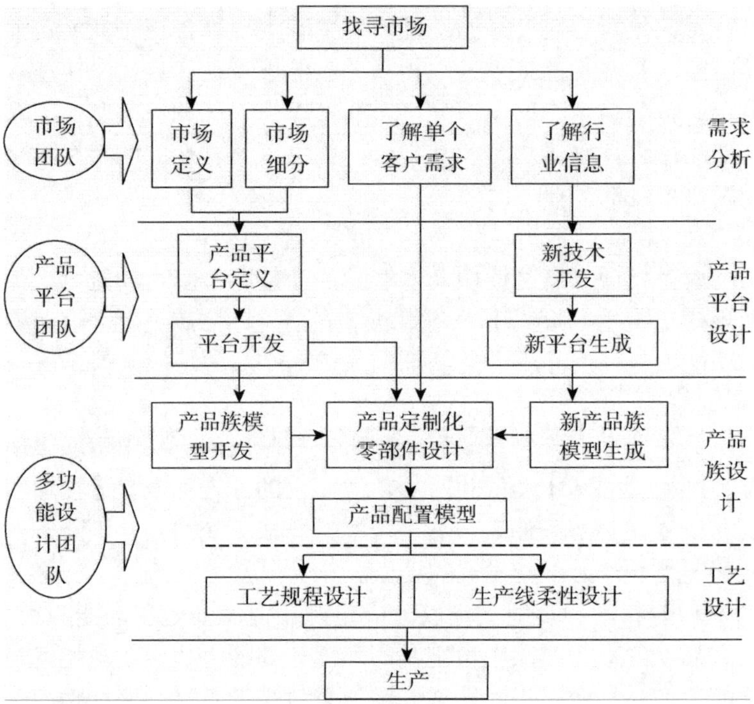

图 8.3 技术视图

1）需求分析

企业为了生存首先要找寻市场，就是找寻适合本企业产品或者核心技术发展的环境。接着对所找寻到的市场进行市场定义和市场细分，即把市场横向分成若干市场片段，纵向分成高端、中端和低端三个档次。这样有利于企业在复杂的市场环境中找到自身产品的定位，更好地把握市场。同时市场团队还要进行营销活动，充分了解各个客户的需求，并把这些客户的需求及时报告给多功能设计团队，以便多功能设计团队快速地设计出能充分满足客户需求的定制化产品。除了这些，市场团队也要了解行业信息，这不仅可以使企业能更好地了解到自己所处的环境，也为企业新技术的开发和市场战略指引了方向。

2）产品平台设计

平台设计包括产品平台的定义和平台技术开发两个部分。产品平台的定义是指企业根据市场中基本功能要求来定义产品平台的结构，就是定义一系列相互关联的子系统和接口的过程。这是因为市场中的功能要求可以分为基本功能要求、附加功能要求和潜在功能要求，而且产品平台是产品开发的基础。可以根据整个市场中的基本功能要求定义产品平台的结构。定义结构之后就是产品平台的开发工作，是开发产品平台关键技术的过程。此外，平台团队还肩负着新产品平台开发的任务，它包括新技术的开发和新平台的生成两个步骤。

3）产品族设计

产品族设计就是在产品平台之上设计对应各个细分市场的产品族，包括产品族模型的设计、产品定制化零部件设计和产品配置模型。产品族模型是基于产品平台开发的产品族通用模型。一个产品族模型对应一个产品族。产品定制化零部件设计就是直接面对客户的个性化需求来设计产品族模型中没有包括的零部件，以满足市场中多样化的需求。接着建立产品配置模型，它可以减少产品变量配置时间和成本。另外，在产品平台设计阶段如果有新的平台生成，则在产品族设计中就要设计新的产品族模型，以便把新的技术尽快地融入到企业的产品中来。

4）工艺设计

工艺设计包括两个方面：工艺规程设计和生产线柔性设计。多功能设计团队根据已经配置好的产品 BOM，对该产品的工艺流程进行设计。生产线柔性设计是大规模定制的基本要求，生产线的柔性直接决定企业的可定制化程度。

在上述工作进行完过后，就进入产品制造阶段。

3. 组织视图

从获取市场信息、细分市场、了解消费者偏好到产品的设计制造再到销售都是通过组织来实现的。所以，组织是描述产品族与产品平台不可缺少的部分。产品平台管理模型的组织视图包括三个部分：产品平台团队、多功能设计团队和市场团队。

1）产品平台团队

产品平台团队基本上是一支永久性的多功能团队，由一个平台经理领导。它的主要工作包括根据市场团队对市场定义和细分结果进行产品平台的定义，并且协调开发一系列的产品族模型，这一系列的产品族模型共享一个技术平台，一直到根据模型所开发的产品投放市场。在此之后还肩负管理产品平台的长远发展和基于产品平台的产品族模型的发展等重要任务。

2）多功能设计团队

多功能设计团队由制造部门、服务部门、客户、设计部门、质量和检验部门、技术工人和专业人员等相关人员组成。主要工作为与产品平台团队一起进行产品族模型开发，并在此基础上根据市场团队所收集的市场信息、消费者偏好等设计产品族。多功能设计团队的生命周期一般比较短，从消费者订单下达到产品投放市场结束，灵活性很高。

3）市场团队

市场团队主要任务就是在产品平台开发的初期进行市场定义和细分，并对功能进行划分，并在平台开发期间协助产品平台团队进行设计工作，而在产品族开发阶段也要协助平台团队和多功能开发团队进行适合消费者偏好的产品族的设计和产品的销售工作。

4. 产品平台、产品开发的组织和开发流程之间的关系

产品平台对企业新产品的开发和发展的影响主要在四个方面：产品开发战略、开发和操作绩效、知识的保持和转移以及项目团队的组织。

图 8.4 所示为产品平台、产品开发的组织和开发流程之间的关系。定义一个具有继承意义的子系统接口和部件就意味着规划产品的过程中定义了产品族的范围。信息会在各个团队中传播开来，使技术解决方案可以被其他部门重用和改进。所有这些活动的成功都是由一个简单的领导阶层或者是团队来完成的，事实上是由一个团队来负责一项新产品平台的定义和规划工作。在一般的企业中，团队也肩负着平台发展的任务。但有些企业的上述工作是通过一个领导来协调和负责执行的。通过以上分析可知，组织的选择对产品平台有着很大的影响。

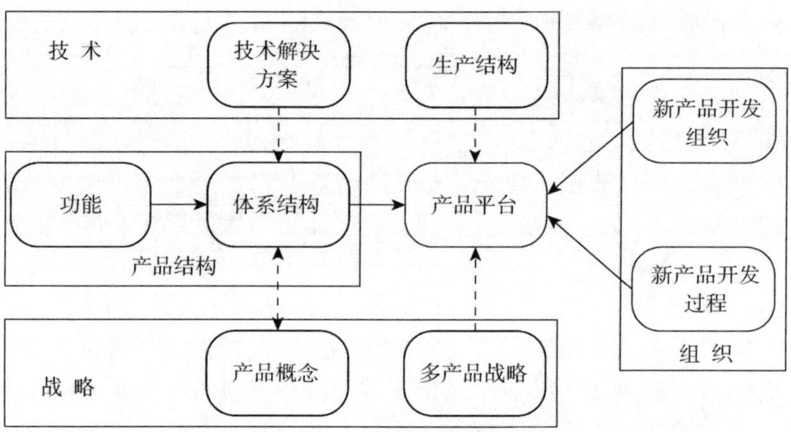

图 8.4 产品平台、产品开发的组织和开发流程之间的关系

组织对平台应用的另一个影响就是在开发流程方面。产品平台的定义强调平台发展战略的实质性特征是有效地获得产品的革新。这个特征从根本上改变了产品引进的流向。总的来说，在产品平台引进和产品的改进之间有着很关键的区别，因此，新产品的开发过程具有两种形式。另外，以这两种形式开发产品有利于产品平台的有效定义。获得革新越多，产品平台的定义和规划就越有可能有效地进行。

8.1.2 基于本体的大规模定制产品平台管理

1. 产品平台本体

产品平台本体是产品平台管理的主要概念和过程的综合，包括产品平台的功

能划分、技术管理过程和参与管理的组织等。基于本体论的原理和方法（Uschold and Gruninger，1996），建立产品平台本体，由一些基本概念和这些概念的关联集组成。

1）概念

产品平台本体的概念包括实例、类型、属性、功能、技术、组织、资源以及目标等（林森和但斌，2005）。

（1）实例（instance）。实例就是实际的例子。在产品平台本体中实例的应用范围很广，它可以描述实现功能要求的物理域中的子系统或者接口，这时所有的实例的总和就是产品平台；也可以描述参与产品平台管理的具体的组织等。实例本身具有属性，属性是以属性参数的形式来描述实例所具有的性质，一个实例可以对应有多个属性参数。

（2）类型（type）。类型是由各特殊的事物或现象抽出来的共通点，在产品平台本体中用来描述划分功能、技术和组织的类别。类型分为父类和子类，父类可以有多个子类，而这些子类都是父类的特例，父类描述了这些子类的公共属性和操作。一个子类可以继承它的父类中的属性和操作，这些属性和操作在子类中不必定义，另外子类还可以定义它自己的属性和操作。

（3）属性（property）。属性是事物所具有的不可缺少的性质，在产品平台本体中主要是用来描述对应于功能要求的实例的一些性质。属性是以属性参数的形式出现，某个属性参数对应的可选择项越多，说明产品的种类越多。属性参数越多，说明产品的可定制化程度越高，反之则越低。

（4）功能（function）。功能是产品平台上的产品的功用和功效。在产品平台本体中，功能被分成几种类型：按照功能的必要性，分为基本功能、附加功能和潜在功能；按照功能的可定制化程度，把基本功能和附加功能分为定制功能和非定制功能。

（5）技术（technology）。技术在产品平台本体中是一个广义的概念，泛指企业实现产品的所有活动所采用的方法的总和，包括市场信息分析技术、产品平台设计技术、产品设计技术和生产技术等。

（6）组织（organization）。组织是指参与产品平台运作的横向职能部门和纵向团队。横向职能部门与不施行大规模定制的企业一样，在这里不予以描述。产品平台的组织主要是指纵向团队，包括产品平台团队、多功能设计团队和市场团队。

（7）资源（resource）。资源泛指融入企业产品中的一切原材料、劳动力和设备能力等全部资源。

（8）目标（object）。目标就是企业所生产的定制化产品。企业面对多样化的市场，如何进行产品平台定义，如何进行产品定位，也是目标概念所包含的内容。

2）产品平台概念关联集

产品平台概念关联集是描述产品平台本体基本概念之间的关系的集合。关联定义和关联的形成规则如表 8.1 所示。例如，组织→功能的关联就是定义为 realize。

表 8.1 产品平台概念关联

概念	实例	类型	属性	功能	技术	组织	资源	目标
实例	—	divided	has some	has some	contain	—	compose	assemble
类型	—	—	has some	describe	describe	describe	describe	describe
属性	describe	describe	—	describe	describe	describe	describe	describe
功能	design	divided	—	—	design	—	—	realize
技术	—	divided	has some	realize	process	—	—	—
组织	has some	divided	has some	realize	project	Team up	impose	has some
资源	produce	divided	has some	—	—	—	—	realize
目标	decompose	divided	has some	has some	—	—	—	—

2. 基于本体的产品平台管理实例

基于产品平台本体的描述，个人计算机产品平台本体的实例、类型、属性和功能及其对应关系如表 8.2 所示。

表 8.2 个人计算机平台的实例、功能、属性和类型对应关系描述

实例	功能	属性	功能类型	
			1	2
CPU	运算	类型/核心电压/工作频率/价格等	基本	定制
内存	存储	类型/容量/工作频率/价格等	基本	定制
硬盘	存储	容量/转数/价格等	基本	定制
主板	控制	接口类型/支持电压/支持频率/最大支持内存容量支持/内存槽数量/价格等	基本	定制
显示器	视频输出	像素大小/分辨率/亮度/对比度/价格	基本	定制
键盘	输入	类型/价格等	基本	非定制
机箱	固定和保护	样式/支持电源功率、类型/接口类型/价格等	基本	定制
电源	提供能源	额定电压/价格等	基本	非定制
鼠标	输入	类型/价格等	附加	定制
光驱	输入	类型/速度/价格等	附加	定制
软驱	输入、输出	大小/容量/价格等	附加	非定制
显示卡	图形数据处理	类型/显存容量/存取速度/价格等	附加	定制

续表

实例	功能	属性	功能类型	
			1	2
声卡	声音输出	芯片类型/输出声道数/价格等	附加	定制
音箱	声音输出	尺寸/功率/价格等	附加	定制
网卡	网络连接	带宽/接口类型/工作频率/价格等	附加	定制
modem	网络连接	芯片类型/带宽/价格等	附加	定制
摄像头	视频输入	—	潜在	—

个人计算机产品平台的管理过程如图 8.5 所示。整个过程可以概括为组织利用资源和技术来实现目标所具有的功能。技术的类型有需求分析、产品平台设计、产品族设计和工艺设计。组织的实例包括产品平台团队、多功能设计团队和市场团队。组织的实例和技术的类型对应关系如图 8.5 所示。功能的类型有基本、附加和潜在功能，表 8.2 中列出了功能对应的实例，这些实例的总和就是产品平台。功能的实例加上人的条件，就构成了资源的实例。

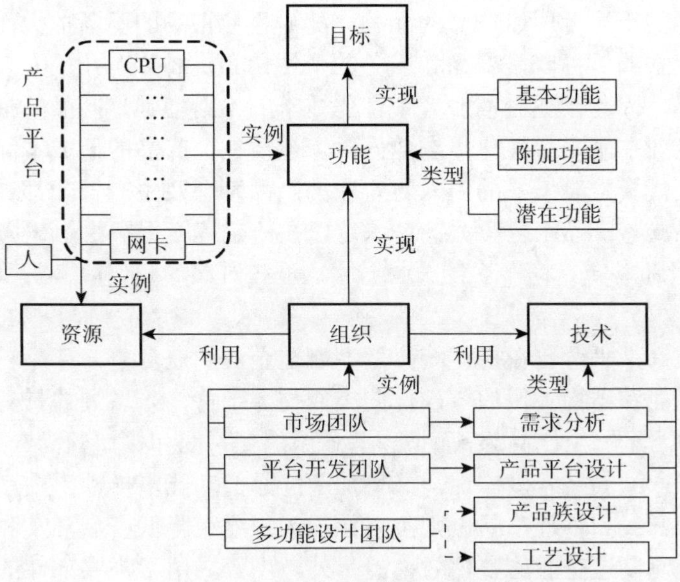

图 8.5　个人计算机产品平台管理

8.2　大规模定制下的产品平台扩展策略

随着市场不断的细分和细分市场的逐渐缩小，采用大规模定制生产模式的企业为了满足目标市场中日益增长的个性化需求，需要不断开发新技术，从而扩展出更多的产品平台，在保持原有细分市场优势的同时快速占领新的市场。

8.2.1　大规模定制下产品平台扩展面临的挑战

1. 大规模定制（离散型制造）企业的特点

制造型企业可分为流程型、离散型和混合型。离散型制造企业又称加工装配型企业，其制造过程不是连续的，各阶段、各工序之间存在明显的停顿和等待时间。大规模定制（离散型制造）企业既要满足目标市场中多样化、个性化需求，又要保证产品制造的短时间和低成本，因此，大规模定制企业在保持传统离散型制造企业的一部分特点的同时也与其有较大的差异，有着与传统企业不同的特点。这些特点包括以下四点。

1）所生产的产品具有多品种、小批量的特点

随着市场的多元化，市场细分的范围越来越小，在同一细分市场中的个性化需求也越来越多，所以企业不得不由原来的大批量生产转换为小批量生产，同时产品的型号也逐渐增多。另外，企业要生存，必须在保持现有目标市场的同时，迅速占领其他的市场，所以产品的品种会随着目标市场的不断扩大而成倍增长。大规模定制模式的目标就是产品和服务的个性化和定制化，几乎人人都能买到自己想要的产品，因此，随着消费者个性化需求的不断增强，产品的批量也越来越小。但是，企业在满足个性化需求的同时，也要保证产品的低成本和制造的高效率。因此，大规模定制模式的引入对企业的产品管理及生产管理都提出了很高的要求，而产品族与产品平台等关键技术可以在一定程度上解决上述问题。

2）采用产品族与产品平台等关键技术，用相同或者相似的工艺路线加工多种产品

产品族与产品平台旨在把传统离散型制造企业的众多单一产品转换成系列产品，把一些功能和结构类似的零部件归类成类零部件，一系列的具有相同市场应用的产品就成为了一个产品族，而把一些通用的子系统和接口归为一个产品平台。这样既减少了产品的技术多样性，又增加了产品的功能多样性。用产品族和产品平台的理念来开发和管理产品，则可以在很大程度上降低产品开发和管理成本，提高大规模定制制造企业的整体效率。另外，由于采用了类零部件的思想，大规模定制企业的很多零部件都可以在同一具有较高柔性的生产工序或工艺中制造，甚至产品族中两个不同的产品也可以用同一工艺路线加工。这就可以提高大规模定制制造企业产品的生产效率，降低加工成本。

3）具有较短的产品开发周期和产品生命周期

随着产品多样化的增加，可供消费者选择的替代品也逐渐增加，而由于市场变化的速度越来越快，企业不得不缩短产品的开发周期，以降低市场变化所带来

的风险。当今的市场是多元化的市场，市场的划分也不断细化，而同一细分市场的企业也逐渐增多，同时由于产品开发周期的缩短，目标市场中产品的数量也会逐渐增加，给消费者提供的选择也就增加了，所以大规模定制企业应该不断地以较快的速度开发新产品，用新产品替代旧产品，以取得目标市场中的竞争优势。

4）采用扁平的组织结构对整个生产过程进行管理

大规模定制的成功既需要集成的组织，又需要柔性的系统。集成的组织使每个功能、单位和个人都以客户为中心协同工作，快速响应客户的个性化需求。这需要摒弃大批量生产模式下刻板、深度功能分离的分层组织机构，采用以反应敏捷、易于重组的扁平的组织结构。而柔性的系统能够适应市场、客户需求和产品品种的不断变化，它需要组织中的每一个职能部门、生产单位甚至每一个人都能够对这些预料之中或预料之外的变化做出迅速反应和采取及时行动。这需要打破过去的思想与行为分离的集中控制方式，代之以思想与行为相结合的授权管理方式。

2. 大规模定制企业产品平台扩展面临的挑战

大规模定制企业采用产品族和产品平台等关键技术可以用较低的技术多样性实现较高的功能多样性。产品平台和产品族也是不断发展的。当了解到目标市场中潜在的消费者需求或者其他市场中的消费者需求后，企业就应通过产品平台的扩展来促进和管理企业的革新，促使产品平台进化，从而迅速占领市场并在目标市场中取得竞争优势。然而大规模定制企业的产品平台扩展也将面临诸多挑战，主要包括以下五个方面。

1）市场细分

大规模定制制造企业的市场细分与传统企业的市场细分有着根本的不同。传统制造企业是根据本企业的产品来寻找市场，然后根据产品对整个目标市场进行细分，每个市场区段以及每个绩效水平的细分市场之间都有明显的界限。而大规模定制企业的目标是满足消费者多样化和个性化的需求。即使是在同一目标市场中，客户的需求也往往是多种多样。如何把这些需求进行归类，从中找出其分布规律，是大规模定制企业面临的挑战之一。

在收集目标市场中客户需求的同时对多样化的需求进行分类，把客户的功能要求划分为基本功能和附加功能以及非定制功能和定制功能。具有相同或相似基本功能要求的客户可以划分为一个市场区段。在一个市场区段内，按照定制功能的不同来定义不同绩效水平的市场。具有较高定制功能要求的定义为高端市场，较低要求的为低端市场，剩下的为中端市场。这种划分市场方法的优点在于能够快速和有效地进行市场细分，比较简单易行，容易被企业所接受；缺点是定义基本功能的范围不好掌握，如果定义的范围过大，则市场区段包括的范围就太大，则市场划分的细化程度不够；如果范围过小，所定义的市场区段范围也就太小，企业针对细分市场所定义的产品平台数量也就较多，就会增加产品平台的管理费用。

2）划分企业效益的增长区域

影响大规模定制企业产品平台扩展的因素有很多，在扩展之前需要对企业的目标市场中的效益增长区域进行划分。所谓效益增长区域是指在现有条件下，企业在该区域（几个细分市场的组合区域）具有的盈利机会比其他区域要多。如何比较企业在各个细分市场的盈利机会，也是大规模定制企业产品平台扩展面临的挑战。

要解决上述问题，需要企业对目标市场中各个细分市场进行详细的调查和研究，取得以下五个方面的数据：①该细分市场中与本企业相同或类似的其他企业产品的销售量；②本企业与竞争对手在该细分市场中所占市场份额的百分比；③如果本企业进入该细分市场，那么 5 年内所能达到的效益增长率；④每个细分市场领先者的数据；⑤每个细分市场中客户未来 5 年内预计的变化趋势。收集了这些信息，就可以对各个细分市场进行比较，从而划分出企业效益增长区域。

3）产品平台的定义

大规模定制企业产品平台的定义就是在原有产品平台的基础上，增加或减少子系统，或者用新的子系统和接口替代旧的子系统和接口，以建立新的产品平台，并使得新的产品平台适应客户需求发展或新的细分市场的需求。其中“定义”可以理解为寻找和制定产品平台扩展方案的过程。产品平台扩展有两种最基本的形式——纵向扩展和横向扩展。纵向扩展是通过用新的子系统和接口替代旧的子系统和接口来实现的；而横向扩展是通过改变产品平台的结构来实现的。所以产品平台的扩展方案也要根据产品平台扩展形式的不同而不同。另外，如何组织企业中各个成员来实现定义产品平台的过程，以及制定产品平台扩展方案需要哪些方面的支持，也是大规模定制企业必须要解决的问题。

4）度量扩展后的产品平台绩效

企业选定所要进入的目标市场并针对该市场制定了产品平台扩展方案之后，就要对各个方案的优劣进行考察，其中最重要的一个指标就是扩展后每个产品平台扩展方案所定义的产品平台在该细分市场中所能带来的绩效。因为最终满足客户需求的还是企业所能提供的各种产品，而在产品平台的基础上针对该细分市场所能开发的产品数量还是个未知数，产品所能带给企业的收益也是未知数。如何对各个产品平台扩展方案所定义产品平台的绩效进行度量和比较，也是大规模定制企业产品平台扩展中所要考虑的重要问题。

5）搜集细分市场中客户的个性化需求信息，为下一次产品平台扩展做好充分的准备

产品平台扩展以后，企业要在新平台的基础上开发满足该细分市场中客户的

多样化和个性化需求。在开发产品的同时，营销人员需要对客户的多样化和个性化需求进行归纳和分析，以便对该细分市场中未来的客户需求动向有足够的了解，即在搜集基本功能要求和附加功能要求的同时，还要注意市场中的潜在功能要求，为下一次产品平台的扩展做好充分的准备。另外，密切注意目标市场中其他细分市场的客户需求动向，特别是对企业发展战略规划内的区域进行了解，以便以后迅速占领市场，取得竞争优势。

8.2.2　大规模定制下产品平台扩展的基本形式

大规模定制企业产品平台扩展的形式主要有三种：产品平台纵向扩展、产品平台横向扩展和产品平台强化扩展，其他形式的扩展都是这三种形式的组合。

1. 产品平台纵向扩展

产品平台纵向扩展是指同市场区段不同档次的产品共享产品平台的关键子系统和制造工艺（Meyer and Lehnerd，1997）。它是企业的产品平台在一个市场区段内跨越多个价格和收益的市场的战略。纵向扩展可以由高到低，也可以由低到高。如原始产品平台应用在高端市场中，可以将此产品平台向中端和低端市场扩展，使得原始产品平台满足中低端市场消费者的需要。这个变化是通过降低原始平台上的产品的功能要求来降低产品的成本，或是通过设计降低原始平台中的关键子系统的成本来进行平台扩展。另一种情况是通过对低端原始平台中的子系统进行更新设计或增加新部件和模块，融入新的技术，满足高端市场中消费者的需要。中端市场产品平台向高端或低端市场扩展同样可以采用上述两种基本变化。

这个战略的目标是在产品平台之上的产品族中任何产品都能取得相当的利润，甚至在低端市场也可以达到这个目的。但是达到这个目的基础是起初建立的高端产品平台可以满足低端市场的需要。同时，依靠模块化和柔性的产品平台，企业可以通过在原有的产品平台中加入更好的子系统和原材料，满足更高的市场的要求。要达到上述的目标，要求工程师在产品平台设计之初就要考虑到产品平台的缩放。

这个战略的好处就在于各个档次的市场中共享技术，企业在进入不同档次的市场时不用再另行开发全新的产品平台，而是只开发部分零部件，从而降低产品成本。但是，这个战略也有一定的风险，如果通用平台或者通用子系统有缺陷，将会导致企业产品线更新的失败。

2. 产品平台横向扩展

产品平台横向扩展是指同一档次不同市场区段的产品共享产品平台的关键子

系统和制造工艺（Meyer and Lehnerd，1997）。它可以使产品平台在一个给定价格和收益的多个市场区段中拓展和共享。

横向拓展战略可以给企业带来巨大的效益，如企业可以开发出适合整个低端市场的所有消费者的系列产品，而这些产品在满足客户需求的时候并不用重新发明什么部件或者增添什么新的技术。其中最重要的一点就是产品的研发可以在很短的时间内完成，而且仅仅需要较小的成本。另外，如果一个特别的子系统被设计成可以满足不同消费者的需求而竞争对手却没有，那么在产品平台之上开发的产品族将会给企业带来巨大的效益。

产品族中子系统的标准化可以增加产品收益和降低产品成本。横向拓展战略同样适用于非制造企业。例如，在软件方面，包含关键的算法和用户接口的模块被用在不同客户群所使用的产品中。财政服务公司经常把一种常用的风险管理的方法用于大部分产品开发的风险管理过程中，这些风险包括贷款、保险和其他财政手段。

横向拓展战略不是没有风险的。如果通用的产品平台或者产品平台中的任何一个关键的子系统有缺陷，这个缺陷将会影响到多个市场区段的产品。如果新的市场横向共享被几个分公司经营，产品平台的更新也是一个问题。

3. 产品平台强化扩展

由于在已有市场的竞争对手不断增多、产品质量改进或产品成本降低等导致企业的产品在该市场中的竞争力下降，需要在原有细分市场中的产品平台基础上再进行一次扩展，以确保原有细分市场的市场份额。我们把这种产品平台在已有市场细分中再次进行的扩展称为产品平台强化扩展。产品平台强化扩展给企业带来的效益是显而易见的，当企业在目标市场中已拥有一定数量的产品平台，并且这些产品平台都发挥着相当的作用时，如果在原有细分市场或任意一个已占领的细分市场中进行产品平台的扩展，则可以使整个目标市场中的产品平台同时获得改进，从而以较小的成本和时间实现了整个市场产品的进化。例如，把一个通用的子系统和接口加以改进，从而降低产品族的成本，那么整个目标市场中的产品都将不同程度地降低成本，这将为整个企业带来不可忽视的效益。

8.2.3　大规模定制企业的产品平台扩展策略

借鉴企业新产品开发策略的分类（姚德民和江沿滨，1994），大规模定制企业产品平台扩展策略可以从两个方面来划分。从企业定位的不同可分为领先者策略、紧随领先者策略、仿制或最低成本策略和部分市场策略四种类型；从不同工作侧面可分为技术开发策略、平台管理策略和市场策略三个部分。

1. 从企业定位分类

1）领先者策略

领先者策略是指企业领先开发其他企业尚未开发成功的新技术，或抢先将新技术融入到原有产品平台中，进行产品平台的扩展，从而使本企业的产品在市场上处于领先地位。

2）紧随领先者策略

紧随领先者策略是指迅速仿用领先者的新技术，应用该技术实现产品平台扩展，并在此基础上开发新产品并迅速投入市场。

3）仿制或最低成本策略

仿制或最低成本策略是通过仿制市场上已出现的新产品中的技术，以较低的成本进行产品平台扩展，从而开拓一部分市场。这要求企业在制造方法和生产组织上挖掘潜力。

4）部分市场策略

部分市场策略主要是大规模定制企业在与传统企业竞争时采用。该策略需要企业为客户提供特殊的定制服务，通过个性化和定制化的产品和服务来扩大市场份额，扩大产品的市场占有率。

2. 从工作侧面分类

大规模定制企业产品平台扩展策略从工作侧面可以分为技术开发策略、平台管理策略和市场策略三个部分。每个策略又可以分为若干个子策略，对应于企业定位的四种类型的策略，每个子策略又对应有不同的选择项。

1）技术开发策略

由四个子策略构成，分别为技术开发的方向子策略、方式子策略、规划子策略和时机子策略。

（1）技术开发方向子策略。指大规模定制企业开发的新技术所能达到的创新程度，它有三类技术创新：①突破性创新，主要是指技术上的重大突破，往往是运用新原理和重大发明，这一类技术创新对行业的影响巨大，但不可能经常出现；②渐进型技术创新，主要是指增加品种、降低成本、加速资金周转、改善生产组织和管理等，这一类创新虽不能代替重大技术创新，但在一定条件下可以积少成多，发展成为重大的创新；③综合性创新，这是利用已有的技术，根据新的需要将现有的各种技术进行组合，创造出新的产品平台。

（2）技术开发方式子策略。它有两种可能的选择：①独立研制，主要是指从基础研究、技术研究到新产品平台生成全部依靠本企业的力量进行；②合作研制，主要是指利用社会上已有的研究成果，或与其他单位进行技术协作，或购买专利来开发新的产品平台。

（3）技术开发规划子策略。它有三种可能的选择：①长期计划，是指企业的长远研究规划，一般规划期在 5 年以上；②中期计划，是企业近期研究规划，一般规划期在 3～5 年内；③短期计划，是企业的年度开发计划。

（4）技术开发时机子策略。这是指企业的技术开发工作所属的科学研究类型。科学研究一般可分为基础研究和应用研究两种类型。它有两种可供选择的方案：①始发型，指企业的技术开发从基础研究开始；②响应型，指企业的技术开发从应用研究开始。

2）平台管理策略

由三个子策略构成，分别为组织管理子策略、生产管理子策略和过程管理子策略。

（1）组织管理子策略。大规模定制企业的产品平台扩展过程是一个协作的过程，需要市场营销、产品设计、物料供应、产品制造和递送等部门人员的协同工作。依据并行工程的原理，面向大规模定制的产品平台扩展的组织形式应该是贯穿整个生产流程上所有横向职能部门的纵向团队。而这种纵向团队分为两种形式：①功能组织。由各个部门的经理分别负责产品各个功能模块的技术开发等工作。功能组织有利于技术人才的培养，但缺乏部门之间的沟通。②项目组织。由项目经理统一负责、统一协调，其主要责任也由项目经理承担。项目组织有利于部门与部门之间的沟通，但对技术人才的培养不如前者。

（2）生产管理子策略。大规模定制企业一方面通过各种合理化和标准化技术来简化产品的结构和过程的结构，减少产品的技术多样性；另一方面，在简化产品结构和过程结构的基础上，通过先进的管理技术、计算机技术和网络技术的紧密结合，优化企业管理，提高管理的效率。大规模定制企业的生产管理子策略有三种可能的选择：①以减少产品成本和增加产品功能多样性为主的生产管理模式，例如，利用对产品信息的有效管理，来降低产品成本；②以提高市场响应速度为主的生产管理模式，例如，通过有效的产品配置系统，提高对客户信息的响应速度；③以提高组织运作效率为主的生产管理模式，例如，采用 JIT（准时制）生产管理，不仅可以提高组织的效率和系统的柔性，而且可以有效地降低库存。

（3）过程管理子策略。大规模定制企业面临的挑战之一就是时间。传统的产品开发是从一个部门到另一个部门的“抛过墙”式的方式来开发产品，但是在大规模定制模式下，产品的生命周期越来越短，必须将以前的串行开发方式改为并行开发方式。影响大规模定制企业产品平台扩展周期的两个主要因素就是产品平台概念设计阶段的反复性和不确定性。因此，大规模定制企业的过程管理子策略有两种可能的选择：①以减少产品平台扩展的反复性为主的过程管理方法，如

QFD 等；②以减少产品平台扩展的不确定性为主的过程管理方法，如可制造性设计等。

3）市场策略

由四个子策略构成，分别为用户子策略、客户需求获取子策略、客户需求满足子策略和竞争子策略。

（1）用户子策略。指根据用户对采用新产品的态度不同，企业采取相应的策略。根据对用户的分析，可将用户分为三种采用者类型：①革新型用户，这类用户在对新产品还不太了解情况下就率先采用，他们喜好尝试新产品，带有一定的冒险性；②早期采用型用户，这类用户对新产品的特性有一定了解，他们以社会领导者的地位自居，故在新产品推出早期就迅速加以判断并采用；③随大流型用户，这类用户不主动采用新产品，直到大多数用户都已证实新产品效用好后再采用。

（2）客户需求获取子策略。在市场中替代品日益丰富的今天，客户对企业的满意将是企业效益的源泉。系统、全面地了解客户需求是满足客户需求的必要条件。大规模定制企业对客户信息获取的方式有两种：①全部获取，是指对整个细分市场中的客户需求进行获取，从而了解客户需求的现状及未来发展方向；②部分获取，是指有针对性地进行客户需求的获取，只满足部分客户需求。

（3）客户需求满足子策略。大规模定制企业需要满足市场中多样化和个性化的客户需求，但是针对每个细分市场中多种多样的客户需求，企业由于生产能力或开发策略的限制，不能满足全部客户的需求。因此，大规模定制企业的客户需求满足子策略有两种选择方案：①全部满足，是指企业开发的产品能够满足该细分市场中所有客户的个性化需求，要满足这样的条件，企业所定义的产品平台所包含的子系统和接口的数量较少，而可定制部分较多；②部分满足，是指企业所开发的产品，只能满足细分市场中部分客户的个性化需求，这部分客户可能是企业所定义的最有价值客户。

（4）竞争子策略。它有三种可供选择的方案：①成本水平领先策略，保持成本水平的领先地位能使企业在市场价格相同的条件下持有行业平均水平以上的利润，也有可能以较低的价格使企业在竞争中处于有利地位；②经营特色策略，就是使企业的产品或服务质量具有超出一般水平的与众不同的特点，它可以表现在产品的设计、技术性能、为用户服务、销售方式等各方面；③周到服务策略，就是通过加强综合服务，满足用户的特殊需要，以扩大产品在市场上的占有率。

3. 大规模定制企业产品平台扩展的策略组合

如前所述，大规模定制企业产品平台扩展策略可以从企业定位和工作侧面两个方面来划分，因此企业在产品平台扩展策略的选择上就有多种可能性。在具体条件下，企业的每一种产品平台扩展策略都有各自不同的技术开发特征、平台管理特征、市场特征。每个工作侧面又包括多个子策略。每个子策略又有多种可能的选择。这样就构成了许多种不同的策略组合。在进行各策略中的子策略组合时，必须依据每种产品平台扩展策略具有的技术开发特征、平台管理特征、市场特征。因此，在姚德民和江沿滨（1994）的新产品开发策略组合基础上，提出了大规模定制企业产品平台扩展的组合策略，如表 8.3 所示。

表 8.3　大规模定制企业产品平台扩展的组合策略

工作侧面	子策略	企业定位			
		领先者策略	紧随领先者策略	仿制或最低成本策略	部分市场策略
技术开发策略	方向子策略	突破性创新	渐进型技术创新	渐进型技术创新	综合性创新
	方式子策略	独立或合作研制	独立或合作研制	独立研制	独立或合作研制
	规划子策略	长期规划	中、短期规划	短期规划	中、短期规划
	时机子策略	始发策略	响应策略	响应策略	响应策略
平台管理策略	组织子策略	功能组织	项目组织	项目组织	项目组织
	生产管理子策略	以减少产品成本和增加产品功能多样性为主	已提高市场响应速度为主	以提高组织运作效率为主	以减少产品成本和增加产品功能多样性为主
	过程管理子策略	减少不确定性为主	减少反复性为主	减少反复性为主	减少反复性为主
市场策略	用户子策略	革新型用户	早期采用型客户	随大流型客户	早期采用型客户或随大流型客户
	客户需求获取子策略	全部获取	部分获取	部分获取	部分获取
	客户需求满足子策略	全部满足	全部或部分满足	全部或部分满足	部分满足
	竞争子策略	经营特色战略	经营特色战略	成本水平领先策略	周到服务策略

8.3　大规模定制下产品平台扩展的优化分析

当企业选定所要进入的细分市场后，如何进行产品平台的扩展便成了大规模定制企业首先需要解决的问题。

8.3.1　产品平台扩展方案的优化决策问题

大规模定制生产模式要求企业以大规模生产的成本和时间给客户提供定制化

的产品，而产品平台则可以缩小产品的开发周期，并且降低产品开发的成本。而产品平台自身的开发也需要开发周期和开发成本，产品平台的开发通常不是全新的开发，而是在原来的基础上进行的扩展。原始产品平台的子系统和接口有用的部分可以保留，通过新添加或改进原有技术使产品不断地更新换代，并且在更新的过程中始终保持一些原有的特点来维持公司的品牌；另外，可以降低成本，缩短产品的上市时间，从而扩大竞争优势。

企业要不断发展和增加市场份额，就要不断地进行新技术的开发，扩展产品平台。一旦目标细分市场选定，同时也就选定了产品平台的扩展形式。产品平台扩展的技术手段是多种多样的，例如，在产品平台纵向扩展过程中，各个子系统和接口都可能有改进方案。然而，哪种方案才是目标市场中客户最偏好的呢？哪种方案的投入最小？都是产品平台扩展决策者所要思考的问题。各种目标并一定能够同时或者全部达到，用什么样的方法才能在众多方案中选出最优方案？上述问题就是本节所要回答的问题。

8.3.2 产品平台扩展决策方法及流程

1. 决策方法

产品平台的扩展涉及的影响因素很多，其中包括扩展后产品平台所能达到的市场绩效、扩展成本、扩展周期以及对环境的影响等因素，而这些因素中的前三个往往是企业最为关心的。在这三个因素中，扩展后产品平台所能达到的市场绩效比较难以量化，而对这三个因素也需要通过某种方法来进行综合考虑进行决策。

首先，需要解决平台市场绩效的量化问题，也就是什么样的产品平台才能适应目标市场的需求，这里我们采用结合分析（conjoint analysis）方法。结合分析是一种多元统计方法（Louviere，1988），它可以从收集的有限市场数据中抽象出三个表示产品平台市场绩效的结果，这里表示为效用值，即平台扩展方案的效用值，平台属性的相对重要性以及扩展后平台的效用值。三者综合起来表示扩展后产品平台所能带来的市场绩效。

其次，场绩效最大化、扩展成本最低和扩展周期最短三个目标一般不可能同时达到，因此需要一种决策方法来对这三个决策属性进行考察，从而选出综合最优的平台扩展方案。基于 ELECTRE 方法（岳超源，2003）可以对平台扩展方案进行排序，从而选出最优方案。

2. 决策流程

根据上面所述的决策思想，总结并提出了一种产品平台扩展的决策过程，如图 8.6 所示。产品平台扩展的决策过程分为三个阶段，即数据准备阶段、结合分析阶段和多目标决策阶段，图中灰色填充的部分为每一阶段的结果，最终结果为产品平台扩展最优方案。

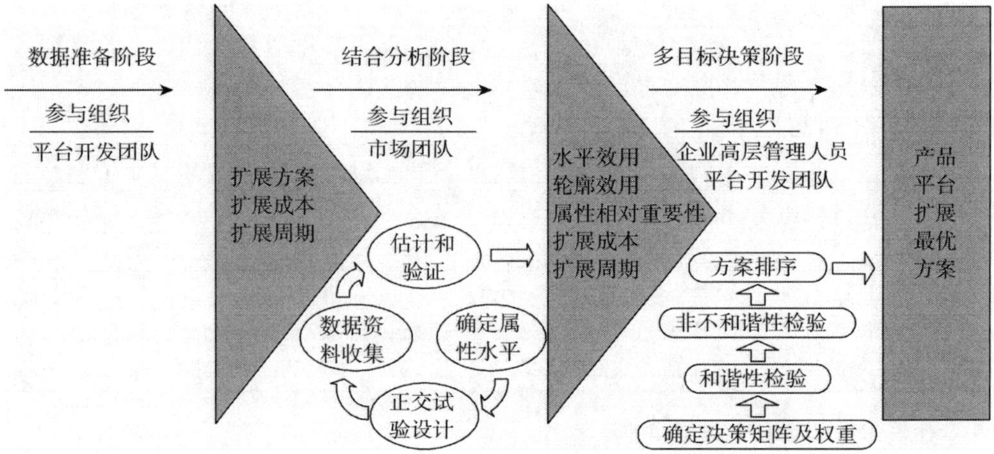

图 8.6　产品平台扩展的决策流程图（但斌等，2006）

1）数据准备阶段

（1）参与的组织：产品平台开发团队，是一支包括研发部门的主要人员以及市场部门等部分人员的多功能团队，由一个平台经理领导。其主要工作是进行产品平台的定义，开发一系列产品族的模型，并且在此之后还肩负着管理平台的长远发展和基于平台模型的发展等重要任务。

（2）流程：产品平台开发团队中的研发人员根据以往市场营销的数据和设计的经验提出产品平台扩展的可行方案，并估计扩展成本和周期等数据。

（3）结果：扩展方案、扩展成本和扩展周期。

2）结合分析阶段

（1）参与的组织：市场团队。

（2）流程：①确定平台属性和水平，每个平台扩展方案对应一个平台属性，每个属性包含源水平和目标水平两个部分，源水平指的是扩展前原始平台属性的水平，而目标水平就是扩展后新平台属性所具有的水平；②确定典型平台的个数，并进行正交试验设计，列出正交表；③列出正交表中所有的产品平台组合，请客户代表分等级评分，分为 9 个等级，从非常不喜欢到非常喜欢，然后对数据进行统计，画出直方图，最后求出每个典型平台的平均分；④求出该过程的结果。

（3）结果：平台扩展方案的效用值、平台属性的相对重要性以及扩展后平台的效用值。

3）多目标决策阶段

（1）参与的组织：企业高层管理人员和平台开发团队。

（2）流程：①确定决策矩阵，五个决策属性依次是水平效用、平台属性相对重要性、新平台的效用值、扩展成本和扩展周期，根据这五个决策属性请决策人评分，分为 1、3、5、7、9 五个等级，中间的偶数为中间级别，然后形成判断矩阵，并用最小二乘法求得各个决策属性的权重；②进行和谐性检验，首先进行属性序号分类，求出优于、等于和劣于三个集合，然后计算出和谐性指数；③进行非不和谐性检验，根据经验确定阈值，再构造大、中、小三个不和谐集；④判别各个平台扩展方案的级别高低关系，并画出强图和弱图，进而对平台扩展方案进行排序，得出最优扩展方案。

（3）结果：排序结果，序号为 1 的就是产品平台扩展最优方案。

8.3.3　产品平台扩展优化分析模型

1. 产品平台的结合分析模型

不失一般性，在建立模型之前提出几点假设。

假设 8.1　该企业已实施大规模定制战略，而且已经建立了一个具有长远规划考虑的产品平台。这个假设不难理解。企业要在某个市场区段内扩展自己的产品平台，如果这个产品平台在设计之初就没有考虑平台将来发展，没有考虑在该平台基础上进行功能、结构、接口和市场空间扩展的可能性的话，那么在此基础上扩展新平台将难以获得成功。

假设 8.2　该企业需要有独立的研发部门，有自行研发的能力。

假设 8.3　企业对整个目标市场中的目标客户群有一定的了解，而且基本上已经划分了该目标市场中的高端、中端和低端三个绩效水平的市场以及不同目标客户群所在的市场区段。

假设 8.4　由于该企业资金、人力等资源有限，所有平台扩展方案不一定能够全部实施，这里假设只有一种新的扩展方案能够被该企业所采纳。

在产品平台从低端市场向中端市场扩展的前提下，企业必须开发新的技术，用新的子系统和接口替代旧的子系统和接口或改变产品平台的结构来达到产品平台扩展的目的。在大规模定制企业与客户进行营销活动时，企业就能够了解该目标市场内各种客户的功能要求，并加以整理，然后把这些信息传递给企业的研发人员。企业的研发人员根据这些客户需求信息拟订产品平台扩展的技术解决方案。研发人员可以针对原始产品平台提出多个扩展方案（记为 n 个），且这 n 个扩展方案是相互独立的。另外，研发人员在制定扩展方案的同时，还要估计每个方案所需花费的扩展成本和扩展周期。扩展成本包括新技术开发或外购的成本、准备工具和设备的成本以及加工制造的成本等。

为了方便收集目标市场的数据，这里一个扩展方案对应一个平台属性，每个属性具有若干个水平。每个属性所具有的水平都可以分为两个部分，即源水平和目标水平。源水平和目标水平不同的组合就构成概念平台，进而求得扩展后新平台所能给企业带来的市场效益。

市场需求数据的来源是目标市场中客户对新平台的评分，这里的新平台并不是所有平台的组合，而是通过正交试验设计得出的典型平台，试验设计的公式如下：

$$\mathrm{NC}=\mathrm{NL}-\mathrm{NA}+1 \tag{8.1}$$

其中，NC、NL 和 NA 分别表示概念轮廓数、所有平台属性水平数之和以及所有平台属性数之和。

另外，此模型还应得出三个代表新平台所能带来的市场效益的结果，即源水平与目标水平的效用值、平台属性的相对重要性以及新平台的效用值。

首先应用概念轮廓的偏好得分求取属性各个平台效用。概念轮廓与平台属性水平效用之间满足如下关系式：

$$\theta_k=v_0+\sum_{j=1}^{\mathrm{NA}}\sum_{i=1}^{I_j}v_{ij}z_{ijk}\ ,\ \ k=1,2,\cdots,\mathrm{NC} \tag{8.2}$$

其中，θ_k 表示第 k 个概念轮廓的偏好得分；v_0 表示截距，为一常量；v_{ij} 表示第 j 个平台属性的第 i 个水平的效用，i=1 表示为源水平；I_j 表示第 j 个平台属性的水平数，$I_j \geqslant 2$，$\sum_{j=1}^{\mathrm{NA}}I_j=\mathrm{NL}$；$z_{ijk}$ 表示哑变量，如果在第 k 个概念轮廓的第 j 个属性中出现第 i 个水平则为 1，否则为 0。式（8.2）形成的一个表达概念轮廓与平台属性水平效用关系的方程组，通过多元线性回归求得水平效用的值。

第 j 个平台属性相对重要性表示为

$$W_j=\frac{\max\limits_i(v_{ij})-\min\limits_i(v_{ij})}{\sum_{j=1}^{\mathrm{NA}}\left[\max\limits_i(v_{ij})-\min\limits_i(v_{ij})\right]} \tag{8.3}$$

理论上，利用上述平台属性及水平可组合出 $\prod_{j=1}^{\mathrm{NA}}I_j-1$ 种新平台。可以选择其中 n 种较为可行的作为新平台扩展备选方案。第 l 个新平台扩展方案的效用值为

$$U_l=\sum_{j=1}^{\mathrm{NA}}\sum_{j=1}^{I_j}v_{ij}z_{ijl}\ ,\ l=1,2,\cdots,n \tag{8.4}$$

其中，z_{ijk} 表示哑变量，如果在第 l 个新平台的第 j 个属性中出现第 i 个水平则为 1，否则为 0。

2. 基于 ELECTRE 的多目标决策模型

多目标决策模型旨在利用前面结合分析模型的结果和研发部门对扩展方案所

做出的扩展成本和扩展周期的估计值来对产品平台扩展进行决策。此模型的思想就是以扩展成本最小、市场效用最大和扩展周期最短为目标，对各个方案进行排序。由于假设 8.4 的存在，排在最前面的方案即为产品平台扩展的最优方案。

对于产品平台扩展的 n 个方案，每个方案都有决策属性，设总共有 m 个决策属性。对于产品平台扩展来说，这些决策属性除包括上面模型中得到的水平效用、平台属性相对重要性和新平台的效用值之外，还包括扩展成本和扩展周期。

给定方案集 $X=\{x_1,x_2,x_3,\cdots,x_n\}$，其中每个方案对应上面结合分析模型的 n 个扩展方案。然后建立多目标决策属性矩阵 $\boldsymbol{Y}$，具体形式如下：

$$\boldsymbol{Y}=\begin{bmatrix} y_{11} & y_{12} & \cdots & y_{1m} \\ y_{21} & y_{22} & \cdots & y_{2m} \\ \vdots & \vdots & & \vdots \\ y_{n1} & y_{n2} & \cdots & y_{nm} \end{bmatrix}$$

其中，y_{ij} 表示平台扩展方案 x_i 对应于第 j 个属性的值。由于矩阵中属性排序标准的不一致性，需要对属性矩阵进行规范化处理。接下来的步骤就是对各个方案进行排序。

（1）属性序号分类。若根据属性 j，方案 x_i 优于方案 x_k，记为 $x_i \succ_j x_k$；把所有满足 $x_i \succ_j x_k$ 的属性 j 的集合记为 $J^+(x_i,x_k)$，其余以此类推，得到 3 个集合。$J^=(x_i,x_k)$ 为方案 x_i 与方案 x_k 相当的集合；$J^-(x_i,x_k)$ 为方案 x_i 劣于方案 x_k 的集合。

$$J^+(x_i,x_k)=\{j|1\leqslant j\leqslant n, y_j(x_i)>y_j(x_k)\} \tag{8.5}$$

$$J^=(x_i,x_k)=\{j|1\leqslant j\leqslant n, y_j(x_i)=y_j(x_k)\} \tag{8.6}$$

$$J^-(x_i,x_k)=\{j|1\leqslant j\leqslant n, y_j(x_i)<y_j(x_k)\} \tag{8.7}$$

（2）计算和谐性指数。设 I_{jk} 为 x_i 不劣于 x_k 的属性的权重之和在所有属性权重的总和中所占的比例，$\hat{I}_{ik}$ 为 x_i 优于 x_k 的属性的权重之和与 x_i 劣于 x_k 的属性的权重之和的比例，则有

$$I_{jk}=\left(\sum_{j\in J^+(x_i,x_k)}\omega_j+\sum_{j\in J^=(x_i,x_k)}\omega_j\right)\Big/\sum_{j=1}^{n}\omega_j \tag{8.8}$$

$$\hat{I}_{ik}=\sum_{j\in J^+(x_i,x_k)}\omega_j\Big/\sum_{j\in J^-(x_i,x_k)}\omega_j \tag{8.9}$$

其中，ω 表示由决策人设定的各属性的权重，$\omega=\{\omega_1,\omega_2,\cdots,\omega_n\}$。

这里的权重由最小二乘法求得，具体过程如下。

由决策人把目标的重要性做成对比较。在产品平台扩展决策中有 5 个目标，即目标水平效用最大、属性相对重要性最大、轮廓效用最大、扩展成本最低以及

扩展周期最小。把第 i 个目标对第 j 个目标的相对重要性记为 a_{ij}，并认为，这就是属性 i 的权 ω_i 和属性 j 的权 ω_j 之比的近似值，$a_{ij} \approx \omega_i / \omega_j$。将 5 个目标成对比较的结果列入矩阵 $\boldsymbol{A}$。

$$\boldsymbol{A}=\begin{bmatrix} a_{11} & a_{12} & a_{13} & a_{14} & a_{15} \\ a_{21} & a_{22} & a_{23} & a_{24} & a_{25} \\ a_{31} & a_{32} & a_{33} & a_{34} & a_{35} \\ a_{41} & a_{42} & a_{43} & a_{44} & a_{45} \\ a_{51} & a_{52} & a_{53} & a_{54} & a_{55} \end{bmatrix} \approx \begin{bmatrix} \omega_1/\omega_1 & \omega_1/\omega_2 & \omega_1/\omega_3 & \omega_1/\omega_4 & \omega_1/\omega_5 \\ \omega_2/\omega_1 & \omega_2/\omega_2 & \omega_2/\omega_3 & \omega_2/\omega_4 & \omega_2/\omega_5 \\ \omega_3/\omega_1 & \omega_3/\omega_2 & \omega_3/\omega_3 & \omega_3/\omega_4 & \omega_3/\omega_5 \\ \omega_4/\omega_1 & \omega_4/\omega_2 & \omega_4/\omega_3 & \omega_4/\omega_4 & \omega_4/\omega_5 \\ \omega_5/\omega_1 & \omega_5/\omega_2 & \omega_5/\omega_3 & \omega_5/\omega_4 & \omega_5/\omega_5 \end{bmatrix} \tag{8.10}$$

若决策人能够准确估计 a_{ij}（$i, j \in J$），则有

$$\begin{cases} a_{ij} = 1/a_{ji} \\ a_{ij} = a_{ik} \cdot a_{kj},\ \forall i, j, k \in J \\ a_{ii} = 1 \\ \sum\limits_{i=1}^{5} a_{ij} = \dfrac{\sum\limits_{i=1}^{5} \omega_i}{\omega_j} \end{cases} \tag{8.11}$$

当 $\sum\limits_{i=1}^{5} \omega_i = 1$ 时，

$$\omega_j = \frac{1}{\sum\limits_{i=1}^{5} a_{ij}} \tag{8.12}$$

若决策人对 a_{ij} 的估计不准确，则上列各式中的等号应为近似号。这时可用最小二乘法求 ω，即求解

$$\min \left\{ \sum_{i=1}^{5} \sum_{j=1}^{5} \left(a_{ij}\omega_j - \omega_i \right)^2 \right\} \tag{8.13}$$

$$\text{s.t.}\ \sum_{i=1}^{5} \omega_i = 1,\quad \omega > 0,\quad i = 1, 2, \cdots, 5$$

用拉格朗日乘子法解这一有约束纯量优化问题，则拉格朗日函数为

$$L = \sum_{i=1}^{5} \sum_{j=1}^{5} \left(a_{ij}\omega_j - \omega_j \right)^2 + 2\lambda \left(\sum_{i} \omega_i - 1 \right) \tag{8.14}$$

L 对 ω_l（l=1, 2,…, 5）求偏导数，并令其为 0，得 5 个代数方程：

$$\sum_{i=1}^{5}\left(a_{il}\omega_l-\omega_i\right)a_{il}-\sum_{j=1}^{5}\left(a_{lj}\omega_j-\omega_l\right)+\lambda=0,\quad l=1,2,\cdots,5 \tag{8.15}$$

由式（8.15）及 $\sum_{i=1}^{5}\omega_i=1$ 共 6 个方程，其中有 $\omega_1,\omega_2,\omega_3,\omega_4,\omega_5$ 及 λ 共 6 个变量，因此可以求得 $\omega=\{\omega_1,\omega_2,\cdots,\omega_n\}$。

确定高、中、低 3 个阈值 α^*、α^0 和 α^-，使 $0.5<\alpha^-<\alpha^0<\alpha^*<1$。

给定 $d_j^0<d_j^*$（此处 α^*、α^0、α^-、d_j^0 和 d_j^* 都是经验估计值，可以根据情况作适当调整），并确定三个不和谐集：

$$D_j^h=\left\{\left(y_{ij},y_{kj}\right)\middle|y_{kj}-y_{ij}\geqslant d_j^*,\ i,k=1,\cdots,n,\ i\neq k\right\} \tag{8.16}$$

$$D_j^m=\left\{\left(y_{ij},y_{kj}\right)\middle|d_j^*\geqslant y_{kj}-y_{ij}\geqslant d_j^0,\ i,k=1,\cdots,n,\ i\neq k\right\} \tag{8.17}$$

$$D_j^l=\left\{\left(y_{ij},y_{kj}\right)\middle|y_{kj}-y_{ij}<d_j^0,\ i,k=1,\cdots,n,\ i\neq k\right\} \tag{8.18}$$

定义强级别高于关系 O_s 和弱级别高于关系 O_w：

$$x_iO_sx_k\Leftrightarrow\begin{cases}\hat{I}_{ik}\geqslant1,\ \text{且}\\ \qquad \text{i. } I_{ik}\geqslant\alpha^*\text{且}\left(y_{ij},y_{kj}\right)\in D_j^m\quad(\text{对所有}j)\\ \text{或者ii. } I_{ik}\geqslant\alpha^0\text{且}\left(y_{ij},y_{kj}\right)\in D_j^l\quad(\text{对所有}j)\end{cases} \tag{8.19}$$

$$x_iO_wx_k\Leftrightarrow\begin{cases}\hat{I}_{ik}\geqslant1,\ \text{且}\\ \qquad \text{i. } I_{ik}\geqslant\alpha^0\text{且}y_{kj}-y_{ij}<d_j^0\quad(\text{对所有}j)\\ \text{或者ii. } I_{ik}\geqslant\alpha^-\text{且}y_{kj}-y_{ij}<d_j^-\quad(\text{对所有}j)\end{cases} \tag{8.20}$$

利用所得出的强级别高于关系和弱级别高于关系画出产品平台扩展决策问题的强图和弱图，然后对各个方案进行正排序，得到排序结果 $p'(x_i)$。接下来，对各个方案进行反向排序，得到排序结果 $p^0(x_i)$。由于反向排序得到的结果越小方案级别越低，所以要进行处理，$p''(x_i)=1+\max\limits_{x_i\in X}p^0(x_i)-p^0(x_i)$。然后计算 x_i 的平均序 $\overline{p}(x_i)=\left[p'(x_i)+p''(x_i)\right]/2$。最后得到 n 个方案的总排序矩阵。这样，排在最上面的方案就是产品平台扩展的最优方案。

8.3.4　应用案例

应用上述所提出的方法，对某摩托车生产厂的 50 骑士摩托车产品系列的产品平台扩展进行决策分析。该摩托车产品系列原有 20 种车型，该系列摩托车具有相同的外形尺寸、轴距和离地间隙，以及不同的车体颜色、轮胎型号、坐垫形状、前大灯外形和仪表外形。

1. 结合分析阶段

1）确定属性及水平

平台开发团队为产品平台的扩展选定了发动机、启动方式、尾气处理水平、前叉减震由和制动方式等五种属性。制定的五种扩展方案为：更换发动机、启动方式从脚踏改为电动与脚踏混合式、提高尾气处理水平、前叉减震由弹簧式改为弹簧液压混合式以及制动方式由鼓式改为盘式，同时对各种方案的扩展成本和扩展周期进行估计。然后，由市场团队确定结合分析模型中的各个属性及其水平。各个参数的具体数据如表 8.4 所示，表中编号为 1 的水平为源水平，其他编号的为目标水平。

表 8.4 摩托车产品平台扩展方案基础数据

属性		水平		扩展成本/万元	扩展周期/月
序号	描述	序号	描述		
1	发动机	1	49mL（2.1kW），风冷，开发	—	—
		2	49mL（2.1kW），水冷，开发	105.4	15
		3	50mL（3.4kW），风冷，引进	251.0	16
		4	50mL（3.4kW），水冷，引进	272.6	16
2	启动方式	1	脚踏	—	—
		2	脚踏/电动混合式	10.5	6
3	尾气处理	1	空气喷射装置	—	—
		2	催化反应装置	21.1	7
4	前叉减震	1	弹簧式	—	—
		2	弹簧/液压混合式	9.8	6
5	制动方式	1	鼓式	—	—
		2	盘式	1.4	1

2）正交试验设计

市场团队根据以上数据进行正交试验设计。首先组合出结合分析需要的 8 个概念轮廓，然后制作轮廓的卡片，并进行数据资料的收集工作，请目标市场中的消费者进行打分。分数从 1 到 9，分别表示从非常不喜欢到非常喜欢。首先计算所需样本数 $n=\left[z^2\times\left(p\times q\right)\right]\div e^2$，其中 z 为标准误差，取 1.96；p 为总体估计差异性，取 20%；q 为 1–p；e 为可接受误差，取 10%；计算得 n=61.46，取整为 70。该车型定位的细分市场（目标客户）为月收入 2000 元上的消费者，因此随机选取 70 名目标客户进行调查，将打分结果求出平均分。具体的概念轮廓、成本价以及求得偏好得分的平均分如表 8.5 所示。其中概念平台的产品成本价由统一标准制订，整车配置成本价为 2000 元，预计目标市场中摩托车需求量为 10 000 台。

表 8.5　摩托车结合分析模型的概念轮廓

概念轮廓号	属性水平组合	成本价/元	偏好得分
1	（1，1，2，2，1）	2250	3.571
2	（3，2，2，1，1）	2500	5.286
3	（2，2，2，2，2）	2651	6.286
4	（4，1，2，1，2）	2701	6.143
5	（1，2，1，1，2）	2101	5.143
6	（3，1，1，2，2）	2251	4.571
7	（2，1，1，1，1）	2300	5.000
8	（4，2，1，2，1）	2650	6.143

根据表 8.5 的数据设计哑变量，然后进行多元线性回归，得出待估系数并进行检验，进而得出各个水平效用值。各个水平的效用值和各个属性的相对重要性如表 8.6 所示。

表 8.6　各个水平的效用值以及各个属性的相对重要性

属性	水平				属性相对重要性/%
	1	2	3	4	
发动机	–0.911	0.375	–0.339	0.875	33.3
启动方式	–0.893	0.893	—	—	33.3
尾气处理	–0.107	0.107	—	—	4.0
前叉减震方式	0.250	–0.250	—	—	9.4
制动方式	–0.535	0.535	—	—	20.0

3）计算新平台扩展方案的效用值

理论上可组合出 31 种新平台。表 8.7 所示为以单个属性进行一个新水平扩展的 7 个新平台扩展方案，更复杂的新平台扩展方案可以通过逐次增加平台属性来获得，即为这 7 个新平台的复合。

表 8.7　各个轮廓组合的效用值

新平台（轮廓）编号	属性水平组合	效用值
1	（2，1，1，1，1）	–0.910
2	（3，1，1，1，1）	–1.624
3	（4，1，1，1，1）	–0.410
4	（1，2，1，1，1）	–0.410
5	（1，1，2，1，1）	–1.982
6	（1，1，1，2，1）	–2.696
7	（1，1，1，1，2）	–1.126

2. 多目标决策阶段

根据表 8.7 的 7 种产品平台扩展方案，构造如下决策矩阵：

$$\boldsymbol{Y}=\begin{bmatrix} 0.375 & 33.3\% & -0.910 & -105.4 & -15 \\ -0.339 & 33.3\% & -1.624 & -251.0 & -16 \\ 0.875 & 33.3\% & -0.410 & -272.6 & -16 \\ 0.893 & 33.3\% & -0.410 & -10.5 & -6 \\ 0.107 & 4.0\% & -1.982 & -21.1 & -7 \\ -0.250 & 9.4\% & -2.696 & -9.8 & -6 \\ 0.535 & 20.0\% & -1.126 & -1.4 & -1 \end{bmatrix}$$

矩阵前三列数据是结合分析阶段得出的结果，分别是水平效用、属性相对重要性以及轮廓效用的数据；而后两列数据则是相应的技术扩展成本和扩展周期的数据。为了对方案进行排序，上面的决策矩阵已经进行了规范化处理。

接下来确定以上各个属性的权重，由决策者来对各个权重进行评分，得出判断矩阵，用最小二乘法确定各个属性的权重。求得权重向量为

$$\boldsymbol{\omega}=\{0.074,\ 0.149,\ 0.079,\ 0.441,\ 0.257\}$$

构造指数集，并计算和谐性指数。确定高、中、低三阈值α^*、α^0和α^-以及给定$d_j^0<d_j^*$，具体值如表 8.8 所示。进行非不和谐性检验，确定强级别与弱级别关系，并画出强图和弱图（图 8.7）。然后得出排序结果，如表 8.9 所示。最后得出新平台扩展方案的优先级排序为：4 和 7、1 和 6、3、2 和 5。

表 8.8　阈值初始值

参数	初始值
α	$\alpha^*=0.8$，$\alpha^0=0.7$，$\alpha^-=0.6$
d^0	$d_1^0=0.4$，$d_2^0=10\%$，$d_3^0=1.0$，$d_4^0=10.0$，$d_5^0=5.0$
d^*	$d_1^*=0.7$，$d_2^*=20\%$，$d_3^*=2.0$，$d_4^*=100.0$，$d_5^*=9.0$

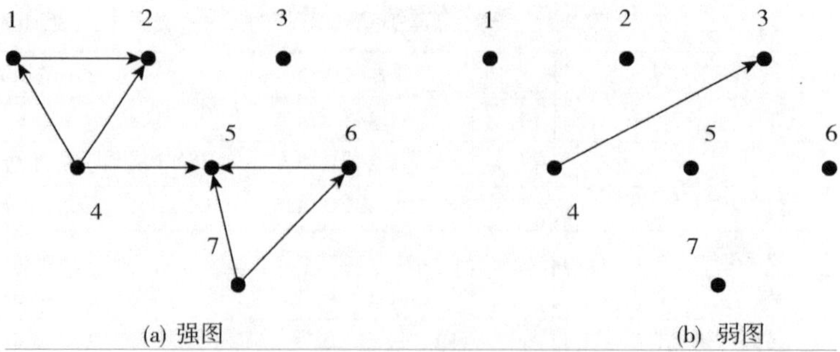

图 8.7　级别高于关系的强图和弱图

表 8.9　方案排序结果

i	1	2	3	4	5	6	7
$p'(x_i)$	2	3	2	1	3	2	1
$p^0(x_i)$	2	1	1	3	1	2	3
$p''(x_i)$	2	3	3	1	3	2	1
$\overline{p}(x_i)$	2	3	2.5	1	3	2	1

3. 结果分析

（1）通过排序结果可以看出，4 号和 7 号的产品平台扩展方案可以用较小的成本和较短的周期达到较高的绩效水平。通过比较 4 号方案与 7 号方案还可以看出，4 号方案可以得到更大的市场效益，而 7 号方案成本较低，周期也较短。

（2）由于企业只能选择一种方案，最后方案的选择要由企业的高层管理人员来进行决策。

（3）大规模定制企业的目标是以较少的技术多样性来实现较多的功能多样性，也就是要满足目标市场中众多的多样化和个性化需求。从结果中可以看出，4 号方案更能满足扩展后市场中的客户需求，所以在成本允许的条件下，企业高层管理人员应更倾向于 4 号扩展方案。

（4）扩展后的产品平台同样可以与现有的定制件进行组合，配置出适合于中端市场中大多数消费者需求的产品共 20 种车型，每种车型平均销售 500 辆即可获利。

（5）如果还需要进行产品平台扩展，则可选择 7 号方案，又可产生 40 种新车型。

（6）依此类推，企业可以根据优先顺序逐次进行产品平台扩展，得到更多的新车型。

第 9 章　基于 GBOM 的产品智能配置方法

从产品配置的观点看，所有的产品品种都可以看成是有限零部件的组合，而配置规则限制了零部件的组合方式。产品配置就是根据客户需求和配置规则在所有可能的产品品种中配置出满足客户需求的产品。大规模定制的产品多样性给产品配置的管理提出了新的要求，即以较低的技术多样性去满足较高的产品多样性，通过标准化、通用化和模块化，以尽量少的零部件品种组成尽可能多的产品品种。

产品配置管理已成为连接产品营销管理、产品开发、生产管理和供应管理的桥梁。如何准确、迅速地配置出满足客户需求的产品是一个关键问题（Sabin and Weigel，1998）。然而，传统的产品配置管理系统却无法满足大规模定制模式下产品配置的要求。主要不足存在于以下几点。

（1）传统的产品配置管理是以产品 BOM 为基础的，即一个产品有一个 BOM。以这种方式进行大规模定制的产品配置，将使产品数据量非常庞大，而且有大量的冗余数据，这将大大降低产品配置的效率。随着产品品种的不断增加，产品配置管理将变得更加困难，同时也给大规模定制企业的产、供、销及产品开发带来很大的不便和低效率。

（2）传统的产品配置管理主要应用于版本管理、互换件替换件的选择以及部分部件的变量选择，无法有效地支持大规模定制下针对客户需求的灵活配置。在大规模定制下的产品配置系统需要能够支持客户需求的灵活表达，并实现功能要求与原理结构的匹配，从而实现客户需求与企业生产能力的匹配。

（3）传统的产品配置管理没有与生产管理有效地集成起来，没有考虑产品的全生命周期的管理，从而无法满足大规模定制所提出的降低生产过程中的技术多样性，提高生产过程快速响应能力的要求。同时，由于没有实现集成，配置管理无法提供定制产品的生产信息和价格信息，如交货时间、产品价格、进度等，而这些信息往往是客户定制的重要依据，能有效提高客户满意度。

因而需要探求一种在大规模定制生产模式下高效率的产品配置管理方法和技术。该方法是一种基于产品族模型的配置管理方法，能够将各种不同产品构成的最终产品物料清单及工艺流程数量减至最少，消除大规模定制产品族数据管理中的冗余，提高数据管理和生产管理的效率，并对产品的销售、设计和生产的整个定制过程产生影响。

在销售阶段，产品族配置管理为客户选择和表达其定制需求提供了有效的工具，能够有效地消除客户和企业之间的信息不对称，实现客户需求与企业能力的匹配，避免大规模定制变为大规模混淆。同时，产品族配置管理（与生产管理系统集成）能够为客户提供定制产品的生产信息和价格信息，辅助客户进行决策，并提高客户满意度。

设计阶段又可以分为产品族开发和定制产品开发两个阶段。在产品族开发阶段，产品族配置管理能够有效地管理大量的产品品种，保证其一致性，为产品族开发过程提供支持。在定制产品开发阶段，产品族配置管理能够根据客户的定制需求配置出定制产品的 BOM，并激活相应的工作流对部分零部件进行快速变形设计。

在生产阶段，产品族配置管理利用相似性原理，减少冗余的物料流程和工艺流程，降低内部技术多样性，提高生产过程的响应能力，降低生产成本。

9.1　基于 GBOM 的产品族模型

大规模定制下的产品品种往往十分庞大，这增加了配置管理的复杂性。配置管理复杂性主要体现在准确理解客户需求和保证配置方案的一致性两个方面。对客户需求的理解不准确会导致产品不能完全满足客户需求；不一致的配置方案将增加产品开发的时间和成本。解决这个问题的关键在于建立一个集成了产品结构信息、配置约束规则和客户需求的产品族模型。

9.1.1　GBOM

BOM 常用来表示产品结构信息，它反映了零部件、原材料与产品之间的构成关系、数量关系以及装配顺序。BOM 是 PDM 中最重要的数据结构，它的准确性和科学性将直接影响 PDM 系统的运行和效率。根据构造结构的不同，又可以分为确定 BOM、MBOM 和 GBOM 等。

传统的产品结构表达方法大都是采用确定 BOM。在这种 BOM 中，产品是由一些零部件构成，其中的部件又有各自的 BOM，因而整个 BOM 是一个层次结构。所有零部件位于这个层次结构的不同节点上，位于最低层的叶节点是采购件或者原材料。在确定 BOM 中，每个节点上的零部件都是确定的，用一个唯一的标识符来表示。因此，每一个产品都对应一个 BOM。当产品品种增加时，将导致 BOM 结构冗余，并带来管理的低效。

模块的物料清单（modular BOM，MBOM）的出现解决了多品种产品的 BOM 结构冗余问题。MBOM 按照产品被定制的方式构建，由一系列反映定制选项的模块构成。模块与定制选项之间一一对应，通过定制选项的组合可以形成不同的产品 BOM。但是，MBOM 丢失了产品结构关系，因而不能满足装配、设计和服务的需要。

类物料清单（generic BOM，GBOM）提供一种用有限数据描述大量产品品种的方式，避免了结构冗余，同时保持了 BOM 的结构信息。GBOM 由一个 BOM 结构和一个选择树构成（Hegge and Wortmann，1991）。其中，BOM 结构是一个由类零部件组成的层次结构，它表示了产品系列中的通用产品结构；选择树是一个由变量、变量值和配置规则构成的层次结构，它表示产品配置的过程。沿选择树的不同分支进行选择能够确定一个具体的产品 BOM。在 GBOM 中用 BOM 结构来管理产品系列中的通用产品结构，即一个产品系列只需要存储一个产品结构。GBOM 利用选择树来管理具体产品，通过展开选择树，并逐层确定变量值来确定产品 BOM。不同产品的差异通过叶节点上零件的差异来体现，零件独立于具体的产品，因此只需存储最低层的零部件，而不是存储具体产品的 BOM，从而最大限度地降低了产品结构的冗余。

9.1.2 基于 GBOM 的产品族结构模型

根据 2.3 节介绍的产品族模型，产品族的体系结构可以用功能视图、技术视图和结构视图来表述。其中，产品族结构模型是产品功能原理的具体实现，表达了与产品族描述、配置相关的所有信息，包括产品结构、配置规则等。产品族结构模型是保证产品族数据管理高效、低冗余的关键。

产品族结构模型应该满足以下要求：①模型应该具有丰富的表达能力，同时保持模型概念集的最小化；②模型能够根据客户需求确定出产品 BOM，并及时地验证配置方案的一致性；③模型应该具有描述和配置大量产品品种的能力，并且具备低结构冗余和高配置效率；④模型能够对现实对象进行形式化描述，并能够根据客户需求的改变而扩展更新，这就要求模型中组件的定义独立于模型；⑤模型应该能够被非专业设计人员（如销售人员、客户）理解和使用。

1. 产品族结构模型的组成

针对上述要求，基于 GBOM 的产品族结构模型由产品族 BOM 结构与产品族选择树两部分构成。模型由以下几个概念组成。

1）类零部件

类零部件实际上是一组相似零部件的集合。这种相似性包含两方面的含义：①它们都位于相同的 BOM 节点上；②它们具有相同的接口，可以互换。这些相似的零部件体现了客户不同的定制需求，被称为类零部件中的实例。例如，红色的椅子靠背 *h*1、灰色的椅子靠背 *h*2、黑色的椅子靠背 *h*3 和蓝色的椅子靠背 *h*4

是产品椅子的四种不同零部件，它们具有上述两方面的相似性，因而可以组成一个零部件集合 H，可以表示为 $H=\{h1, h2, h3, h4\}$，其中 $h1$、$h2$、$h3$ 和 $h4$ 被称为类零部件 H 的实例。

2）产品族 BOM 结构

产品族中所有的产品变量共享通用产品结构。它可以由产品族 BOM 结构来表示。产品族 BOM 结构是由类零部件以及它们之间的关系组成的一个层次结构。产品族 BOM 结构区分了不同的产品族。

3）变量集

每一个零部件都有一系列的属性，如尺寸、材料、颜色等。在它们中，能够唯一标识实例的最小公共属性集合被称为类零部件的变量集。例如，类零部件 H 中的四个实例可由两个变量标识，可记为 $P(H)=\{\text{color}\}$。变量可以取一组连续的值，由用户或约束确定其数值（如尺寸、价格），也可以是一组间断的值（如颜色）。变量以及变量的值能够被子类零部件继承。变量分为外部变量、内部变量和独立变量。内部变量由客户确定值，外部变量通过继承赋值。独立变量通过约束求解其值。在变量集中所有变量的一组值能够唯一确定一个类零部件的实例。这种实例确定方式有别于传统的直接用标识符来确定实例的方式，实例的确定更加灵活。变量的继承在建模阶段完成。变量值的继承在配置过程中完成。

4）间接确定方式

在确定 BOM 中，直接用标识符来确定零部件的方式被称为直接确定方式。在产品族模型中，产品变量 BOM 的确定是通过变量来实现的。这种方式被称为间接确定方式。例如，$h1=S\{H|\text{color} = \text{red}\}$，$h3=S\{H|\text{color} = \text{black}\}$。

5）产品族选择树

每一个变量的值都能确定该类零部件的一个选择子集。例如，H 的一个变量值 red 就能确定 H 的一个选择子集，记为 $S(H|\text{color=red})$，表示类零件 H 中所有满足变量值 red 的实例的集合。它是类零部件 H 的子集，记为 $S(H|\text{color=red})$包含于 H。随着变量的逐个确定，选择子集逐层细化，形成了类零部件的选择树。所有类零部件的选择树由泛化关系、聚合关系连接成产品族选择树。产品族配置过程实际上就是产品族选择树的逐层确定过程。

6）约束

约束也被称为配置规则，是设计知识的表达。它和聚合关系、泛化关系一起限制了不同的类零部件实例组合成产品的方式，表达了实例的设计要求。在产品族结构模型中，存在两类约束：逻辑约束和算术约束。逻辑约束决定实例的选择，又可分为相联约束和互斥约束。相联约束表示两个实例必须一起选择。互斥约束表示两个实例不能一起选择。算术约束表达实例的物理和性能方面的定制要求。

2. 产品族结构模型的建立

图 9.1 所示为四个不同产品变量的 BOM 结构。基于上述产品族结构模型的概念，针对这个四个产品变量的 BOM 建立一个产品族结构模型。产品族中的产品变量 BOM 都具有一一对应的 BOM 结构，有差异的仅仅是叶节点上的零件，以及包含该零件的部件。把产品族中叶节点上这些具有差异的零件组成一个类零件。相应地，具有差异的部件组成一个类部件。这些具有差异的零部件是类零部件集合中的实例。类零部件中所有实例的公共属性被提取出来作为类零部件的属性。在图 9.1 中，产品族 P 中的产品 $p1$、$p2$、$p3$、$p4$ 具有一一对应的 BOM 结构。仅仅是叶节点上的零件 $d1$、$d2$、$d3$ 和 $d4$，零件 $e1$ 和 $e2$，及其相应的部件 $b1$、$b2$、$b3$ 和 $b4$ 具有差异。把零件 $d1$、$d2$、$d3$ 和 $d4$ 组成一个集合，用类零件 D 来表示。把零件 $e1$ 和 $e2$ 组成一个集合，用类零件 E 来表示。把部件 $b1$、$b2$、$b3$ 和 $b4$ 组成一个集合，用类部件 B 来表示。分别记为 $D=\{d1, d2, d3, d4\}$，$E=\{e1, e2\}$，$B=\{b1, b2, b3, b4\}$。这样可以得到一个能够表征产品族中所有产品的结构框架，建立起基于 GBOM 的产品族 BOM 结构模型。产品族 P 的 BOM 结构模型如图 9.2 所示。其中，par1 和 par2 是类零部件的变量。为了保证研究的一般性，假设在产品族 BOM 结构模型中，每一个零部件都是类零部件。特殊情况下，类零部件只有一个实例，例如，类零件 A、C 的集合中都只有一个实例。

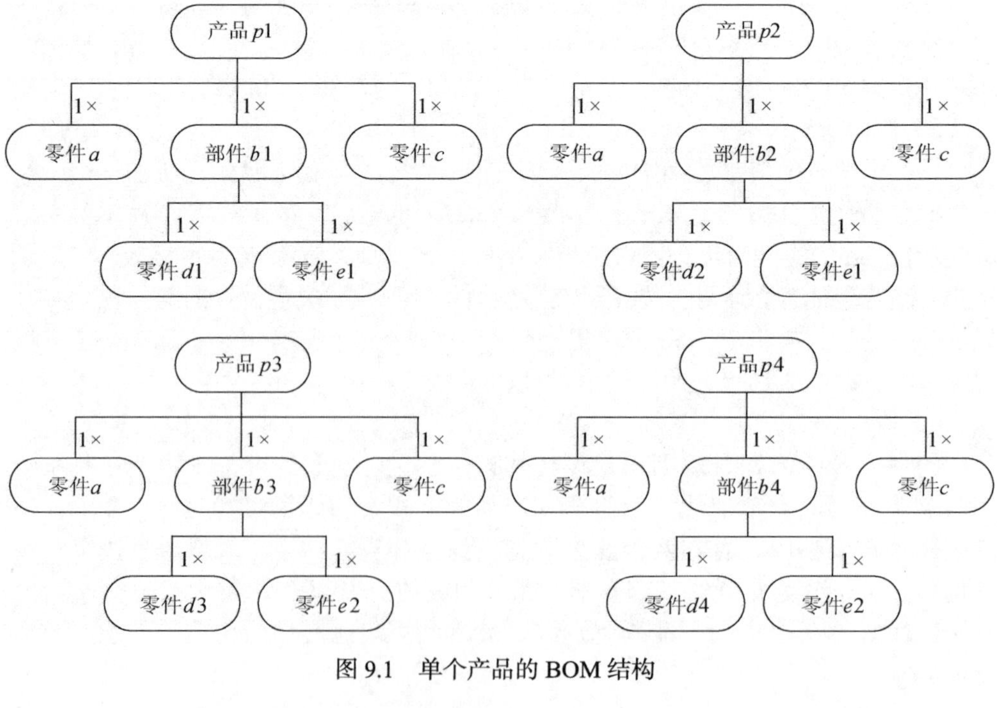

图 9.1　单个产品的 BOM 结构

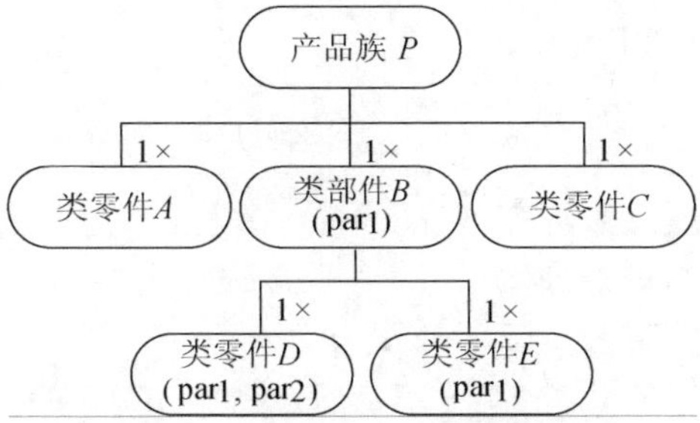

图 9.2　产品族的 BOM 结构模型

分析产品族 BOM 结构中类零部件的属性，找出除了零件编号或零件名之外能够作为类零部件中实例的唯一标识的最小属性集。这些类零部件的属性组成的集合就是类零部件的变量集，用 $P(X)$表示类零部件 X 的变量集。在上面的例子中，设类零件 D 的变量集 $P(D)$={par1, par2}，类零件 E 的变量集 $P(E)$={par1}。变量集中每一个变量都有一组变量值。设 par1={val11, val12}，par2={val21, val22}。一般地，所有的类零部件都有与之相关联的变量集。当类零部件的集合中只有一个实例，且该实例不是结构可选件时，变量集为空，如 $P(A)=\varnothing$。变量集中变量值任意被允许的组合都能唯一确定类零部件集合中的一个实例。例如，在类零件 D 的变量集中，par1 取值 val11，par2 取值 val21 就能唯一确定类零件 D 的实例 $d1$。在类零件 E 的变量集中，par1 取值 val11，就能唯一确定类零件 E 的实例 $e1$。

在产品族中，不是任意类零部件中实例的组合都能被允许，还必须要满足约束关系。例如，类零件 D 选实例 $d1$，$d2$，对应类零件 E 只能选实例 $e1$；类零件 D 选实例 $d3$，$d4$，对应类零件 E 只能选实例 $e2$，这是逻辑约束关系。解决方法是给 D 和 E 设置相同的变量 par1，并把其提出来，作为它们最低层父类部件 B 的变量。这个变量被称为该子类零件 D 与 E 的外部变量，该父类部件 B 的内部变量。子类零件的外部变量值需要从其父类部件的内部变量继承而来。

在上例产品族中还存在算术约束关系，如产品变量的总重量不能大于 8.1kg，记为 P. weight<8.1kg。而产品变量的总重量等于由各零部件的重量之和。

类零部件变量集中每一个变量的值都能确定该类零部件的一个选择子集。例如，D 的一个变量值 val11 就能确定 D 的一个选择子集，记为 $S(D|$ par1=val11)，表示类零件 D 中所有满足变量值 val11 的实例的集合。在所有选择子集中，类零部件的外部变量值所确定的选择子集被称为该类零部件的顶层选择子集。外部变量值与其他变量的组合可以逐层细分更下一层的选择子集，并最终形成该类零部件的选择树。其中，位于选择树最低层无法再分解的叶节点被称为底层选择子集。所有类零部件的选择树由各种关系（如继承关系）连接在一起构成该产品族选择树。由此建立类部件 B、类零件 D 和 E 的选择树，构成完整的产品族选择树模型，如图 9.3 所示。其中，D 的四个底层选择子集分别等于{$d1$}、{$d2$}、{$d3$}、{$d4$}；

E 的两个选择子集分别等于{$e1$}、{$e2$}。

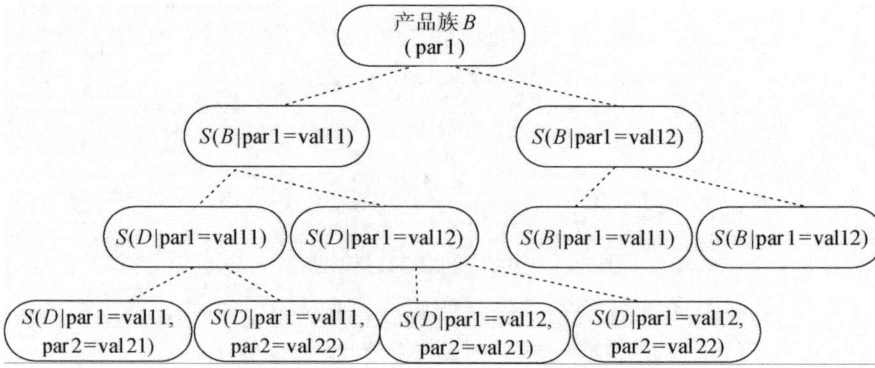

图 9.3　产品族的选择树模型（冯韬等，2003）

一个完整的基于 GBOM 的产品族结构模型如图 9.4 所示。其中，(par1, par2) 是类零部件 D 的变量集，val11，val12 是变量 par1 的值，$S(D|\text{par1=val11, par2=val21})$ 是类零部件 D 的一个选择子集。该选择子集确定了类零部件 D 的一个实例。图 9.4 中实线连接的部分构成产品族的 BOM 结构，虚线连接的部分构成产品族选择树。实线表示 AND 关系，其连接的节点在最终的产品变量 BOM 中都必须存在。虚线表示 XOR 关系，其连接的节点在最终的产品变量 BOM 中只允许存在一个。另外，算术约束直接附加于节点上。

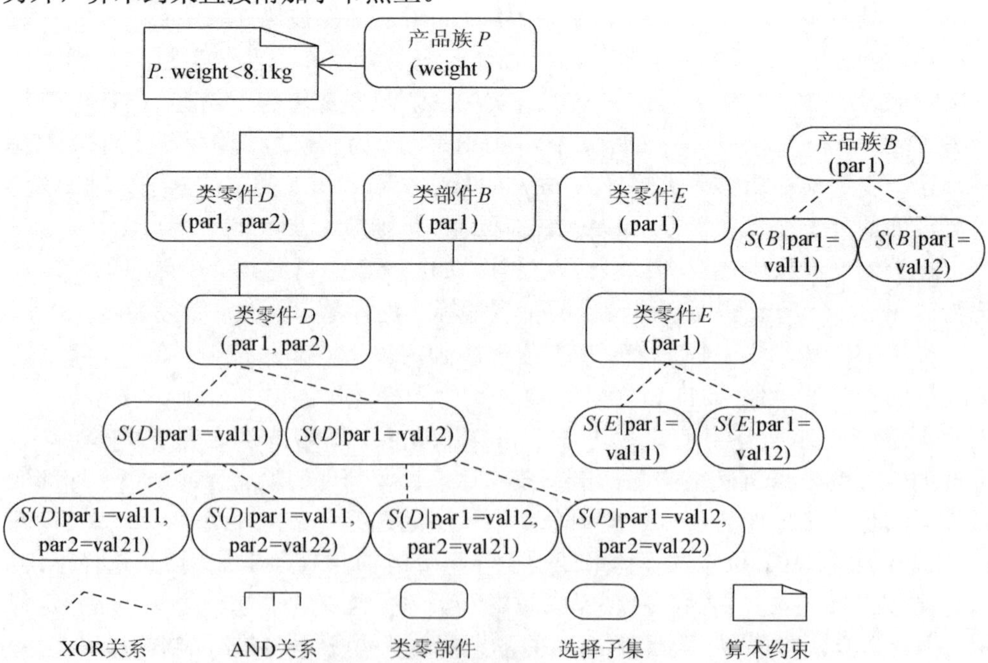

图 9.4　一个完整的产品族结构模型（但斌和冯韬，2005）

9.1.3 产品族模型的知识表达

产品族模型不仅需要被人理解，还需要能够被计算机处理。因此，产品族模型必须进行形式化定义和表述。这里采用面向对象的方法对产品族结构模型进行形式化定义，采用约束对象作为产品族结构模型的知识表示方法。

1. 约束对象表示方法

约束对象表示方法是对面向对象的知识表示方法的一种改进。在面向对象的知识表示方法中，对知识的描述通常基于对象的标识，把知识作为独立的对象实体。这种描述方式忽略了知识是相互关联的这一重要的自然属性（李龙澍和程慧霞，1998）。约束对象的结构与传统对象的结构在形式上是一样的，只是在传统对象的输入输出消息中包含了对其他对象的约束消息。约束对象的表示方法将知识的表示、处理与知识之间的相互约束关系作为对象的属性和方法有机地结合在一个受约束的对象里，从而更有利于产品族结构模型的理解使用和更新维护，并能够有效地表示模型中的约束关系，实现对象之间约束关系的动态增加、删除和修改。

2. 产品族模型的约束对象表示

在产品族模型中，类零部件及其实例可以用约束对象方法中类和实例的概念来表述；类零部件的属性用约束对象方法中类的变量来表述；产品族结构模型中的装配关系用类之间的聚合关系来表述；类零部件及其实例的关系用类与实例的泛化关系来表述。产品族结构模型中的算术约束用约束对象方法中的约束消息来表述。产品族结构模型中的逻辑约束也可以采用约束消息的方式来表述，但考虑到模型中逻辑约束是约束的一种主要存在形式，其数量较多，特别是在面向订单装配和面向订单制造方式（是目前最主要的大规模定制方式）中，如果采用约束消息作为逻辑约束的表示方法，将大大增加约束求解的时间复杂度，从而降低配置效率，因此产品族结构模型中的逻辑约束由类变量的继承关系来表述。配置过程中，变量值通过继承关系在产品族选择树中逐层传递，为类零部件的外部变量赋值，从而限制实例的选择范围，实现类零部件之间的相互约束。以相联约束为例，其具体表述方法是给 D 和 E 设置相同的变量 par1，并把其提出来，作为它们最低层父类部件 B 的变量。这个变量是该子类零件 D 与 E 的外部变量，是该父类部件 B 的内部变量。类零部件 D 与 E 从类零部件 B 继承 par1 的值，从而实现相联约束。互斥约束可以转换成相联约束来表述。

采用约束对象的知识表示方法，产品族结构模型中类零部件的形式结构可以表示为一个五元组$\langle S, S_0, \mathrm{in}, \mathrm{out}, \delta\rangle$。其中，$S$ 为类零部件的状态集，$S_0 \in S$ 为类零部件的初始状态，in 为类零部件的输入消息集，out 为类零部件的输出消息集，δ 为状态转换映射，记为δ：$S\times \mathrm{in} \to S\times \mathrm{out}$。in 和 out 中的输入输出消息既包括传递消息，也包括约束消息。

3. 类零部件的表示

一个类零部件是由一组属性和方法组成。属性的值决定了类零部件的状态。算术约束关系通过发送消息的方法实现。

一个类零部件的属性至少包括：①类零部件的标识；②活动标志；③指向父子约束的指针链；④状态列表，用于状态的回滚；⑤变量集及其权重；⑥模糊匹配λ截值。

一个类零部件的方法至少包括：①类零部件的构造析构子；②类零部件激活时的初始化操作；③类零部件实例化时的模糊匹配操作；④匹配成功时的操作，包括发送约束消息；⑤匹配失败时的操作，包括回滚到前一状态，并废除相应约束的消息。

一个基本的类零部件可表示如下：

```
class NodeD
{
    Attribute:
    ID   ClassId;
    Flag   ActiveFlag;
    Class   * FirstChild, *NextSibling;
    List   state;
    Public Variable   par1, par2;
    Weight   w1, w2;
    Value   λ;
    Method:
    NodeD(){};
    ~NodeD(){};
    Initialize(){};
    Match(){
    if (success){
    SendMessage (ID ClassId, Variable var1,
    Variable var2) {}; }
    else {
    RollBack (){};
    WithdrawMessage (ID ClassId, Variable var1,
    Variable var2){}; }
    };
}
```

4. 产品族模型及其知识表示的作用

基于 GBOM 的产品族结构模型及其基于约束对象的知识表示方法具有最小化的概念集，并能够描述 ATO 和 MTO 中复杂的逻辑约束、也能够描述面向订单设计中复杂的算术设计约束。由于模型在叶结点上管理零部件的差异，在实际储存时，只需储存结构模型和存在的零部件实例，而不需存储具体的产品变量，可以降低产品结构冗余（一个产品族只需储存一个通用的 BOM 结构），缩小配置推理的搜索空间。因为并不是所有实例的组合都能构成产品变量，它们首先必须满足公共的 BOM 结构，其次满足逻辑约束和算术约束。公共 BOM 结构的建立，使配置搜索在模型的公共结构内进行，有效地缩小配置搜索空间。由于配置始终是在产品族结构模型的选择树上进行，能够有效地保证配置方案的一致性。在产品族的使用过程中，随着客户需求的变化和细化，新的零部件实例以及相应的配置规则会不断增加。模型的约束封装于类零部件之中，实例与类零部件分别存储，有利于实例和约束的更新维护。另外，逻辑约束可以通过变量的继承来表达，通过继承关系变量能够直接被赋值，从而大大减少需求解的约束数量，有效地提高配置效率。

9.2　基于 GBOM 产品族模型的产品配置

从满足约束的观点看，产品族配置过程可以看成是在客户需求的驱动下，在所有可能的实例组合方案中搜索满足约束的最优配置方案的过程。因此，配置问题可以被看成约束满足问题来求解。在 ATO 和 MTO 方式下，采用基于约束的推理方法即可完成整个配置过程（实例皆是确定的）。在 ETO 方式下，还需要对实例进行变形设计（部分实例事先不确定）。因此，这里采用基于约束和实例的配置推理方法来实现整个产品配置过程。

9.2.1　产品配置方法

将客户选择的功能要求转换为一组内部变量值。深度优先遍历产品族选择树，为节点变量赋值，确定类零部件的选择子集，去除产品族选择树中不符合约束和客户需求的分枝（其分枝的子节点也同时被去除）。重复这一过程，直至所有的变量都被赋值，所有不满足约束的分枝都被裁减，最终得到一棵确定的产品变量 BOM。由于约束以及变量都是附加于类节点上的，不同节点的选择都将引入新的不同的变量和约束，配置问题实际上是动态的约束满足问题。其中，产品族选择树的数据结构采用二叉链表表示如下：

```
typedef struct Node
{
```

```
struct Data{ID ClassId, Variable var};
struct Node * FirstChild, *NextSibling;
}Node, *Tree;
```

9.2.2 产品配置推理的流程

产品配置推理的流程如下。

1）变量值的确定

将销售配置中客户选择的功能转换为产品族模型中内部变量的值，这些值被存储于已知变量表中。

2）模型的实例化

模型的实例化是在深度优先遍历产品族选择树的过程中完成的。模型的实例化需要首先对模型中所有变量赋值。产品族结构模型由一系列类零部件组成，模型的实例化可以被分解为类节点的实例化。同样，类节点的实例化需要首先确定节点上所有变量的值。类节点的实例化过程如下。

（1）获取节点的一个外部变量，搜索已知变量表，依据继承关系为该外部变量赋值。直至所有外部变量都进入已知变量表。

（2）将节点的独立变量储存于未知变量表，节点的约束进入约束队列。利用约束传播算法求解独立变量的值，已求值的独立变量储存于已知变量表。

（3）根据外部变量、内部变量和独立变量的值逐一检查其子节点的选择子集，去除变量值不相符的子节点。如果去除的子节点是枝节点，其下级的枝叶节点也同时被去除。

（4）如果子节点是叶节点的话，根据该节点的变量集在实例表中选择类的相应实例，并用对应实例的标识号代替产品变量 BOM 中的变量。如果叶节点对应的实例在表中不存在，将该节点的变量集中已知的变量值存入一个结构体数组。

（5）如果子类节点是枝节点的话，返回第一步执行。

当整个遍历完成后，约束队列和未知变量表将被清空，产品族选择树将只剩下有效的分枝，这就是产品变量 BOM。如果结构体数组为空且产品族实例化的结果唯一，则配置结束，将配置结果传递给生产部门用于生产配置。这种定制方式即为 ATO 或 MTO。如果结构体数组不为空且产品族实例化的结果唯一，则进入步骤（5）。如果产品族实例化的结果不唯一，则进入步骤（3）。

3）利用资源表达式收缩可行域空间

根据资源表达式排除部分配置方案。配置方案耗用的资源可以通过计算各零部件所耗用资源来得到。

4）根据优化准则选取最优方案

优化准则一般是追求资源的最小化和性能的最大化，如 min price AND max

power。至此，在现有产品中，搜索到一个满足客户需求的确定产品 BOM。如果这个确定 BOM 的结构体数组为空，则配置结束，将配置结果传递给生产部门用于生产配置。否则直接进入下一步。

5）实例匹配

在 ATO 和 MTO 方式下，得到的产品变量 BOM 就是一个确定的产品 BOM，但在 ETO 方式下，还存在需变形设计的实例。变形设计是根据设计要求在已有相似实例的基础上修改而成。相似实例的选择可采用基于实例推理中的模糊匹配算法实现。需设计实例与已有相似实例的贴近度由匹配度表示。具体算法如下。

（1）设 $F=\{f_1, f_2, f_3,\cdots, f_n\}$ 表示需设计实例的一组变量值。

（2）设 $V=\{v_1, v_2, v_3,\cdots, v_n\}$ 表示已有实例的一组变量值。

（3）设 $W=\{w_1, w_2, w_3,\cdots, w_n\}\in[0, 1]$ 表示与变量相应的相对权重，且满足

$$\sum_{i=1}^{n} w_i = 1 \tag{9.1}$$

（4）F 与 V 的带权广义距离为

$$d(F,V,W) = \sqrt[p]{\sum_{i=1}^{n} w_i (f_i - v_i)^p / n} \tag{9.2}$$

其中，p 表示距离参数；p=1 表示海明距离；p=2 表示欧氏距离。

（5）匹配度为

$$(F,V,W)_d = 1 - d(F,V,W) \tag{9.3}$$

当 $F=V$ 时，$f_i=v_i$（i=1, 2,⋯, n），$d(F, V, W)$=0，$(F, V, W)_d$=1。当 f_i=1，v_i=0 或 f_i=0，v_i=1（i=1, 2,⋯, n）时，$d(F, V, W)$=1，$(F, V, W)_d$=0。

（6）当 $d(F, V, W)\geqslant\lambda$ 时，所选实例为相似实例。满足这一条件的相似实例可能有多个，可选择匹配度最大的实例作为设计模板。

（7）快速变形设计。在选出的设计模板上根据设计需求（对象的变量集的值）采用如图 2.12 所示的粘贴、缩放、剥离和交换四条变形设计规则定制设计实例，并将其加入实例库。随着产品族的成熟，实例库中实例的增多，大多数 ETO 将转变为 ATO 或 MTO。

6）产品变量 BOM 的确定

用定制实例的标识号代替产品变量 BOM 中相应节点的变量，形成产品变量的确定 BOM。

9.3　摩托车产品的应用案例

以一个摩托车产品族为例说明产品族的建模方法。本例中的摩托车产品族是

某系列的踏板车。该系列车型具有大致相同的外形尺寸、轴距、离地间隙和制动方式等，不同的是发动机的排量（功率）、启动方式、排气装置、前叉减震方式、轮胎以及车体颜色等。该系列车型的发动机排量（功率）有国产 49mL（1.8kW）与进口 50mL（3.4kW）两种；启动方式分别为脚踏反冲式、电动和脚踏反冲混合式两种；针对不同排量的发动机有两种排气装置；前叉减震方式有弹簧式、弹簧液压复合式两种；轮胎有带深沟纹和不带深沟纹两种；车体颜色有白、黄、黑三种。

该摩托车产品族的约束关系为：①为保证整车色调的协调，即面板、侧盖、前围、前边轨均采用相同的颜色。②发动机与排气装置在选择上具有相关性。当发动机排量是 50mL（3.4kW）时，对应排气装置的排量也应为 50mL 型；当发动机排量是 49mL（1.8kW）时，对应排气装置的排量为 49mL 型。

1. 摩托车产品族的 GBOM 结构模型

基于上述产品族结构管理的原理，建立如图 9.5 所示的该摩托车产品族的 BOM 结构模型，其中，产品族及类零部件均用物料编号加大写字母 G 来表示。图 9.5 中的变量 capacity、ignition、damping、color、type 分别表示排量、启动方式、前叉减震方式、颜色和轮胎类型。为简化起见，这里仅列出动力系统的选择树，如图 9.6 所示。图 9.6 中，变量 ignition 的值 manual、complex1 分别表示脚踏反冲式、电动和脚踏反冲混合式。其他的变量值有：damping={spring, complex2}，color={white, yellow, blue}，type={groove, normal}。

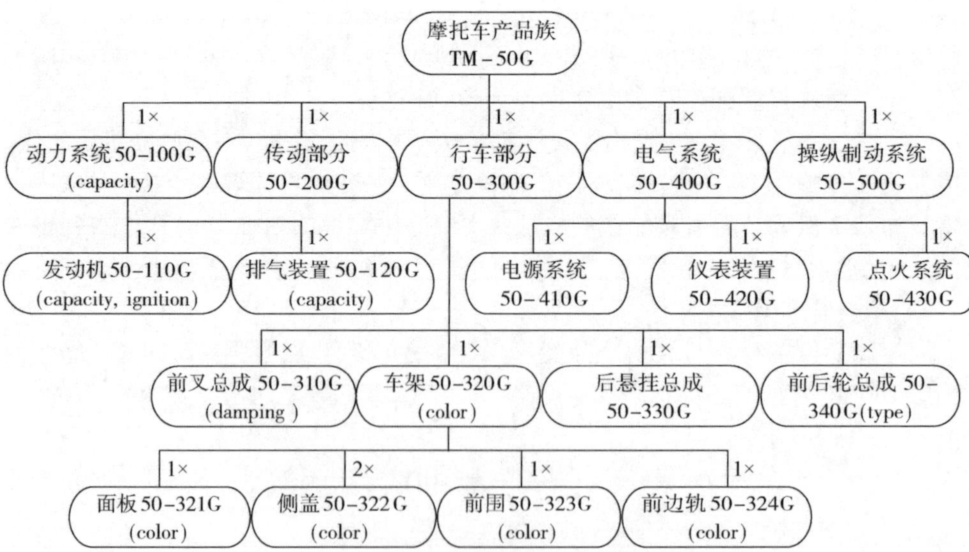

图 9.5　摩托车产品族的 BOM 结构

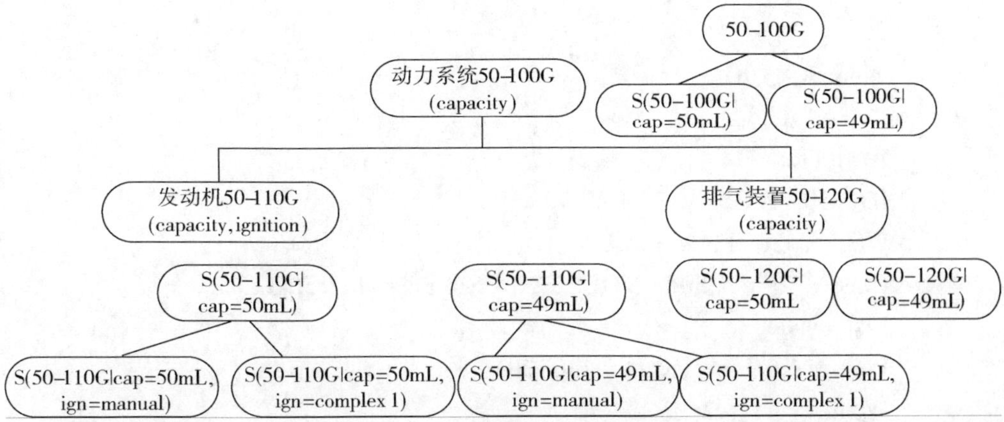

图 9.6　动力系统的结构模型

2. 摩托车产品族模型的知识表达

应用基于约束对象的知识表示方法，该摩托车产品族结构模型可以表示如下：

```
class Node50-100G
{
    Attribute:
    ID   50-100G;
    Flag   ActiveFlag=true;
    Class   * FirstChild= Node50-110G, *NextSibling= Node50-200G;
    List   state;
    Public Variable   capacity;
    Weight   w;
    Value   λ;
    Method:
    Node50-100G (){};
    ~Node50-100G (){};
    Initialize (){};
    Match (){
    if (success){
    SendMessage (ID ClassId, Variable capacity){};}
    else {
    RollBack (){};
    WithdrawMessage (ID ClassId, Variable capacity) {}; }
    };
```

```
}
class Node50-110G
{
    Attribute:
    ID   50-110G;
    Flag   ActiveFlag=true;
    Class   * FirstChild= NULL, *NextSibling= Node50-120G;
    List   state;
    Public Variable   capacity, ignition;
    Weight   w1, w2;
    Value   λ;
    Method:
    Node50-110G (){};
    ~Node50-110G (){};
    Initialize (){};
    Match (){
    if (success){
    SendMessage (ID ClassId, Variable capacity,
    Variable ignition) {}; }
    else {
    RollBack (){};
    WithdrawMessage (ID ClassId, Variable capacity,
    Variable ignition){}; }
    };
}
class Node50-120G
{
    Attribute:
    ID   50-120G;
    Flag   ActiveFlag=true;
    Class   * FirstChild= NULL, *NextSibling= NULL;
    List   state;
    Public Variable   capacity;
    Weight   w1;
    Value   λ;
```

```
    Method:
    Node50-120G (){};
    ~Node50-120G (){};
    Initialize (){};
    Match (){
    if (success){
    SendMessage (ID ClassId, Variable capacity){}; }
    else {
    RollBack (){};
    WithdrawMessage (ID ClassId, Variable capacity){}; }
    };
}
```

该摩托车产品族结构模型可以表示和配置该产品族中共 48 种派生产品。

第10章　基于本体映射面向模糊客户需求的产品配置方法

当前，企业面对的不再是单一和稳定的市场环境，而是存在多样化和个性化客户需求的瞬息万变的市场环境。客户需求更是成为企业开展各项生产经营活动的出发点和原始驱动力，是直接影响产品质量的关键因素。大规模定制是客户驱动的、以满足客户要求为定制条件的生产模式，产品配置作为一种有效联系客户个性化需求与定制产品的手段，是使大规模定制接近大批量生产的成本和效率的关键技术。客户需求表达产品应该具有的功能和属性，是大规模定制中产品配置设计的最初来源，更是指导产品配置的重要依据和贯串产品配置始终的线索。客户在选择产品时，由于对产品功能和性能等方面的认识和了解程度有限，且不同客户对不同属性的偏好也不相同，客户对产品提出的需求往往是不规范的、模糊的。因而，在客户需求驱动的产品配置中，对客户模糊需求的准确表达和理解是产品配置的一项关键技术。

10.1　基于本体映射的定制产品配置总体框架

面向模糊客户需求的产品配置需要建立模糊客户需求与企业产品族中产品变量的映射关系。下面将首先分析模糊客户需求和用于产品配置的产品族实例，然后在此基础上建立面向模糊客户需求的产品配置总体框架。

10.1.1　模糊客户需求分析

1. 模糊客户需求

为了有效获取和准确表达多种多样的客户需求，大规模定制环境下的客户需求信息可划分为二元型、选项型、参数型、描述型和解释型五种类型（见3.1节）。客户在选择产品时，由于对产品功能和性能等方面的认识和了解程度有限，不同客户对不同属性的偏好也不相同，客户对产品提出的需求往往是不规范、模糊、抽象或不完整的，甚至在一些情况下是相互矛盾的。这些需求项既包含定量指标项又包含着定性指标项。对于一个具体的客户需求，其需求项指标属性通常也混合着这两类属性指标。如客户对摩托车的耗油量用“较小”“很小”等模糊性词汇来表达，对价格用“大约多少”“不高于多少”等词语。

一般说来，客户需求的模糊性主要体现在以下两个方面。

1）需求概念的模糊性

在面向特定客户群的前提下，客户需求可以转化为对产品族中特定需求特征参数属性值的认可或评判。客户一般是根据以往的使用经验或产品的使用状况，直接对现有的产品族特征参数提出定量或者定性的要求。因而，需求概念的模糊性就主要体现在概念相关的特征参数属性值的模糊性上。例如，要求产品的制动性能良好、价格不超过某值、颜色偏深一些，以及对产品的噪声提出希望再小一点的意愿性要求等。在这些客户需求中，制动性能、价格、颜色、噪声等特征参数的属性值均具有明显的不确定性和模糊性。

2）需求概念间关系的模糊性

在客户提出的所有需求特征参数中，不同需求特征参数对最终配置结果的影响程度不同。有的特征参数会影响到整个配置方案，但有的对整个方案影响不大。例如，外观颜色的变化对整个方案的影响就不大。另外，由于需求特征参数之间存在着相互关联关系，某个特征参数的变化会提高另外一些特征参数的值，也有可能使某些特征参数的值降低。这部分关系一般都是根据设计人员经验或者试验结果得到，因而需求特征参数对配置结果的影响以及需求特征参数之间的这部分关系是模糊的、不精确的。

2. 需求参数转换规则

在客户需求域中，产品族级、产品级、模块级三级需求特征参数由客户需求空间和需求参数空间来描述。客户需求空间是客户在对产品功能、性能、外形、价格等了解的基础上，从客户角度出发对需求的直观描述。需求参数空间是客户的直观描述经转化后可直接参与产品配置的参数集，是产品配置的入口参数和约束条件。客户需求空间中的需求信息分为二元型、选项型、参数型、描述型和解释型五种类型。客户需求空间中不同类型的客户需求需要采用不同的映射方法。

（1）二元型和选项型需求以结构化的简单文字来进行描述。这类需求的映射按照“文字—字符转换规则”进行字符化处理，并以关键字进行检索。例如，1 表示选择摄像头，0 表示不选择摄像头；A 表示电脑机箱为白色，B 表示银色，C 表示黑色等。

（2）参数型客户需求以数字进行描述。这类需求信息经映射直接转换为“关键字+逻辑运算符（< = > =）+数值”或“关键字+模糊限定词+数值”的形式，以关键字的方式参与产品配置。例如，速度>80km/h。

（3）描述型客户需求信息的转换按模糊属性映射来进行。描述型的客户需求作为半结构化的信息，按照“关键词+语言限定词+属性值”对其进行处理。这里的值可以为复杂的数据类型，即具体的概念、实例或者一系列的枚举；也可以是模糊语言变量，即自然语言中的模糊概念，如“速度+非常+快”“噪声+尽量+小”等。

（4）针对解释型客户需求，可以利用语义网从客户需求的非结构化描述中提取出定制需求的关键词，从而转换成半结构化或结构化的表达形式，之后利用其参数映射规则映射到需求参数空间。

在以上四类映射规则的基础上，映射模型根据产品配置系统的要求，将客户的要求转换成指导和约束产品配置过程的各级特征参数集。

10.1.2　产品族实例分析

基于实例推理的产品配置即针对新客户提出的需求，以过去客户购买的产品（或虚拟产品）配置实例为基础，通过寻找和调整相似案例的配置来获得现行问题的配置方案。在基于实例推理的产品配置中，实例配置知识可用模块化产品实例来表达。模块化产品实例是指由具有标准接口的模块组成的产品模型，它蕴涵了设计知识和经验，并且描述了产品的设计意图、设计原理、产品功能和产品结构，是实例推理的依据（肖新华等，2007），是基于实例推理产品配置的基础。

产品实例模型必须能有效地表达产品配置过程中所需的各类信息，从而为配置问题的求解提供支持。模块化产品实例模型表达的内容由三部分组成，即配置问题的描述、配置知识及经验、配置结果。配置问题是对产品提出的配置要求、约束条件等的描述；配置知识及经验是在配置过程中发掘和积累的经验和知识；配置结果是配置之后输出的满足客户需求的产品方案。

大规模定制生产模式旨在以接近大规模生产的低成本和高效率，为客户提供多样化的个性定制产品。大规模定制生产模式之所以能够较好地解决大规模生产与定制生产之间的矛盾，其有效途径就在于采用了基于产品平台的产品族设计。所谓产品族设计就是在产品设计规划阶段，采用面向一族或者系列产品的设计思路来进行产品开发，从而保证和实现对不同客户群体的需求响应。与传统的一次只开发一种单独产品的策略相比，这种设计方法的优点在于可以便捷地派生出系列产品，增加产品品种多样性的同时减少设计量，降低生产设计的复杂性，提高产品开发速度，从而帮助企业快速响应市场上不同群体和快速变化的客户需求。

为了实现大规模定制下的产品配置，需要在模块化产品实例的基础上建立产品族实例。产品族实例是以一个产品族的实例知识为对象，将产品族实例知识的内容定义为产品族实例特征参数、产品族实例配置知识及经验、产品族实例配置方案集合三个部分。

10.1.3　定制产品配置框架

针对客户需求表达的模糊性和不规则性，基于实例推理面向模糊客户需求的产品配置是将模糊客户需求特征参数的转换方法、模糊客户需求知识与产品族实例知识的知识表示方法以及本体映射方法相结合，从而实现产品配置。根据实例推理和模糊客户需求转化特点，将基于本体映射面向模糊客户需求的产品配置分为以下三部分。

1）模糊客户需求的预处理

由于模糊客户需求没经过规范化处理，与企业配置系统中的数据类型不一致，不能直接用于产品配置，必须经过预处理转换成配置系统能识别的数据。模糊客户需求预处理作为产品配置的入口，主要是通过三角模糊理论将各需求特征参数转换成三角模糊数的形式，从而将定性描述的客户需求转换成可量化的数据，以实现模糊客户需求与配置实例域中相似实例的检索和匹配。

2）客户需求本体和产品族实例本体的建立

配置过程涉及不同域中的知识建模、语言和工具等。为了能够共享背景知识，实现系统间的互操作，这里将本体应用于产品配置中。在客户需求域中建立模糊客户需求本体和模糊语言变量本体，在配置实例域中建立产品族实例本体。客户需求本体作为基于实例推理的配置中相似实例检索的输入，产品族实例本体则作为匹配的对象。

3）实例匹配中相似实例检索算法的实现

在客户需求本体与产品族实例本体的映射中，实例的检索和匹配是实例推理产品配置的关键，其作用是依据产品族实例本体中的实例配置知识，检索出最佳的实例作为解决实际问题的最佳参照。同时，配置人员可以针对不同的功能要求与环境性能要求对优选出来的产品或模块实例进行一定的改进。

10.1.4　基于实例推理的产品配置

针对新客户提出的需求，以过去客户购买的产品（或虚拟产品）配置实例为基础，通过寻找和调整相似案例的配置来获得现行问题的配置方案。为了提高实例检索和修改的效率，运用本体来描述模糊客户需求知识和产品族中的实例配置知识，建立基于实例推理的产品配置框架，如图 10.1 所示。产品配置的任务可描述为：针对客户提出的一组模糊需求，首先将其进行预处理，在此基础之上建立客户需求本体和产品族实例本体；其次，在满足配置约束的条件下，根据实例匹配规则，建立从客户需求到产品族实例本体的匹配，提取相似实例；最后，对实例进行修改、替换或创建，得到满足客户需求的产品配置方案。在基于实例推理产品配置的四个阶段中，三个主要的任务为产品族实例特征参数匹配、产品实例匹配和模块实例匹配、实例的修改。

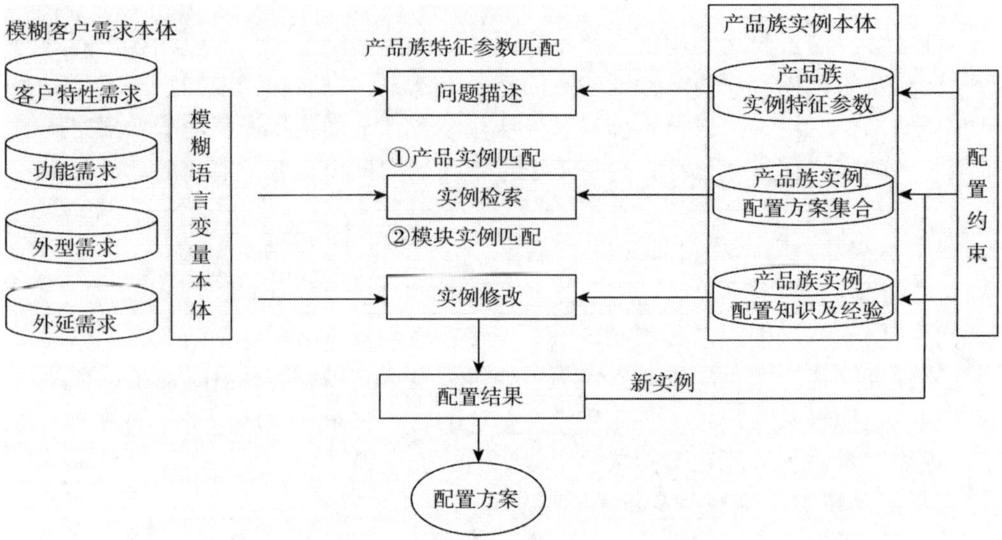

图 10.1　基于实例推理的产品配置框架

1）产品族实例特征参数的匹配

针对每一个产品族的配置实例，建立一个与之相对应的产品族实例特征参数集合，用于描述该产品族实例所具有的公共特征，即问题描述的表达。通过客户需求特征参数与产品族实例特征参数的匹配，确定该产品族实例能否满足客户需求。若能够满足，则进入到实例匹配的阶段；否则，需在其他的产品族中寻找满足客户需求的方案或与客户沟通修改相关需求。

2）实例匹配

针对一族产品，建立该产品族实例的产品实例集合和模块实例集合。当该产品族能满足客户需求时，根据产品族实例中的产品实例和模块实例的描述，展开两级实例匹配（产品级和模块级），对客户的实际需求和实例进行相似性评估，在实例库中检索并获取最相似实例和解决方案。

3）实例的修改

当相似实例和实际要求之间存在不一致时，需要对其进行修改，以获得一个合理的解决方案，其中，实例的修改需要在考虑产品族实例配置知识及经验和客户需求的前提下进行。在产品族结构模型、模块间接口等实例配置知识的约束下，通过对模块实例的修改得到满足客户需求的产品方案和模块方案。

通过以上对产品配置框架的分析可以发现，产品族实例的本体表达是产品配置中的关键。首先，产品族实例本体作为一个实例知识的集合，通过对一个产品族内实例知识的分类分层，并用本体语言对其进行描述和表达，可以使企业对模型不断地进行扩充，增加该产品族内新的实例知识，从而实现对实例知识的扩充，提高实例配置知识表达的可扩展性。同时，在产品族实例本体中，通过对产品实例与模块实例的有效表达，以及对产品族配置问题的本体语言描述，将有利于在实例特征参数匹配和实例修改过程中加强对实例知识语义信息的理解，提高实例检索的效率。

10.2　面向模糊客户需求的产品配置知识本体表达

在产品配置的过程中，为了解决客户需求的不规范性和模糊性以及基于实例推理产品配置中缺乏对实例知识语义信息描述的问题，以本体作为工具，在客户需求域中建立模糊客户需求本体和模糊语言变量本体，在配置实例域中建立产品族实例本体。模糊客户需求本体作为基于实例推理的配置中相似实例检索的输入，产品族实例本体则作为匹配的对象。

10.2.1　本体映射与网络本体语言

关于本体和本体建模元语已在 3.4.2 小节介绍过，这里介绍本体映射与本体语言。

1. 本体映射

应用元语构造的本体在许多领域均得到应用，但是也存在一些问题。尽管构造本体的主要目的是知识共享和复用，但目前真正用于共享和复用的实例却并不多见。造成这个问题的原因是本体的多样性，因为人们往往喜欢根据自己的实际需要来构造自己的本体。这就导致了同一领域内存在多个本体，它们用于表示同一个系统，表达方式上却有一些差别。这些本体是异构的，它们之间不能进行互操作，用户之间也不能相互理解（郑丽萍，2005）。

同一领域内的不同本体之间要进行互操作，就必须解决本体异构性的问题。一般可以采用三种方法。

（1）本体间建立包含关系。目标本体简单地包含源本体，来自源本体的所有数据概念均能够在目标本体中出现。

（2）本体间建立映射关系。通过映射源本体的实体可以转换为目标本体的实体。

（3）找一个公共的本体。将多个数据源对应的本体进行合并，生成一个完整的公共本体。

上面三种方法中，第一种方法的缺点是信息的概念只能被复用而不能被修改；第三种方法缺乏足够的灵活性，不能够适应大的开放式环境。解决本体异构性的最好方法就是本体映射，它解决了不同本体之间的知识共享和重用问题。本体映射是指两个本体存在语义级的概念关联，通过语义关联实现将原本体映射到目标本体的过程（黄烟波等，2005）。

2. 网络本体语言

本体描述语言使用户可以为领域模型编写清晰的、形式化的概念描述。大量的研究工作者活跃在该领域，诞生了许多种本体描述语言，有资源描述框架（resource description framework，RDF）、资源描述框架模式（resource description framework scheme，RDFS）、网络本体语言等（冯志勇等，2007）。

其中，OWL 基于互联网联盟（world wide web consortium，W3C）推荐的资源建模框架模式标准 RDFS，以描述逻辑（description logic）作为其概念建模的内在支撑，具有较强的信息表达能力和逻辑推理能力。W3C 的设计人员针对各类特征的需求制定了三种相应的 OWL 的子语言，即 OWL Lite、OWL DL 和 OWL Full，而且各子语言的表达能力递增（Bechhofer et al.，2004）。OWL Lite 用于提供给那些只需要一个分类层次和简单的属性约束的用户。OWL DL 支持那些需要在推理系统上进行最大程度表达的用户，这里的推理系统能够保证计算完全性（computational completeness，即所有结论都能够保证被计算出来）和可决定性（decidability，即所有的计算都在有限的时间内完成）。它包括了 OWL 的所有约束，但是被仅仅置于特定的约束下。OWL Full 支持那些需要在没有计算保证的语法自由的 RDF 上进行最大程度表达的用户。它允许一个 Ontology 在预定义的（RDF、OWL）词汇表上增加词汇，从而使任何推理软件均不能支持 OWL Full 的所有特征。这三种子语言之间的关系是：每个合法的 OWL Lite 都是一个合法的 OWL DL；每个合法的 OWL DL 都是一个合法的 OWL Full；每个有效的 OWL Lite 结论都是一个有效的 OWL DL 结论；每个有效的 OWL DL 结论都是一个有效的 OWL Full 结论。

OWL 主要包括以下几个部分（Bechhofer et al.，2004；McGuinness and van Harmelen，2004；Welty and McGuinness，2004）。

1）命名空间

在使用特定的术语之前，首先要明确定义所使用的是什么样的词汇。对于一个标准的 OWL 本体，起始部分往往是由一组以 rdf: RDF 开头的 XML namespaces 声明组成，这些声明使以后的描述变得可读。

2）本体首部

当命名空间确立后，就需要用到 owl: Ontology 标记并在其下声明一系列关于此本体本身的信息，如注释、版本控制以及对其他本体的包含等。

3）类与个体

在一个领域中最简单的概念就是类（classes），类是各种术语分类树的根。在 OWL 中每一个个体（individual）都是类，即 owl: Thing 的成员。由此看出，每一个使用者所定义的类都隐含地成为 owl: Thing 的子类。

⟨owl: Class rdf: ID="Region"/⟩　　　定义 Region 为一个类

除了类之外，还可以定义语义上属于某个类的个体：

⟨Region rdf: ID="Centra1CoastRegion"/⟩定义 Central CoastRegion 为 Region 的个体

上述语句也可以用以下定义过程来描述：

⟨owl: Thing rdf: ID="Centra1CoastRegion"/⟩

⟨owl: Thing rdf: about="#Centra1CoastRegion"⟩

⟨rdf: type rdf: resource="#Region"/⟩

⟨/owl: Thing⟩

4）属性

属性（properties）能对类个体的普遍事实进行断言以及指明个体的特殊事实：数据类型属性（datatype properties）描述类的实例和 RDF Literals 以及 XML Schema 数据类型之间的关系；对象属性（object properties）描述的是两个类的实例之间的关系。

当定义一个属性时，有很多种方法来约束这个关系，如可以指定该属性的领域（domain）和范围（range）。

⟨owl: ObjectProperty rdf: ID="madeFromGrape"⟩

⟨rdfs: domain rdf: resource="#wine"/⟩

⟨rdfs: range rdfs: resource="#Region"/⟩

⟨/owl: ObjectProperty⟩

5）本体映射

为了减少本体的开发工作，需要有本体的重用机制。本体映射的类主要有以下四种。

（1）等价类（equivalentClass）：可以把一些本体结合在一起成为另一个本体。

（2）等价属性（equivalentProperty）：用来声明两个属性是等价属性。

（3）等价个体（SameindividualAs，SameAs）：这个机制与类相似，用来声明的是两个个体是相同的。

（4）不同个体（differentFrom，AllDifferent）：此机制提供了与 SameindividualAs 相反的效果。

10.2.2　模糊客户需求知识的本体表达

在客户需求域中，为了完成模糊客户需求的预处理，需要将定性描述的模糊客户需求转换成可量化的数据，并建立模糊客户需求本体。

1. 模糊客户需求到三角模糊数的转换

客户需求的模糊性反映在客户需求域的需求描述中，对应着模糊需求特征参数。模糊需求特征参数的参数值为模糊语言值。这里的模糊语言值主要指半结构化的值，即客户采用符合自己语言习惯的描述性模糊语义方式对这些特征参数进行的描述。如某客户由于对摩托车的了解有限，不可能对每个技术参数都有比较明确的要求，其对摩托车的定制需求用半结构化的形式描述为发动机性能较好、额定载重较高、震动较小等。

模糊需求特征参数的属性值可以用模糊语言变量集合表示。例如，特征参数价格对应的模糊语言变量集合可以为{太贵, 某值上下, 便宜一点, 不超过某值}；发动机性能好坏对应的模糊语言变量集合可以为{很好, 较好, 好, 一般}。模糊语言变量集合中各变量对于特征参数的隶属度可以通过三角模糊数的计算获得。

在客户需求域中，设客户需求 CN 共有 n 个模糊需求特征参数，即 $\mathrm{CN}=\{\mathrm{cn}_1, \mathrm{cn}_2,\cdots, \mathrm{cn}_n\}$，$\mathrm{cn}_i:=\{\mathrm{cv}_{ij}, f_{ij}, \mathrm{cw}_i\}$，$\mathrm{cv}_{ij}$ 为第 i 个模糊需求特征参数 cn_i 的参数值，其值为该特征参数 cn_i 所对应的模糊语言变量集合中的第 j 个变量，f_{ij} 为 cv_{ij} 对应的隶属度，cw_i 为 cn_i 在所有需求特征参数集合 CN 中的权重。

1）定量的模糊需求特征参数

定量需求特征参数简单来说就是数量化的指标，如价格、重量、尺寸等。通过具体的分析，客户对这类参数的表达一般有以下三种方式。

（1）模糊数值表达，如价格大于某个值、小于某个值、大约是某个值等。

（2）区间数值表达，如在 a 和 b 之间。

（3）模糊级别表达，如重量轻、较轻；价格便宜、适中等。

采用三角模糊数对定量需求特征参数的模糊表达处理如下。

设客户需求项“大于 a”，可转换为三角模糊数（$a, a+\tau, a+\delta$）；需求项为“小于 a”，转换为三角模糊数（$a-\delta, a-\tau, a$）；需求项为“大约是 a”，转换为三角模糊数（$a-\delta, a, a+\delta$）；需求项为“在 a 与 b 之间”，转换为三角模糊数（$a, a+b/2, b$）；其中，$0<\tau<\delta$ 为经验参数，由企业专家按照产品设计经验结合具体的产品来确定。例如，产品的价格需求为“大约是 5000 元”，取 $\delta=0.2$，则将模糊需求价格转换为三角模糊数（4.8, 5.0, 5.2）。另外，对于定量需求特征参数的模糊级别表达，由专家按照经验结合具体的产品为该级别指派一个区间数。如某产品的客户需求项为“价格适中”，专家可根据该产品的实际情况给出一个适中价格的区间范围。

2）定性的模糊需求特征参数

定性的需求特征参数指的是描述性指标，如可靠性、安全性等。客户对这类属性指标的表达更多的是使用符合语言习惯的模糊语言形式，如“可靠性较高”

“安全性很好”等。

设客户需求中有 k 项定性需求，表示为$\{g_1, g_2, g_3,\cdots, g_k\}$。每个定性需求项 g_i（$1\leqslant i\leqslant k$）包含 L_i 个离散的模糊语言变量，构成模糊语言变量集合 $T(g_i)=(g_{i1}, g_{i2},\cdots, g_{iL_i})$。$g_i$ 取处于 L_i 个离散的模糊语言变量集合中的任何一个 g_{iq}，q 为模糊语言变量集合中语言变量的序号，$1\leqslant q\leqslant L_i$。将 g_{iq} 转换成三角模糊数 θ_q 的具体方法是（Delgado et al.，1994）：

$$\theta_q=(\max(f-ts, 0), f, \min(f+ts, 1)) \tag{10.1}$$

其中，$s=1/[2(L_i-2)]$，$f=\min\{\max[(2q-3)s, 0], 1\}$，$t\geqslant 1$ 且通常取整数。

表 10.1 给出了一个由 5 个模糊语言变量构成的语言变量集合 $T(X)$。采用式（10.1）并令 $t=2$，将其中的每一模糊变量转换成对应的三角模糊数。

表 10.1　模糊语言变量集合对应的三角模糊数

模糊变量等级序号（q）	模糊语言变量集（$T(X)$）	三角模糊数 θ_q
1	低	（0, 0, 0.17）
2	较低	（0, 0.17, 0.50）
3	一般	（0.17, 0.50, 0.87）
4	较高	（0.50, 0.87, 1）
5	高	（0.87, 1, 1）

2. 模糊客户需求本体

本体通过一组概念、概念的属性以及概念间的关系来表达领域知识。这里通过引入模糊概念与模糊关系，得到模糊客户需求本体。模糊概念即属性值为模糊语言值的概念，主要通过属性特征参数为半结构化的概念来描述。模糊关系的模糊性则体现在需求特征参数对配置结果的影响以及需求特征参数之间的相互影响两个方面。

定义 10.1　模糊客户需求本体是一个五元组 $O_F=(C, P^C, R, P^R, A_F)$，其中：

（1）C 是需求概念集。其每个元素均为需要进行规范化描述的模糊概念，也称为类，这里指客户需求域中的模糊需求特征参数。与产品的属性特征一样，模糊需求特征参数也具有层次性、关联性，包含客户自身的特征信息与对产品属性特征的要求两个相关方面内容。客户特征信息包含客户的基本资料、产品的使用环境、客户的偏好以及客户对产品的价格要求等；客户对产品属性特征的要求包括产品的功能要求、形式要求和外延要求。

（2）P^C 是概念属性的集合，为一个三元组 $P^C(c, v, f)$。其中，c 为一个本体概念；v 代表属性值；f 为对属性值 v 的约束。由于 c 为模糊概念，其属性为模糊语言变量，可以取自然语言中的术语——模糊概念为值。如速度属性的取值可以取“慢速”“中速”“快速”等。模糊语言值可以被限定词修饰，常用的限定词有非常、稍微、差不多等。这些限定词作用到模糊概念上，可改变其模糊程度，因而“速度”属性的最终值可以是“非常快”“稍微慢”等。这时，属性值 v 是一个三元的结构 $v(v_F, q_F, U)$，其中 v_F 为语言值，q_F 为语言限定词，U 为 v_F 和 q_F 的论域。

（3）R 是本体中概念之间的关系。它包括需求特征参数对配置结果的影响以及需求特征参数之间的相互影响。

（4）P^R 是关系的属性集。可以用一个四元组表示，$P^R(c_1, c_2, r, S_F)$。其中，c_1 和 c_2 为本体概念；r 表示关系；$S_F \in [0, 1]$或 S_F 为（0, 1）的子集，代表概念之间关系的强度或概念之间的模糊关系。例如，概念 c_1 客户和概念 c_2 品牌之间具有关系 r 的忠诚度。客户和忠诚度的强度可以为模糊值 0.7，也可以为一个区间值[0.6, 0.8]。

（5）A_F 是需求参数转换规则集。在客户需求域中，产品族级、产品级、模块级三级需求特征参数由客户需求空间和需求参数空间来描述。客户需求空间是客户在对产品功能、性能、外形、价格等了解的基础上，从客户角度出发对需求的直观描述。需求参数空间是由客户的直观描述，经转化后可直接参与产品配置的参数集。需求参数转换规则集是将客户需求从直观的描述转换到参数化的表达空间，目的是使其成为产品配置的入口参数和约束条件。

模糊客户需求本体是按照一定的层次关系进行细化、分解或组合而形成的层次清晰的需求知识的集合。按照上述的客户需求结构模型，可以将模糊客户需求本体用巴科斯范式描述如下：

⟨模糊客户需求特征参数类⟩::=⟨父类属性⟩ [子类自定义属性]；

模糊客户需求本体及结构定义可描述为图 10.2 所示的形式。

⟨模糊客户需求特征参数⟩::=⟨⟩
客户特定偏好特征参数::= ⟨模糊需求特征参数⟩ [客户偏好][环境要求][价格要求]
功能需求特征参数::= ⟨模糊需求特征参数⟩ [主要功能][辅助功能][可选功能]
形式需求特征参数::= ⟨模糊需求特征参数⟩⟨性能⟩⟨外观⟩ [颜色][形状] ⟨结构⟩⟨材料⟩
外延需求特征参数::= ⟨模糊需求特征参数⟩⟨运送⟩⟨质保⟩⟨售后服务⟩

图 10.2　模糊客户需求本体的结构定义

定义子类形式需求特征参数：

⟨owl: Class rdf: ID="形式需求特征参数"⟩

　⟨rdfs: subClassOf⟩

⟨owl: Class rdf: ID="模糊需求特征参数"⟩
　⟨/rdfs: subClassOf⟩
⟨/owl: Class⟩
⟨owl: Class rdf: ID="外观"⟩
　⟨rdfs: subClassOf⟩
⟨owl: Class rdf: ID="形式需求特征参数"⟩
　⟨/rdfs: subClassOf⟩
⟨/owl: Class⟩

定义本体的相关属性:

⟨owl: ObjectProperty rdf: ID="外观"⟩
⟨rdfs: domain rdf: resource="#形式需求特征参数"/⟩
⟨rdfs: range rdf: resource="#颜色，形状"/⟩
⟨/owl: ObjectProperty⟩

模糊客户需求本体的特点是将概念属性的取值和概念之间的关系扩展到模糊概念，有利于描述各种模糊现象，但是在根据这些模糊需求进行产品配置时，首先需要明确定义作为属性值的这些模糊概念间的语义关系。为此，下面将进一步引入模糊语言变量本体。

3. 模糊语言变量本体

定义 10.2　模糊语言变量本体是一个六元组 Onf=(C_A, C_F, R, U, F, A)，采用模糊语言变量本体对模糊客户需求本体中的模糊语言变量进行形式化描述。

（1）C_A 为抽象概念集，如价格、速度、稳定性等。C_A 的取值是模糊概念，如对功能需求特征参数“价格”的取值可以是太贵、某值上下、便宜一点等，“外形尺寸”的取值可以是差不多、略大于、略小于、高一点、低一点、宽一点等。

（2）C_F 是模糊概念集，表示概念 C_A 的所有可能的取值。如对于速度而言，C_F={慢速, 中速, 快速,…}。

（3）R 是 C_F 上的二元关系，表示模糊概念间的语义关系。一类是集合性质的关系{不相交, 包含, 相交而不包含, 互补}，另一类是概念之间的序关系或等价关系，如很便宜<便宜<合适<贵<很贵。

（4）U 是模糊语言变量的论域。

（5）F 是与模糊概念集相对应的隶属度函数集合。它与模糊概念集 C_F 同构。

（6）A 为模糊语言变量规则集，存储着模糊语言变量的等价术语以及与其相对应的数据类型匹配表。规则集作为一个知识库，为模糊客户需求的映射提供支持。

10.2.3 产品族实例知识本体表达

在图 10.1 所示的定制产品配置框架中，产品族实例本体是基于本体映射的产品配置中实例匹配的对象。下面将从产品族实例的概念、产品族实例本体的构成、产品族实例本体特征参数类、产品族实例本体配置知识及经验类、产品族实例本体描述框架几个方面来阐述产品族实例知识的本体表达。

1. 产品族实例

产品族可以描述为一些参数、部件和装配结构的合成。产品实例知识包括以往配置中的配置问题、配置经验及知识、配置结果（肖新华等，2007）。在产品族规划的基础上，产品族实例以一个产品族的实例知识为对象，在配置实例域中将产品族实例知识的内容定义为产品族实例特征参数、产品族实例配置知识及经验、产品族实例配置方案集合三个部分。

产品族实例特征参数通过对产品族进行抽象和归纳得到。它主要描述本产品族实例所拥有的相同或相似功能、结构、技术水平等，表明该产品族中的产品变量所适用的范围，同时也表明了与其他产品族实例的区别。在产品族模块化设计的基础上，模块化的产品族实例知识及经验包含了如下的子概念实体：产品族实例结构模型子类、定制模块集合子类、基本模块集合子类、模块属性变量集合子类和模块间接口集合子类。其中，产品族实例结构模型和模块间接口集合是重要的组成部分。产品族实例配置方案是过去配置中属于该产品族的配置方案的集合。对于模块化产品族而言，实例配置方案包括产品实例和模块实例两子类。每个产品实例包括⟨产品实例特征参数名称，特征参数值，产品实例特征参数对产品变量的影响程度⟩，每个模块实例包括⟨模块实例特征参数名称，特征参数值，特征参数变量对模块的影响程度⟩。

从以上分析可看出，对于配置实例域中的产品族实例（product family case，PFC）而言，共有三类实例特征参数：产品族实例特征参数 d_{pf}、产品实例特征参数 d_p、模块实例特征参数 d_m。PFC 可描述为 $C_{pf}=\{d_{pf}, d_p, d_m\}$ 且 $d_j=(dv_{jk}, dw_j)$。其中，dv_{jk} 为第 j 个实例特征参数 d_j 的参数值，由企业根据该产品族内产品以往的配置方案确定，可能为一个区间、一个离散变量的集合或是一个固定的值；dw_j 为该实例特征参数在所有实例特征参数中的权重。

2. 产品族实例本体

本体作为描述或表达某一领域知识的一组概念或术语，是对较高层次知识的抽象，是一种能在语义和知识层次上描述系统的概念模型建模工具。本体在设计时应注意本体表达的可扩展性，即本体应该能够保证添加新的通用或专用术语，而不需要修改原有的定义，即能支持在已有的概念基础上定义新的术语。鉴于此，用类、属性和公理三个本体建模基元来构建产品族实例本体。

定义 10.3　产品族实例本体是一个三元组 Onc=(C, P, R)。其中，C 为产品族实例的概念集，P 为概念 C 的属性集，R 为概念之间的关系集。

（1）概念集 C 主要包括产品族实例特征参数、实例配置知识及经验和实例配置方案，且每类概念下面有若干个子概念。产品族实例特征参数包括功能描述型特征参数、结构描述型特征参数和技术性能描述型特征参数；产品族实例配置知识及经验包括产品族实例结构模型子类、定制模块集合子类、基本模块集合子类、模块属性变量集合子类和模块间接口集合子类；产品族实例配置方案类包括产品实例和模块实例。

（2）概念集 C 的属性集 P 是能够确定概念的若干个特征参数的集合。产品族实例特征参数的属性集为（特征参数编码，特征参数名称，特征参数值，关联的模块集合），模块间接口子类的属性集为（接口形式，接口尺寸），实例模块集合子类的属性集为（基本模块，定制模块，模块属性变量），产品实例的属性集为（产品变量特征参数名称，特征参数值，产品变量特征参数对产品变量的影响程度），模块实例的属性集为（模块特征参数名称，特征参数值，特征参数变量对模块的影响程度）。

（3）概念之间的关系集 R 主要有 part-of、kind-of、attribute-of 和 instance-of。其中，part-of 表达概念本体之间整体和局部的关系；kind-of 表达概念之间的继承关系；attribute-of 表达某个概念是另外某个概念的属性；instance-of 表达概念和概念的实例之间的关系。

3. 产品族实例本体模型

基于本体和产品族实例建立的产品族实例本体模型如图 10.3 所示。本体模型中的主要概念包括产品族实例特征参数、实例配置知识及经验和实例配置方案。与本体建模基元中的类对应，其中的每一个类被分解为多个子类，类与子类之间用 subClassOf 来描述概念之间的继承关系。其中，产品族实例特征参数提供了产品族的公共特征参数，限定了该产品族实例的适用范围；实例配置知识及经验是正确、合理、快速配置的基础；在特征参数范围之内的产品实例方案和模块实例方案即配置结果。同时，与本体建模基元中的属性对应，各个概念包含有多个属性特征，如机械产品的功能属性、物理属性、匹配属性和装配属性等。概念与属性之间的关系用 property-of(p_1, c_0)来表示，即 p_1 是概念 c_0 的属性特征之一。概念之间的关系与本体建模基元中的公理相对应，将本体中的各个概念实体关联起来，达到有效共享与重用所有实例知识的目的。

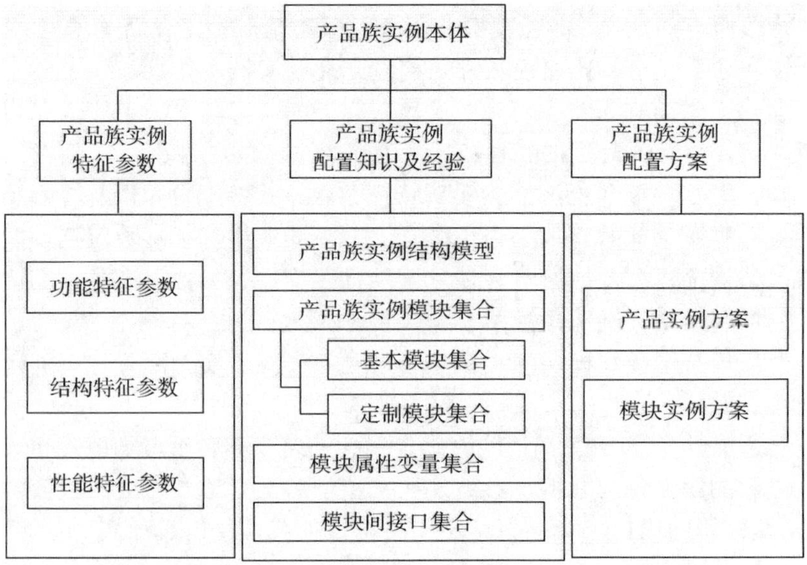

图 10.3 产品族实例本体的分类与构成（但斌等，2009b）

4. 产品族实例本体特征参数类

产品族实例特征参数类主要描述本产品族实例所拥有的相同或相似的功能、结构、技术水平等，表明该产品族中的产品变量所适用的范围。其中的每项特征参数都与一个或多个实例模块相联系，用于对本产品族所对应的配置问题进行描述。它包含如下子类：功能描述型特征参数、结构描述型特征参数和技术性能描述型特征参数。对每个特征参数而言，又都包括如下属性集合（表 10.2）：特征参数编码、特征参数名称、特征参数值和关联的模块集合。通过客户需求特征参数与产品族实例特征参数的匹配，可以很快对客户需求定位，确定该产品族实例是否能满足需求。若能满足客户需求，则进入下一步实例检索当中；若不能满足，则重新在新的产品族实例中进行匹配，避免在产品配置中直接进行复杂的实例检索而影响配置效率。

表 10.2 产品族实例特征参数的子类及其属性

特征参数编码	特征参数名称	参数值	关联模块
F_Par	F_Parname	F_Parval	FM_set
S_Par	S_Parname	S_Parval	SM_set
T_Par	T_Parname	T_Parval	TM_set

以某摩托车产品族为例，其实例特征参数包括：技术描述型参数，主要指外形尺寸（长×宽×高）、最高车速、空车质量、最大载荷、经济车速油耗、启动方式、悬架弹簧的强度和可靠性等；功能描述型技术参数，主要指噪声、稳定性、

操纵简便性、维修方便性等。

5. 产品族实例本体配置知识及经验类

在产品族模块化设计的基础上，模块化的产品族实例知识及经验类包含了如下的子概念实体：产品族实例结构模型子类、定制模块集合子类、基本模块集合子类、模块属性变量集合子类和模块间接口集合子类。其中，产品族实例结构模型和模块间接口集合是重要组成部分。模块集合子类与产品族实例结构模型子类之间是 part-of 的关系，与产品族实例之间是 component-of 的关系，即模块集合中的模块是产品族实例结构模型的组成部分之一，且通过模块之间接口的约束组成产品族实例。模块集合子类与模块属性变量集合之间是 attribute-of 的关系，表明每个模块对应有多个属性变量，以确定模块实例。模块间接口集合子类作为模块间组合的约束，与模块集合子类之间的关系用 attribute-of 来描述。

1）模块间接口子类

模块间接口子类描述各模块之间物质、能量、信息等的交换。模块之间的接口可分为直接接口和间接接口。直接接口是指各模块本身带有的接口，能直接连接并传递功能；间接接口是指连接两个功能模块的接口模块，通常是一个功能部件，能够对信息或参数进行处理，使相连的模块能够匹配。模块间接口子类的属性集包括接口形式、接口尺寸等属性特征。模块集合中各个模块之间通过接口的连接组成产品族结构。

2）实例模块集合子类

产品族实例中的模块集合子类包括基本模块类和定制模块类。其中，基本模块是实现基本功能的结构部分，相对比较稳定，其所对应的模块属性变量值基本固定；定制模块是可供客户选择的、满足客户个性化需求的部分，随着模块属性变量取值的不同，可获得不同的模块实例。

3）产品族实例结构模型子类

企业往往有多个产品族实例，对每个产品族实例都建立一个基于类物料清单的通用实例结构，通用实例结构中的每个模块或子模块都有自己的结构。结合 9.1.2 小节基于 GBOM 的产品族结构模型，在分析、抽取产品族结构和过去客户购买的产品（或虚拟产品）配置实例的基础上，建立产品族实例结构模型如图 10.4 所示。它反映了产品配置知识及经验类中的子类概念集合以及各子类之间的关系。产品族实例中的产品实例具有相似性，都有一一对应的模块结构。把其中具有差异的子模块组成一个集合，称为类子模块。子模块与类子模块之间为 kind-of 的继承关系，每个子模块都继承了类子模块中的公共特性。具有差异的叶子模块组成一个集合，称为类叶子模块。为保证通用性与一致性，假设产品族实例结构模型中的所有模块皆为类模块。该产品族实例模块集合 M=(类模块 B, 类模块 C, 类模块 D)，模块属性变量集合 A=($A1$, $A2$, $A3$)，其中 $A1$(par1, par2)，$A2$(par1, par3)，$A3$(par3)分别为类模

块 B、类模块 C、类模块 D 的模块变量集，val11、val12 是变量 par1 的值，S(B|par1= val11, par2= val21)是类模块 B 的一个实例子集。

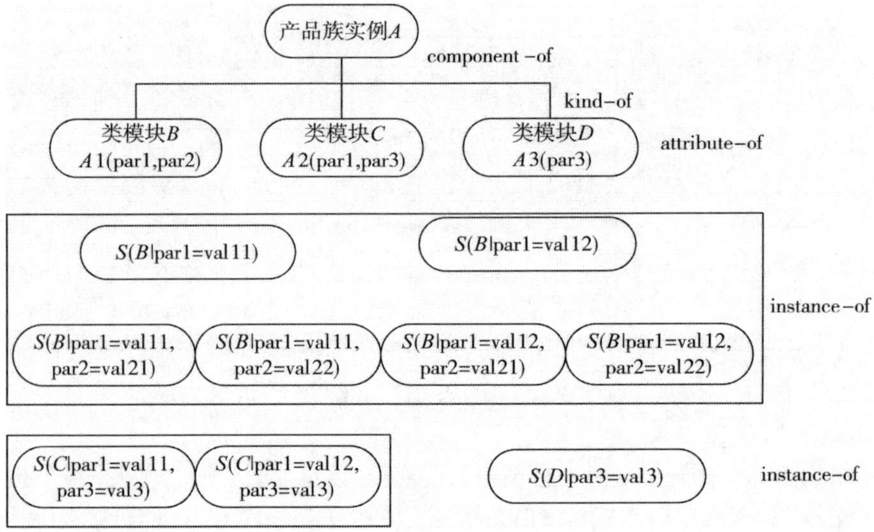

图 10.4　产品族实例结构模型

6. 产品族实例本体描述框架

网络本体描述语言 OWL 从语义层次的角度对信息进行描述，运用了 XML 语法和 XML Schema 提供的对文档结构的描述功能。它集中了 XML 和 RDF 的优点，具有强大的语义描述能力（冯志勇等，2007）。因此，采用 OWL 从概念实体、属性、概念实体之间的关系三方面来描述产品族实例本体。与产品族实例本体相对应的本体片段框架如图 10.5 所示。

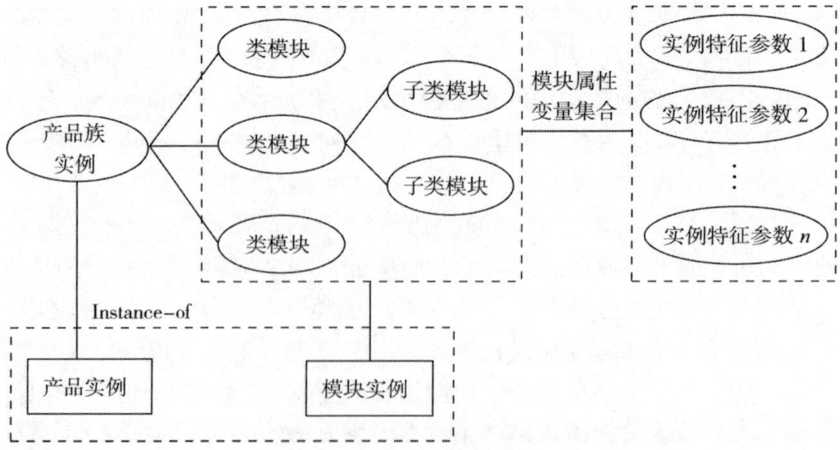

图 10.5　产品族实例本体框架（但斌等，2009b）

（1）在概念及概念之间关系的描述中，通过 subClassOf、subPropertyOf 等来描述概念及其关系的分类化、层次化结构。例如，

⟨owl: class rdf: ID="子类模块"/⟩

⟨owl: subClassOf rdf: resource="类模块"/⟩

⟨/owl：class⟩

表明子类模块与类模块之间的继承关系，子类模块继承有类模块的相关属性。

（2）通过 complementOf、oneOf、memberOf 等来构建概念间的逻辑组合关系。例如，

⟨owl: Class rdf: ID="产品实例"/⟩

⟨owl: memberOf rdf: resource="产品族实例"/⟩

⟨/owl: Class⟩

表明产品实例是产品族实例的组成部分之一。

（3）在描述概念实体属性时，用数据属性（datatype property）和关系属性（object property）来描述概念及其关系；用 domain、range、equivalentProperty、hasValue、cardinality、maxCardinality、minCardinality 等对关系约束进行描述。

在产品族实例本体 OWL 描述的基础上，对于产品族实例本体在配置过程中可能出现的语义问题，可以根据从 OWL 抽象语法到描述逻辑的转换和从抽象语法到 RDF 图的转换来解决。抽象语法到描述逻辑的转换将 OWL 本体转化为描述逻辑知识库，再进行语义解释和推理；抽象语法到 RDF 图的转换根据转换规则将 OWL 本体转换为 RDF 三元组，并进一步编码为 RDF/XML 语法。通过这两种方法的转换，在定制产品配置过程中，产品族实例本体可以容易地实现人类和计算机之间以及不同的计算机之间数据和语义等的交换。另外，在实例本体的构建过程中，可选用当前比较流行的本体编辑工具 Protégé，它在本体构建中能提供一致化检查、可视化、查询、推理以及将构建结果转换为不同本体语言表示格式等功能。所构建的本体可以以产品族实例知识本体构建为主要目的，抽取产品族实例知识，转化为适用于特定应用环境的计算机可识别语言，并基于有效的平台进行开发。由于 Protégé 支持功能上可扩展，产品族实例本体可直接在它的基础上进行特定的二次开发。产品族实例本体的语义转换和本体构建，将有利于对产品族实例知识语义信息的理解，从而在一定程度上提高特征参数匹配和实例匹配的效率。

10.3　基于本体映射的定制产品配置

在模糊客户需求本体和产品族实例本体的基础上，借鉴本体映射的方法，通过两个本体中各级需求特征参数和实例特征参数之间所建立的多级特征参数匹配，建立客户需求域与配置实例域之间的本体映射，以实现客户需求知识到产品配置知识的转换，配置出满足客户需求的产品。

10.3.1　基于本体的产品配置映射结构

客户需求知识和产品族实例知识分别描述了产品对象在客户需求域中的投影和产品族实例在配置实例域中的投影。由于两个领域之间具有共同的目标，两者具有一定的语义相关性。这种相关性表现在客户需求域中的模糊客户需求知识与配置实例域中的产品族实例知识之间存在着映射关系，因此可为客户配置出满足需求的产品。然而，两个领域之间由于分别从客户需求角度与企业的角度去表达配置问题，客户需求描述中的模糊需求特征参数的参数值为模糊语言变量，而产品族实例描述中的实例特征参数中各参数值是企业根据以往的配置实例而定，可能为模糊变量也可能为具体的值；并且两个领域中参数的表达形式也不一样，容易造成两个领域之间的沟通障碍，出现语义失配的现象。因此，两者之间的参数映射不能直接展开。

本体作为一种能在语义和知识层次上描述系统的概念模型建模工具，其核心是建立一个领域内公认的概念实体的有限集合。通过前文所建立的客户需求域中的模糊需求本体和配置实例域中的产品族实例本体，解决模糊需求知识与产品族实例知识的语义信息描述和两者之间的沟通障碍问题。在此基础之上通过寻找本体之间的映射规则，建立领域之间的本体映射，本体内信息借助这些规则在不同的本体之间传递，达到不同本体间的互操作，以实现客户需求知识到产品配置知识的转换，配置出满足客户需求的产品。具体的配置映射结构如图 10.6 所示。

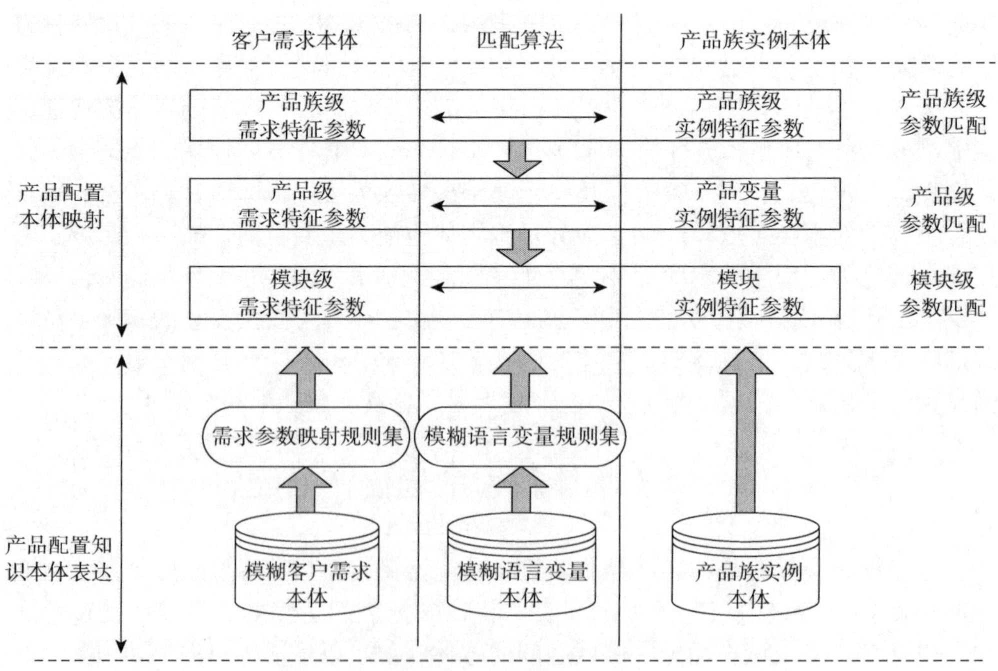

图 10.6　产品配置映射结构（但斌等，2010）

产品配置映射结构的核心是由模糊客户需求本体与产品族实例本体中各级需求特征参数和实例特征参数之间所建立的多级实例匹配。实例匹配的主要任务是在配置实例域中寻找到能满足客户需求的实例，并通过对相似实例方案的修改配置出与客户需求最接近的产品。实例匹配是一个多级匹配的过程包括产品族级、产品级和模块级。

1）产品族级匹配

通过客户需求特征参数与产品族实例特征参数的匹配，判断客户需求是否在该产品族所能满足的配置范围内。若能，则进入到产品级匹配中；若不能，则与新的产品族实例进行匹配。

2）产品级匹配

产品级特征参数匹配的结果对应产品实例，若相对应的产品实例中有与客户需求完全匹配的产品方案，则直接进入配置方案评价阶段；若没有完全匹配的方案，则输入相似的产品实例方案，并进入到下一级的模块级特征参数匹配中。

3）模块级匹配

模块级匹配的对象是模块特征参数，这一阶段先选择待匹配的模块，然后将匹配到的模块实例置换到上一阶段得到的产品实例对应位置，直到该产品实例中需要匹配的所有模块匹配完成。其中，模块间相似性匹配和置换需要在配置实例域中模块间的配置约束或规则的约束下进行。

10.3.2　本体映射中的特征参数匹配

1. 配置知识预处理

在客户需求域中，由于模糊客户需求本体中的需求特征参数的属性值为模糊数，不能直接参加本体映射中的参数匹配，所以在配置知识预处理阶段，需要将模糊语言变量本体的模糊值通过三角模糊数的运算转换成三角模糊数。假设某客户对产品 n 个属性特征参数提出的不确定性需求构成的向量为 $\mathbf{cv}=(\mathrm{cv}_1, \mathrm{cv}_2,\cdots, \mathrm{cv}_i,\cdots, \mathrm{cv}_n)$。其中，$\mathrm{cv}_i$ 表示客户对产品第 i 项属性特征参数进行测度得到的模糊特征参数值，其值为模糊语言变量。将模糊特征参数值用三角模糊数表示为 $\widetilde{\mathrm{cv}}_i=(\mathrm{cv}_i^{\mathrm{L}},\mathrm{cv}_i^{\mathrm{M}},\mathrm{cv}_i^{\mathrm{U}})$。其中，$\mathrm{cv}_i^{\mathrm{M}}$ 为客户需求的理想值，$\mathrm{cv}_i^{\mathrm{L}}$ 为客户需求的下限值，$\mathrm{cv}_i^{\mathrm{U}}$ 为客户需求的上限值。

在配置实例域中，设对任意产品族实例 PFC，其产品族级、产品级和模块级实例特征参数构成的属性特征参数值向量为 $\mathbf{dv}_j=(\mathrm{dv}_{j1}, \mathrm{dv}_{j2},\cdots, \mathrm{dv}_{jn})$，$j=1, 2,\cdots, m$。由于配置实例域中的实例均为企业已配置过的产品，其中的各级特征参数的属性值均为确定的指标值，与客户的模糊需求不能进行直接比较。因而也需要将其转换为三角模糊数的形式，即 $\tilde{\mathrm{dv}}_{ji}=(\mathrm{dv}_{ji}^{\mathrm{L}},\mathrm{dv}_{ji}^{\mathrm{M}},\mathrm{dv}_{ji}^{\mathrm{U}})$，式中 $\mathrm{dv}_{ji}^{\mathrm{L}}=\mathrm{dv}_{ji}^{\mathrm{M}}=\mathrm{dv}_{ji}^{\mathrm{U}}$。

对于转换为三角模糊数之后的模糊需求特征参数和实例特征参数，其隶属度可表示如下，其中，X 为模糊需求特征参数或实例特征参数转化后的三角模糊数。

$$\mu_a(X)=\begin{cases}(X-a^{\mathrm{L}})/(a^{\mathrm{M}}-a^{\mathrm{L}}), & a^{\mathrm{L}}\leqslant X\leqslant a^{\mathrm{M}}\\(X-a^{\mathrm{M}})/(a^{\mathrm{U}}-a^{\mathrm{M}}), & a^{\mathrm{M}}\leqslant X\leqslant a^{\mathrm{U}}\\0, & \text{其他}\end{cases}$$

同理，两个本体中的模糊关系也可以分别转换为三角模糊数的形式。

产品中不同特征参数值的量纲是不同的，如果不对各特征参数的数值作归一化处理，各特征参数之间便没有可比性。因此，需对转换之后的三角模糊数进行归一化处理。将 $\widetilde{\mathrm{cv}}_i=(\mathrm{cv}_i^{\mathrm{L}},\mathrm{cv}_i^{\mathrm{M}},\mathrm{cv}_i^{\mathrm{U}})$ 转换为 $\mathrm{cv}_i^{!}=(\mathrm{cv}_i^{!\mathrm{L}},\mathrm{cv}_i^{!\mathrm{M}},\mathrm{cv}_i^{!\mathrm{U}})$ 的形式，$\widetilde{\mathrm{dv}}_{ji}=(\mathrm{dv}_{ji}^{\mathrm{L}},\mathrm{dv}_{ji}^{\mathrm{M}},\mathrm{dv}_{ji}^{\mathrm{U}})$ 转换为 $\mathrm{dv}_{ji}^{!}=(\mathrm{dv}_{ji}^{!\mathrm{L}},\mathrm{dv}_{ji}^{!\mathrm{M}},\mathrm{dv}_{ji}^{!\mathrm{U}})$ 的形式。特征参数可分为效益型特征参数和成本型特征参数。效益型是指参数值越大越好的参数；成本型是指参数值越小越好的参数。根据三角模糊数的运算法则，$\widetilde{\mathrm{cv}}_i$ 的归一化处理可用如下公式表示。

对于效益型特征参数，

$$\mathrm{cv}_i^{!}=\begin{cases}\mathrm{cv}_i^{!\mathrm{L}}\\\mathrm{cv}_i^{!\mathrm{M}}\\\mathrm{cv}_i^{!\mathrm{U}}\end{cases}=\begin{cases}\mathrm{cv}_i^{\mathrm{L}}\Big/\sqrt{(\mathrm{cv}_i^{\mathrm{U}})^2+\left(\sum\limits_{j=1}^{m}\mathrm{dv}_{ji}^{\mathrm{U}}\right)^2}\\\mathrm{cv}_i^{\mathrm{M}}\Big/\sqrt{(\mathrm{cv}_i^{\mathrm{M}})^2+\left(\sum\limits_{j=1}^{m}\mathrm{dv}_{ji}^{\mathrm{M}}\right)^2}\\\mathrm{cv}_i^{\mathrm{U}}\Big/\sqrt{(\mathrm{cv}_i^{\mathrm{L}})^2+\left(\sum\limits_{j=1}^{m}\mathrm{dv}_{ji}^{\mathrm{L}}\right)^2}\end{cases}\tag{10.2}$$

对于成本型特征参数，

$$\mathrm{cv}_i^{!}=\begin{cases}\mathrm{cv}_i^{!\mathrm{L}}\\\mathrm{cv}_i^{!\mathrm{M}}\\\mathrm{cv}_i^{!\mathrm{U}}\end{cases}=\begin{cases}1/\mathrm{cv}_i^{\mathrm{U}}\Big/\sqrt{(1/\mathrm{cv}_i^{\mathrm{L}})^2+\left(1\Big/\sum\limits_{j=1}^{m}\mathrm{dv}_{ji}^{\mathrm{L}}\right)^2}\\1/\mathrm{cv}_i^{\mathrm{M}}\Big/\sqrt{(1/\mathrm{cv}_i^{\mathrm{M}})^2+\left(1\Big/\sum\limits_{j=1}^{m}\mathrm{dv}_{ji}^{\mathrm{M}}\right)^2}\\1/\mathrm{cv}_i^{\mathrm{L}}\Big/\sqrt{(1/\mathrm{cv}_i^{\mathrm{U}})^2+\left(1\Big/\sum\limits_{j=1}^{m}\mathrm{dv}_{ji}^{\mathrm{U}}\right)^2}\end{cases}\tag{10.3}$$

同理，可将配置实例域中的各级实例特征参数 $\widetilde{\mathrm{dv}}_{ji}$ 进行归一化处理。

对于效益型实例特征参数，

$$\mathrm{dv}'_{ji}=\begin{cases}\mathrm{dv}'^{\mathrm{L}}_{ji}\\ \mathrm{dv}'^{\mathrm{M}}_{ji}\\ \mathrm{dv}'^{\mathrm{U}}_{ji}\end{cases}=\begin{cases}\mathrm{dv}^{\mathrm{L}}_{ji}\Big/\sqrt{(\mathrm{cv}^{\mathrm{U}}_{i})^2+\left(\sum\limits_{j=1}^{m}\mathrm{dv}^{\mathrm{U}}_{ji}\right)^2}\\ \mathrm{dv}^{\mathrm{M}}_{ji}\Big/\sqrt{(\mathrm{cv}^{\mathrm{M}}_{i})^2+\left(\sum\limits_{j=1}^{m}\mathrm{dv}^{\mathrm{M}}_{ji}\right)^2}\\ \mathrm{dv}^{\mathrm{U}}_{ji}\Big/\sqrt{(\mathrm{cv}^{\mathrm{L}}_{i})^2+\left(\sum\limits_{j=1}^{m}\mathrm{dv}^{\mathrm{L}}_{ji}\right)^2}\end{cases} \tag{10.4}$$

对于成本型实例特征参数，

$$\mathrm{dv}'_{ji}=\begin{cases}\mathrm{dv}'^{\mathrm{L}}_{ji}\\ \mathrm{dv}'^{\mathrm{M}}_{ji}\\ \mathrm{dv}'^{\mathrm{U}}_{ji}\end{cases}=\begin{cases}1/\mathrm{dv}^{\mathrm{U}}_{ji}\Big/\sqrt{(1/\mathrm{cv}^{\mathrm{L}}_{i})^2+\left(1\Big/\sum\limits_{j=1}^{m}\mathrm{dv}^{\mathrm{L}}_{ji}\right)^2}\\ 1/\mathrm{dv}^{\mathrm{M}}_{ji}\Big/\sqrt{(1/\mathrm{cv}^{\mathrm{M}}_{i})^2+\left(1\Big/\sum\limits_{j=1}^{m}\mathrm{dv}^{\mathrm{M}}_{ji}\right)^2}\\ 1/\mathrm{dv}^{\mathrm{L}}_{ji}\Big/\sqrt{(1/\mathrm{cv}^{\mathrm{U}}_{i})^2+\left(1\Big/\sum\limits_{j=1}^{m}\mathrm{dv}^{\mathrm{U}}_{ji}\right)^2}\end{cases} \tag{10.5}$$

2. 语义相似度和相关度的计算

产品配置本体映射的关键是通过相似度的计算发现本体中相似的概念。将概念的语义相似度和语义相关度相结合，对相似度进行评估。语义相似度的计算，主要是从概念的本身语义来比较概念的相似度；语义相关度则是从描述概念的属性与关系的角度，计算概念所包含的属性和关系的相似度。设 cn_i 和 d_j 分别为客户需求域与配置实例域中的特征参数，cn_i 和 d_j 的语义相似度记为 $\mathrm{sim}_{\mathrm{sem}}(\mathrm{cn}_i, d_j)$、语义相关度记为 $\mathrm{sim}_{\mathrm{rel}}(\mathrm{cn}_i, d_j)$。按式（10.6）可计算得到所求的概念相似度 $\mathrm{sim}(\mathrm{cn}_i, d_j)$。

$$\mathrm{sim}(\mathrm{cn}_i, d_j)=W_{\mathrm{sem}}\mathrm{sim}_{\mathrm{sem}}(\mathrm{cn}_i, d_j)+W_{\mathrm{rel}}\mathrm{sim}_{\mathrm{rel}}(\mathrm{cn}_i, d_j) \tag{10.6}$$

其中，权重值 $W_{\mathrm{sem}}+W_{\mathrm{rel}}=1$，由配置人员根据具体的配置环境和客户需求来决定。

1）语义相似度的计算

语义相似度是客户需求本体中各级需求特征参数与产品族实例本体中各级实例特征参数之间的语义相似度。这里将基于字符串匹配的方法和基于启发式规则的方法结合在一起。基于字符串匹配的相似度 $\mathrm{sim}_{\mathrm{str}}(\mathrm{cn}_i, d_j)$，可以采用编辑距离的方法来比较两个长度不同的字符串的相似度，计算公式如式（10.7）所示。其中，$\mathrm{str}(\mathrm{cn}_i)$和 $\mathrm{str}(d_j)$是两个字符串，$|\mathrm{str}(\mathrm{cn}_i)|$和$|\mathrm{str}(d_j)|$代表字符串的长度，$\mathrm{ED}(\mathrm{str}(\mathrm{cn}_i), \mathrm{str}(d_j))$是编辑距离。

$$\mathrm{sim}_{\mathrm{str}}(\mathrm{cn}_i, d_j) = \max\left\{0, 1 - \frac{\mathrm{ED}(\mathrm{str}(\mathrm{cn}_i), \mathrm{str}(d_j))}{\min(|\mathrm{str}(\mathrm{cn}_i)|, |\mathrm{str}(d_j)|)}\right\} \quad (10.7)$$

本体的概念是分层的，也可以看成一颗概念树，树中每个结点代表一个概念。对于客户需求本体和产品族实例本体而言，分别可以看成客户需求本体树和产品族实例本体树，树上的结点代表客户需求及产品族实例配置知识。其中的启发式规则可以以树的一些性质、领域公理和领域专家所定义的一些规则为依据而制定，其相似度记为 $\mathrm{sim}_{\mathrm{rule}}(\mathrm{cn}_i, d_j)$。

将基于字符串匹配的方法和基于规则的方法按相应的权值予以合并，则概念 cn_i 和 d_j 间的语义相似度可表示为式（10.8）。其中，$W_{\mathrm{str}}+W_{\mathrm{rule}}=1$。

$$\mathrm{sim}_{\mathrm{sem}}(\mathrm{cn}_i, d_j)=W_{\mathrm{str}}\mathrm{sim}_{\mathrm{str}}(\mathrm{cn}_i, d_j)+W_{\mathrm{rule}}\mathrm{sim}_{\mathrm{rule}}(\mathrm{cn}_i, d_j) \quad (10.8)$$

2）语义相关度的计算

语义相关度是指本体中概念的属性或关系的相似程度，包括关系相似度和属性相似度。关系包括关系名称、关系类型、关系实例数据值等要素，因此判断不同本体中两个关系是否相似，可以从这三个要素的相似度进行考虑。假设客户需求本体中概念和产品族实例本体中概念对应的关系分别为 r_{1i} 和 r_{2j}，则两个关系间的相似度 $\mathrm{sim}_{\mathrm{rel}}(r_{1i}, r_{2j})$可用式（10.8）表示。其中，$W_1+W_2+W_3=1$。

$$\mathrm{sim}_{\mathrm{rel}}(r_{1i}, r_{2j})=W_1\mathrm{sim}_{\mathrm{name}}(r_{1i}, r_{2j})+W_2\mathrm{sim}_{\mathrm{type}}(r_{1i}, r_{2j})+W_3\mathrm{sim}_{\mathrm{value}}(r_{1i}, r_{2j}) \quad (10.9)$$

关系名称、关系类型本身都是字符串，因此其相似度 $\mathrm{sim}_{\mathrm{name}}(r_{1i}, r_{2j})$和 $\mathrm{sim}_{\mathrm{type}}(r_{1i}, r_{2j})$可以采用基于字符串的计算方法，如式（10.7）。关系的实例数据值即领域中各概念之间模糊关系的值。由于在配置预处理阶段，已经将模糊客户需求中的各模糊参数值转换为三角模糊数的形式，而模糊关系的实例数据值的相似度 $\mathrm{sim}_{\mathrm{value}}(r_{1i}, r_{2j})$可以采用三角模糊数相似度的方法计算，如式（10.10）。其中，$\tilde{a}=(a^{\mathrm{L}}, a^{\mathrm{M}}, a^{\mathrm{U}})$，$\tilde{b}=(b^{\mathrm{L}}, b^{\mathrm{M}}, b^{\mathrm{U}})$均为三角模糊数，$S(\tilde{a}, \tilde{b})$为 $\tilde{a}$ 与 $\tilde{b}$ 的相似度。

$$S(\tilde{a},\tilde{b}) = \frac{a^{\mathrm{L}}b^{\mathrm{L}} + a^{\mathrm{M}}b^{\mathrm{M}} + a^{\mathrm{U}}b^{\mathrm{U}}}{\max\left[(a^{\mathrm{L}})^2 + (a^{\mathrm{M}})^2 + (a^{\mathrm{U}})^2, (b^{\mathrm{L}})^2 + (b^{\mathrm{M}})^2 + (b^{\mathrm{U}})^2\right]} \quad (10.10)$$

设两个本体中概念所对应的属性分别为 a_{1i} 和 a_{2j}，同理，对概念的属性而言，其相似度 $\mathrm{sim}_{\mathrm{att}}(a_{1i}, a_{2j})$也从属性名称、属性类型和属性实例数据值三个方面来计算，可表示为式（10.10）。

$$\mathrm{sim}_{\mathrm{att}}(a_{1i}, a_{2j})=W_1\mathrm{sim}_{\mathrm{name}}(a_{1i}, a_{2j})+W_2\mathrm{sim}_{\mathrm{type}}(a_{1i}, a_{2j})+W_3\mathrm{sim}_{\mathrm{value}}(a_{1i}, a_{2j}) \quad (10.11)$$

属性名称是字符串，其相似度 $\mathrm{sim}_{\mathrm{name}}(a_{1i}, a_{2j})$可以采用基于字符串匹配的方法。属性的类型有多种，如日期、数字、文本等。对于日期和数字型的属性，可以根据模糊语言变量本体中的数据类型匹配表、数据的取值范围或一定的对应关系来进行相似度 $\mathrm{sim}_{\mathrm{type}}(a_{1i}, a_{2j})$的确定。对于文本型的属性，可以根据字符串的匹配方法来获取相似度。属性实例数据相似度 $\mathrm{sim}_{\mathrm{value}}(a_{1i}, a_{2j})$仍可以采用三角模糊数相似度的方法来计算。

概念 cn_i 和 d_j 的语义相关度 $\mathrm{sim}_{\mathrm{rel}}(\mathrm{cn}_i, d_j)$可由式（10.12）计算得出。其中，$W_{\mathrm{rel}}+W_{\mathrm{att}}=1$，$\sum_{t=1}^{k}W_{\mathrm{rel}}^{t}=1$，$\sum_{t=1}^{k}W_{\mathrm{att}}^{t}=1$。

$$\mathrm{sim}_{\mathrm{rel}}(\mathrm{cn}_i,\ d_j)=W_{\mathrm{rel}}\frac{\sum_{t=1}^{k}W_{\mathrm{rel}}^{t}\mathrm{sim}_{\mathrm{rel}}(r_{1i},r_{2j})}{\sum_{t=1}^{k}W_{\mathrm{rel}}^{t}}+W_{\mathrm{att}}\frac{\sum_{t=1}^{k}W_{\mathrm{att}}^{t}\mathrm{sim}_{\mathrm{att}}(a_{1i},a_{2j})}{\sum_{t=1}^{k}W_{\mathrm{att}}^{t}} \tag{10.12}$$

根据相似度计算结果，选择与客户需求域特征参数 cn_i 相似度最大的配置实例域中的特征参数 d_h 作为 cn_i 的配置方案，如式（10.13）所示。

$$\mathrm{sim}(\mathrm{cn}_i,d_h)=\max_j \mathrm{sim}(\mathrm{cn}_i,d_j) \tag{10.13}$$

依次配置 cn_1 到 cn_n，即可得到与客户需求最接近的配置方案。

10.4　摩托车产品的应用案例

下面以摩托车产品族为例来说明上述方法的应用。首先，根据 10.2 节提出的产品配置知识本体表达方法，建立面向摩托车的模糊客户需求本体、模糊语言变量本体以及产品族实例本体；然后，应用 10.3 节提出的基于本体映射的产品配置方法，实现摩托车动力模块的配置。

10.4.1　摩托车产品配置知识的本体表达

对于摩托车产品而言，在客户需求域中的模糊客户需求知识与配置实例域中的产品族实例知识之间存在着映射关系。为实现客户需求知识到产品配置知识的转换，配置出满足客户需求的摩托车产品，首先需要对产品配置知识进行本体表达。

1. 摩托车产品的模糊客户需求本体

由定义 10.1 可知，模糊客户需求本体主要由概念、属性以及概念间的关系组成，面向摩托车的模糊客户需求本体结构如图 10.7 所示。主要的需求特征参数类概念有安全可靠性、经济性能、动力性能、外观、价格和环保性能等，这些概念是需求特征参数类的一个部分。与概念对应的属性主要有制动性能、经济油耗、加速性能、颜色、价格和最大噪声等。需求特征参数类和其他概念之间存在 has_part 关系，而概念与属性存在 has_attr 关系。

客户在对摩托车产品的需求特征参数和属性进行描述时，通常采用模糊语言变量的形式。为了准确地解释模糊语言变量的语义，实现模糊客户需求本体到产品族实例本体的映射，需要建立面向摩托车的模糊语言变量本体。由定义 10.2 可知，模糊语言变量本体的建立可通过形式化定义相关领域知识来实现。如描述摩托车制动性能的模糊语言变量集{很好, 好, 一般}可通过收集专家知识得到。

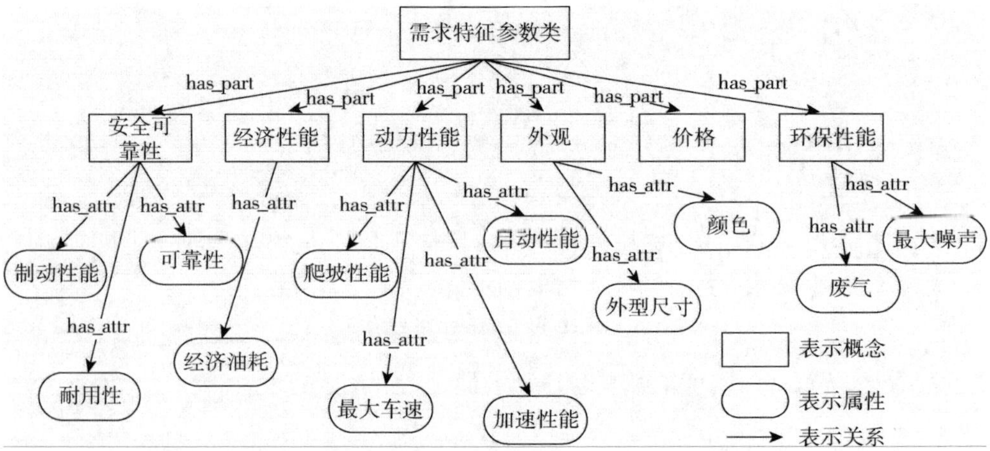

图 10.7 摩托车产品的模糊客户需求本体结构

2. 摩托车产品族实例本体

摩托车产品族实例本体可参照定义 10.3 中介绍的方法建立。为了简化起见，下面只给出摩托车产品族发动机模块本体结构，如图 10.8 所示。发动机模块是摩托车产品族的一个子模块，它自身又由气缸、化油器等七个子模块构成，主要包括发动机型式、排量、有效功率、转数及有效扭矩等特征参数。客户定制产品的配置即为摩托车产品族需求本体和产品族实例本体之间的本体映射过程。

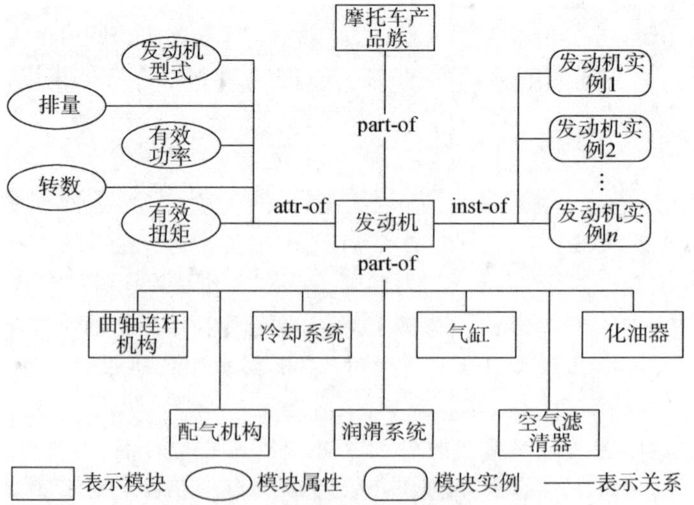

图 10.8 摩托车产品族发动机模块本体结构

3. 摩托车产品族实例的 OWL 表达

以某企业 CITY-1 摩托车产品族为例，该产品族实例的发动机具有以下特征，最高车速≥92.0km/h（实测值）、空车质量≤108kg、最大载荷 153kg、经济车速油耗≤1.9L/100km（实测值）、启动方式包括电启动/脚踏式（辅助），并且悬架弹簧有足够的强度和可靠性。另外，该系列车型稳定性高，噪声小。发动机模块是摩托车动力模块的子模块，客户可根据需求选择使用不同排量的发动机。为简化起见，仅给出摩托车动力模块中发动机子模块的本体描述。发动机子模块的本体框架如图 10.9 所示。

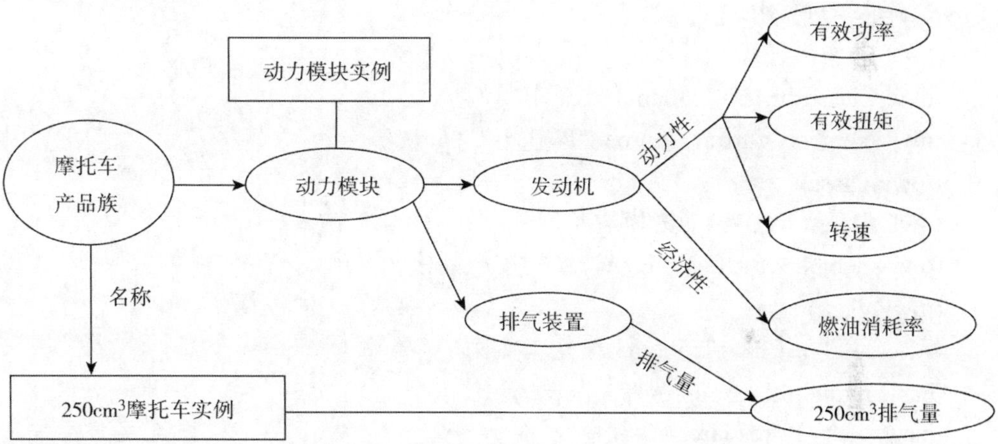

图 10.9　摩托车产品族发动机子模块的本体框架

发动机模块具有动力性和经济性两个属性变量，影响发动机模块的特征参数包括有效功率、有效扭矩、转速和燃油消耗率。当选择排气量为 250cm^3，发动机的功率、扭矩、转速和燃油消耗率都已经确定时，得到动力模块实例和排气量为 250cm^3 的摩托车产品实例。

设客户需定制一辆主要在城区内用的红色摩托车，相关的需求特征参数包括车速大于>92km/h，经济车速油耗<2.0L/100km，并且最大载荷>150kg，价格<4000 元。

1）摩托车产品族实例特征参数描述

⟨owl: Class rdf: ID="摩托车产品族"/⟩

⟨owl: Restriction⟩

⟨owl: onProperty rdf: resource="#车速"/⟩

⟨owl: minCardinality rdf datatype="&xsd; positive integer"⟩92km/h ⟨/owl: minCardinality⟩

⟨owl: onProperty rdf: resource="#经济车速油耗"/⟩

⟨owl: maxCardinality rdf datatype="&xsd; positive integer"⟩1.9 L/100km ⟨/owl: maxCardinality⟩

⟨owl: onProperty rdf: resource="#最大载荷"/⟩

⟨owl: maxCardinality rdf datatype="&xsd； positive integer"⟩153kg⟨/owl: maxCardinality⟩

⟨/owl: Restriction⟩

通过车速、经济油耗、最大载荷等方面客户需求特征参数与产品族实例特征参数的匹配，发现客户需求特征参数在产品族需求特征参数范围之内，该产品族实例能满足客户需求。

2）*产品实例描述*

⟨owl: Class rdf: ID="250cm3 摩托车实例"/⟩

⟨owl: memberOf rdf: resource="摩托车产品族"/⟩

⟨/owl: Class⟩

⟨owl: Class rdf: ID="动力模块"/⟩

⟨owl: memberOf rdf: resource="摩托车产品族"/⟩

⟨/owl: class⟩

⟨产品实例 rdf: ID="250cm3 摩托车实例"/⟩

⟨has-Engine rdf: resource="#7.1kW"/⟩

⟨has-Color rdf: resource="#红色"/⟩

⟨has-Price rdf: resource="#3000-4000"/⟩

……

⟨/owl: 产品实例⟩

该产品实例的颜色与客户需求的颜色相匹配，产品的价格与客户需求的价格相匹配，且 250cm^3 的排量使该摩托车具有足够的动力性。基本上能满足客户的需求。

3）*产品族实例模块、实例特征参数以及模块属性变量之间关系的 OWL 描述*

⟨owl: Class rdf: ID="发动机模块"/⟩

⟨owl: subClassOf rdf: resource="动力模块"/⟩

⟨/owl: Class⟩

⟨owl: ObjectProperty rdf: ID="动力性"⟩

⟨rdfs: domain rdf: resource="#发动机模块"/⟩

⟨rdfs: range rdf: resource="#有效功率, 有效扭矩, 转速"/⟩

⟨/owl: ObjectProperty ⟩

⟨owl: ObjectProperty rdf: ID="经济性"⟩

⟨rdfs: domain rdf: resource="#发动机模块"/⟩

⟨rdfs: range rdf: resource="#燃油消耗率"/⟩

⟨/owl: ObjectProperty ⟩

若产品实例中的某些属性不能完全满足客户需求，则需要根据产品配置知识及经验来修改不能满足的特征参数或属性所对应的模块实例。在这里，若摩托车的动力性或者经济性不能满足客户需求，则需修改其所关联的模块发动机的某些属性。

10.4.2　基于本体映射的摩托车产品配置过程

1. 摩托车产品族实例

设现有某摩托车产品族实例 PFC，它包含的产品族实例特征参数有排量、功率、速度和重量，其中排量≥110CC，功率≥3kW，速度≥90km，重量≥100kg。其产品实例的主要产品级实例及其特征参数如表 10.3 所示，这些产品实例即为该产品族中可根据客户需求进行配置的产品实例。

表 10.3　摩托车产品族实例及其属性

产品实例	排量/CC	最大功率/kW	最高车速/（km/h）	重量/kg
$P1$	110	3	90	100
$P2$	125	7.1	100	120
$P3$	125	10	123	128
$P4$	250	15.4	160	152

这些产品级实例特征参数之间存在着约束，如排量 110CC 决定了功率和速度不可能大于 12kW 和 110km/h。同时它与定制模块之间也存在着约束关系，其中性能参数和发动机模块存在着关联约束关系，如排量、功率两个特征参数与发动机模块之间是强关联关系，即发动机对排量和功率起着决定性的作用；速度与发动机模块之间则没有很强的约束关系，因为变速器模块对摩托车速度的影响很大，发动机对速度的影响只是小部分；发动机模块和车身重量之间也存在着一定的关联关系。

同样的方法可以完成组成产品实例的各模块实例的建立。如发动机模块的特征参数包括发动机转速、发动机功率、有效扭矩和适应性系数。不同的模块实例对应着不同的模块级实例特征参数。

2. 配置求解过程

例如，某客户对摩托车提出的模糊需求为 cv_1 排量大于 110CC，cv_2 速度不高于 130km/h，cv_3 重量一般，cv_4 功率在 7kW 左右；各模糊需求相应的权重为 w_1=0.3，w_2=0.3，w_3=0.2，w_4=0.2。

根据客户需求以及产品族实例 PFCase 的适用范围，可以确定该产品族实例能够满足客户的需求，接下来进行产品级和模块级实例的匹配。以下是针对该客户需求的产品配置过程。

首先对客户的模糊需求特征参数进行预处理，将其对应技术参数的值转换成三角模糊数的形式。

需求特征参数的三角模糊数形式为

cv=[(110, 125, 150), (100, 120, 130), (0.17, 0.50, 0.87), (3, 7, 10)]

归一化之后的三角模糊数形式为

$cv^!$=[(0.175, 0.189, 0.242), (0.204, 0.245, 0.269), (0.17, 0.50, 0.87), (0.081, 0.193, 0.281)]

$dv_1^!$=[(0.175, 0.165, 0.177), (0.183, 0.184, 0.186), (0, 0.17, 0.50), (0.081, 0.083, 0.084)]

$dv_2^!$=[(0.199, 0.189, 0.202), (0.204, 0.205, 0.207), (0.17, 0.50, 0.87), (0.193, 0.196, 0.199)]

$dv_3^!$=[(0.199, 0.189, 0.202), (0.251, 0.252, 0.254),(0.17, 0.50, 0.87), (0.271, 0.276, 0.281)]

$dv_4^!$=[(0.398, 0.378, 0.403), (0.326, 0.328, 0.331), (0.50, 0.87, 1), (0.418, 0.426, 0.432)]

各需求特征参数的权重向量 $\boldsymbol{w}$=(0.3, 0.3, 0.2, 0.2)。

利用前述公式计算客户需求特征参数中的排量、功率、最高车速和车身重量等与产品级实例特征参数中的各参数进行相似度计算，计算结果如表 10.4 所示。

表 10.4 相似度计算结果

产品实例	排量的相似度	速度的相似度	重量相似度	功率相似度	产品实例相似度
*P*1	0.8378	0.7621	0.5193	0.2252	0.6289
*P*2	0.9562	0.8488	1.0000	0.8907	0.9196
*P*3	0.9562	0.9491	1.0000	0.6745	0.9011
*P*4	0.5225	0.7294	0.5214	0.4375	0.6149

由表 10.4 可知，产品实例与客户需求的相似度 $P2>P3>P1>P4$，其中，产品实例 $P2$ 与客户需求的产品相似度最高，其值为 0.9196。

通常，相似度接近的产品实例与客户需求的理想产品的综合效用值都比较接近。另外，客户需求本身具有模糊性和不确定性，在实际配置中，可以将几个相似度高的产品实例同时输出给客户供其选择，以便最大限度满足客户需求。因而在以上的实例中，可将产品 $P2$ 和 $P3$ 同时输出给客户。

最后，根据客户的要求对相关模块实例进行修改。

第 11 章　基于 Web 的定制产品智能配置系统

基于前述各章的方法和技术，开发了一种基于 Web 的定制产品智能配置系统。本章主要介绍该系统的架构、功能、业务流程与关键技术，并以摩托车为例说明该系统的应用。

11.1　基于 Web 的定制产品智能配置系统的架构与功能

基于 Web 的定制产品智能配置系统是“面向典型离散制造行业的快速响应客户的产品开发平台”的重要组成部分。该产品开发平台的总体框架如图 11.1 所示，主要包括客户需求获取与交互、产品配置与项目计划管理、计算机辅助 X（computer aided X，CAX）产品设计、供应商协同设计与制造几大部分，各部分借助中间集成平台进行耦合，实现企业内外交互平台间的信息安全隔离与数据传递。

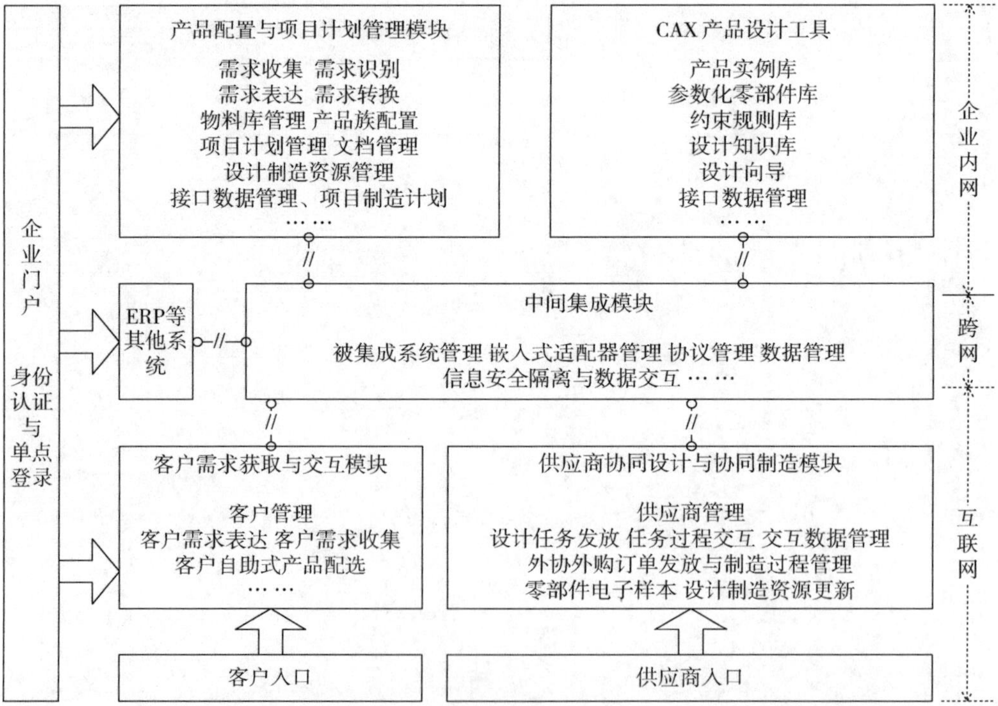

图 11.1　面向典型离散制造行业的快速响应客户的产品开发平台总体框架

该产品开发平台可以用于支持大规模定制产品的配置与制造，分为客户需求、产品配置、生产准备、装配制造四个阶段。客户需求阶段主要完成客户需求获取和商务沟通，直到形成订单。产品配置阶段则以订单为依据进行需求识别，并基于产品族和产品实例库、客户需求与产品功能映射规则完成需求转换及产品初始化 BOM 配置，经过需求差异分析确定产品设计目标，并对企业自身和供应商设计资源进行匹配和调度，接着进行协同设计任务的分解与下发，并对协同设计过程进行多项目协同管理。设计定型后，则开始进行生产准备，包括原辅材料和外购外协零部件的采购以及相关制造资源的准备。最后按照装配制造作业计划进行零部件制造、整机装配和发货。在此过程中，通过一体化的计划管理和信息传递实现快速产品开发和对客户需求的及时响应。

基于Web的定制产品智能配置系统主要涉及客户需求获取与交互模块以及产品配置与项目计划管理模块中的产品配置部分，并在运作中得到其他模块的支持。客户需求获取与交互模块的主要功能为客户管理、客户需求表达、客户需求收集以及客户自助式产品选配等。产品配置部分的主要功能为需求表达、需求识别、需求转换以及产品族配置等。

11.1.1　基于 Web 的定制产品智能配置系统的功能架构

基于 Web 的定制产品智能配置系统的功能架构如图 11.2 和图 11.3 所示，系统主要包括产品族管理、客户定制和销售管理三个子系统，并由前台和后台组成。系统前台主要面向客户，系统后台主要面向产品族管理人员和企业销售人员。不同的使用对象，他们使用系统的目的和要求也不同，因此需要为他们提供不同的功能和操作界面。

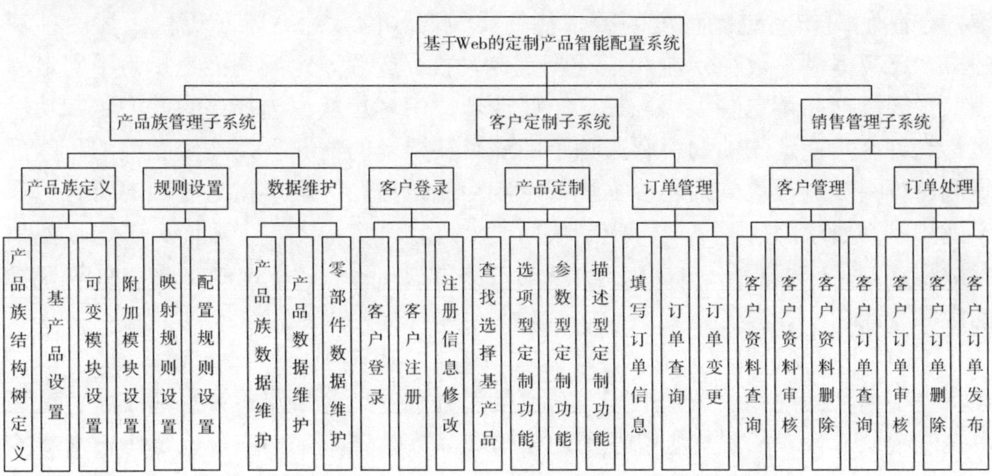

图 11.2　基于 Web 的定制产品智能配置系统的功能树

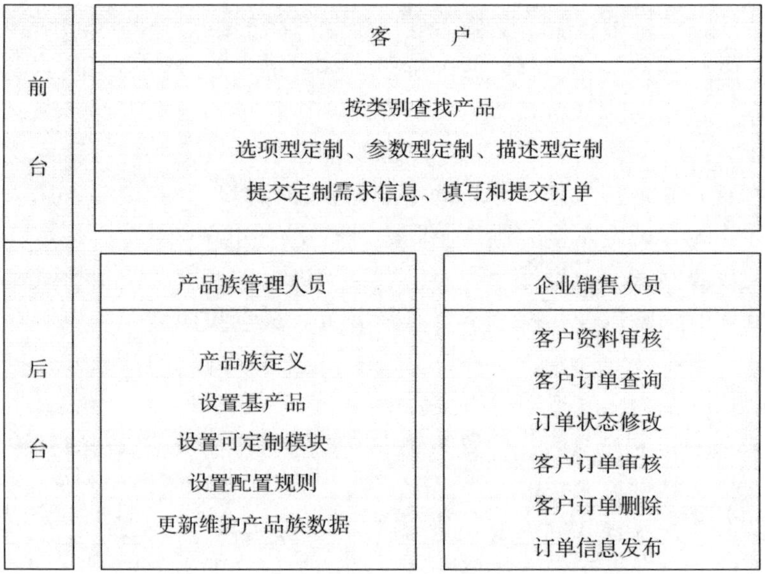

图 11.3　基于 Web 的定制产品智能配置系统的架构

1）客户

即产品的潜在购买对象，主要包括一般客户和 VIP 客户。一般客户采购量较少，因此只提供选项型定制；VIP 客户采购量较多，可以提供参数型定制和描述型定制。在系统设计和开发时，有必要将上述两种客户进行区别对待。一般客户和 VIP 客户的识别主要由企业销售人员根据客户的注册信息进行核实和确认，并赋予相应的权限。对一般客户而言，他们对产品定制程度的要求往往比较低，因此系统向该类客户提供按类别查找产品和选项型定制功能即可。而对于 VIP 客户，他们对产品定制程度的要求往往比较高，因此系统除了提供上述两种功能外，还应提供参数型定制和描述型定制功能。选项型定制功能是指为不同定制项（主要指产品可定制模块）提供一些选项，供客户从中选择；参数型定制功能是指允许客户在定制项的所有选项不能满足其要求的情况下，对定制项的一些可定制特征参数进行数值描述；描述型定制功能是指允许客户在定制项的所有选项不能满足其要求的情况下，对定制项的要求进行语言描述。一般而言，选项型和参数型定制是一种面向 ATO 或 MTO 的定制方式；而描述型定制主要是面向 ETO 的定制方式。

2）产品族管理人员

主要由产品设计人员来担任，其主要任务有定义产品族、设置基产品、设置可定制模块、设置配置规则以及更新维护产品族数据。定义产品族是指输入新的产品族 BOM 结构树或者对已有的产品族 BOM 结构树进行修改等操作。新的产品族定义以后需要设置对应的基产品，并设置哪些模块是基本模块（非定制模块），哪些模块是可定制模块，可定制模块包括可变模块和附加模块。定义新的产品族的同时也需要设置对应的产品配置规则，保证产品定制的过程配置的可行性。产品族管理人员还需要对产品族的相关基础数据进行日常维护和更新。

3）企业销售人员

其主要任务有客户资料审核、客户订单查询、客户订单审核、订单状态修改以及订单信息发布。客户资料审核是指审核客户的注册资料是否属实，并根据客户的注册资料判别客户是一般客户还是 VIP 客户，分配相应的权限。客户订单查询是指查询工作日所产生的最新订单情况。客户订单审核是指审核该订单是否为有效订单，审核方式可以通过电话联系客户。订单状态修改是指向客户及时反映订单的受处理情况，如正在处理、已发货等。订单信息发布是指向产品装配部门和设计部门发布订单信息，一般客户的订单信息般只需要发布给产品生产（装配）部门，VIP 客户的订单信息则需要发布给产品设计部门和生产部门。

11.1.2　基于 Web 的定制产品智能配置系统的功能

如图 11.2 的功能树所示，基于 Web 的定制产品智能配置系统主要包括产品族管理、客户定制和销售管理三个子系统。下面分别介绍这三个子系统的功能。

1. 产品族管理子系统的功能

产品族管理子系统主要有产品族定义、规则设置、产品族基础数据维护等功能。子系统向客户提供产品系列信息、定制项信息、配置规则信息，向设计人员提供产品 BOM 信息。产品族管理主要包括定义新的产品族、设置产品定制过程中的配置规则以及实现对产品族结构的变化管理。对产品族结构的变化管理包括产品族的升级、产品族功能的增减、产品系列管理、零部件的参数及选项值的管理和产品可选件、替代件、配件等的数据管理。

1）产品族定义

包括产品族结构树定义、基产品设置、可变模块设置和附加模块设置。

（1）产品族结构树定义。产品族管理人员按照企业产品现状，将产品分为若干个产品族，同时用产品族 BOM 结构来定义该产品族的结构，主要包括产品族中各功能模块、类零部件、设计参数之间的层次结构以及其相互之间的规则。

（2）基产品设置。在定义产品族结构树的基础上，产品族管理人员为该产品族设定一个缺省配置（基产品）。客户的配置方案即在该基产品的基础上通过粘贴、缩放、剥离和交换四种操作进行快速配置。

（3）可变模块设置。设置产品族结构树中的可变模块（可参与定制的模块），定义可变模块中的可选零部件以及其对应的可定制参数。如设置某系列产品的制动模块中的“制动装置”为可变模块，其对应的零部件选择项为“盘式制动器”

和“鼓式制动器”等。

（4）附加模块设置。设置产品族的附加模块（即可有可无的模块），如可添加“挂篮”“整流罩”等附件装置，并定义附件的可定制形式。

2）规则设置

包括映射规则设置和配置规则设置。

（1）映射规则设置。在产品族定义的基础上，设置功能要求与产品族定义中的各设计参数之间的映射规则，从而建立起客户需求与产品族结构树之间的映射，以便于系统根据客户需求输出相应产品族的 BOM。

（2）配置规则设置。建立产品族 BOM 结构树中各节点之间的关联关系、继承关系、概念-属性关系、组成关系。设置产品族中类零部件所对应的设计参数之间的互斥规则、关联规则、依赖规则等。

3）数据维护

数据维护包括产品族、产品和零部件等不同层级的数据维护与更新。

（1）产品族数据维护。主要包括各产品族信息的查询、添加、修改和删除几个功能。产品族管理人员可以查看产品系列列表和每个系列的详细信息。添加新的产品系列需要输入系列编号、名称、所属产品类别、主要特征描述、所包含的产品编号（可以在添加编号后继续添加产品数据）等。

（2）产品数据维护。包括产品数据的查询、添加、修改和删除几个功能。在产品系列中选定一个产品编号可以查看其详细信息。产品信息中包括该产品所有的部件及相关图片等信息。

（3）零部件数据维护。零部件数据维护包括对零部件相关信息的进行查询、添加、修改、删除。零部件信息包括零部件的选择子集、对应的定制参数、参数取值范围、可定制的形式及相关配置规则等。

2. 客户定制子系统的功能

客户定制子系统主要有客户登录、产品定制和订单管理等功能。通过提供在线定制界面，获取客户不同类型的需求信息，并对客户信息进行转换与规范，形成客户需求的订单，同时对客户资料进行管理。产品定制主要有选项型定制、参数型定制和描述型定制。其目的是获得完整的客户需求信息，并通过产品族管理中的 FR—DP 的映射关系，得到产品的配置参数。客户自主订单管理是在形成客户订单后，客户可以进行订单查询和变更等管理。

1）客户登录

包括客户登录、客户注册和注册信息修改。

（1）客户登录。客户在线访问系统，如果没有登录，则只能浏览产品信息。如果需要定购产品，则应适用注册时申请的用户名和密码进行登录。

（2）客户注册。客户首次访问系统，应先进行注册，以方便定购产品。

（3）注册信息修改。如果客户的注册资料（如通信地址和联系电话等）发生变动，则可通过系统提供的注册信息修改功能进行修改。

2）产品定制

包括查找和选择基产品、选项型定制、参数型定制和描述型定制。

（1）查找和选择基产品。基产品查找主要由产品分类导航功能来实现。产品分类导航栏将产品分成大类和子类。例如，摩托车产品的大类包括弯梁车、踏板车、越野车、街车、公路跑车、太子车。子类为与各大类对应的产品排量，如踏板车的排量有 50CC、70CC、90CC、100CC。在系统首页的主体部分展示公司最新款的产品，以方便客户选购。当客户应用产品分类导航功能时，系统自动将满足条件的产品向客户展示。当客户点击查看某款产品时，系统将显示该产品的相关性能、技术参数以及附件等。客户选择好的产品将作为产品定制的基产品。

（2）选项型定制。向客户提供若干定制项（主要指产品可定制模块），每个定制项包含数个选项，每个选项项与产品原有的配置可以有价格差额，客户每进行一次选择，产品价格就会自动加上或减去该选项的差额。当定制过程结束时，得到一个新的加总价格，随后客户提交定制需求信息，将所定制的产品添加到购物车。定制项的选择和确定主要由产品族管理人员根据产品系列（产品族）和实际情况事先定义好，并通过产品族管理子系统将定制项信息传递给客户定制子系统。

（3）参数型定制。在选项型定制功能不能满足客户要求的情况下，允许客户对定制项的一些可定制特征参数进行数值描述。可定制项的可定制特征参数的选择和确定主要由产品族管理人员事先定义好，并通过产品族管理子系统将定制项信息传递给客户定制子系统。

（4）描述型定制。在选项型定制功能不能满足客户要求的情况下，允许客户对该定制项进行语言描述。

参数型定制功能和描述型定制功能都可看成是选项型定制功能的一种扩展。对于一个定制项，具体应用哪些定制功能，可由产品族管理人员事先定义好，并通过产品族管理子系统将定制项信息传递给客户定制子系统。

3）订单管理

包括填写订单信息、订单查询和订单变更。

（1）填写订单信息。客户选中某款产品后，如果不需要定制，则将产品添加到购物车。如果需要定制，在完成定制操作后将定制产品添加到购物车。另外，还可将产品从购物车中移除或修改购买数量。然后再填写交货地址、联系方式及运送方式等信息。

（2）订单查询。客户可以在线查询订单的执行情况。

（3）订单变更。在订单正式生效之前，客户可对订单进行变更处理，如取消订单、变更数量或地址等。

3. 销售管理子系统的功能

销售管理子系统主要包括客户管理和订单处理两个功能，其目的是支持销售人员管理客户信息和处理客户订单。

1）客户管理

包括客户资料查询、审核和删除。

（1）客户资料查询。销售人员可通过销售管理子系统对客户资料信息进行查询，以便对客户资料进行管理。客户注册资料信息主要通过客户定制子系统传递给销售管理子系统。

（2）客户资料审核。销售人员需要对新注册的客户资料进行审核，包括审核客户资料的完整性，以及区分一般客户和 VIP 客户，并赋予相应的权限。

（3）客户资料删除。销售人员可对一些无效的客户资料进行删除操作。

2）订单处理

包括客户订单的查询、审核、删除和发布。

（1）客户订单查询。销售人员可通过销售管理子系统对客户订单信息进行查询，以便对客户订单进行管理。客户订单包括客户定制需求信息，主要通过客户定制子系统传递给销售管理子系统。

（2）客户订单审核。在收到新的客户订单之后，销售人员需要对其有效性进行审核。审核内容主要包括客户订单是否是虚假订单以及订单相关信息（交货地址和联系方式等）是否完整。审核方式可通过电话或 e-mail 等方式进行。

（3）客户订单删除。在客户订单审核之后，如果确认客户订单为非有效订单，销售人员可对之进行删除操作，并将相关信息反馈给客户。

（4）客户订单发布。客户订单审核通过之后，销售人员再将客户订单信息发布给生产（装配）部门或设计部门，客户订单信息包括相应的产品 BOM 表和客户定制需求信息，其中产品 BOM 表通过产品族管理子系统传递给销售管理子系统。如果是 ATO 或 MTO 定制方式，则发布给生产（装配）部门；如果是 ETO 定制方式，则发布给设计部门和生产部门。

11.2 基于 Web 的定制产品智能配置系统的信息与业务流程

11.2.1 基于 Web 的定制产品智能配置系统的信息流

系统的三个不同使用对象和三个子系统之间的信息流如图 11.4 所示。

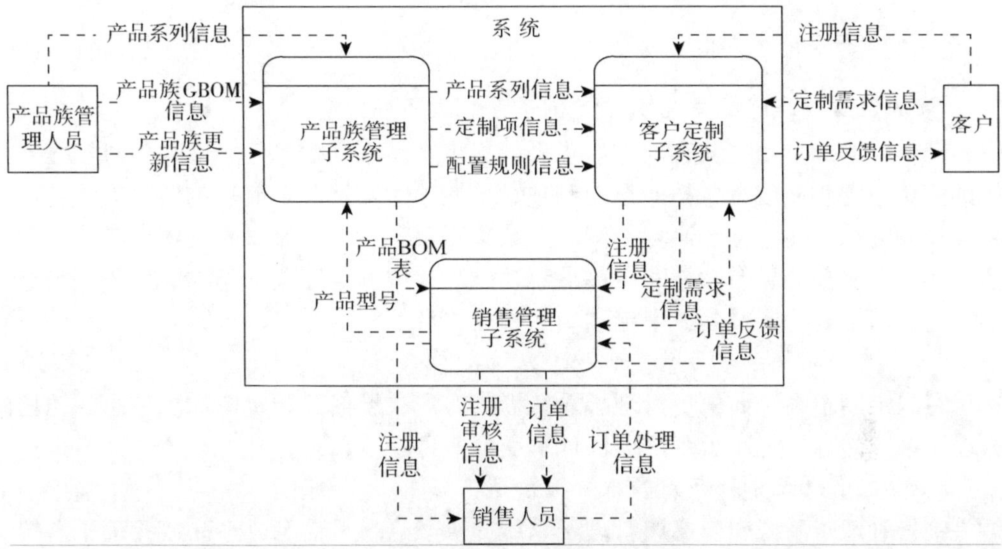

图 11.4　基于 Web 的定制产品智能配置系统的信息流

1. 系统使用对象与子系统之间的信息流

1）产品族管理人员与产品族管理子系统之间

产品族管理人员通过产品族管理子系统提供的产品族管理界面录入产品系列信息、产品族 GBOM 信息以及产品族更新信息。产品系列信息包括产品分类信息和产品实例技术参数信息。以摩托车为例，产品分类信息主要包括产品车型信息（大类）和产品排量信息（子类）；产品实例技术参数信息主要包括产品实例的一些关键技术参数，如排量、功率、轴距、离地高等。产品族 GBOM 信息主要包括 BOM 结构信息、配置规则信息、基产品信息等。产品族更新信息包括产品结构升级信息和各零部件的参数以及产品可选件、替代件、附件等更新信息。

2）客户与客户定制子系统之间

客户通过客户定制子系统提供的产品定购界面进行在线定制和购买产品。客户首次登录系统，需要先进行注册才能购买产品，因此客户通过注册将注册信息传递给客户定制子系统。客户注册之后，通过客户定制子系统提供的产品分类导航功能和产品展示功能进行产品查找，并选中一款产品，然后开始定制，最后将定制需求信息提交给客户定制子系统。提交定制需求信息之后，客户定制子系统会及时地将订单处理情况反馈给客户。

3）销售人员与销售管理子系统之间

销售人员通过销售管理子系统提供的销售管理界面对客户注册信息和订单信息进行管理。通过销售管理子系统的查询功能，销售人员可以查看客户的注册信息和订单信息，并将审核、处理情况输入系统。

2. 子系统与子系统之间的信息流

1）产品族管理子系统与客户定制子系统之间

产品族管理子系统向客户定制子系统提供产品系列信息、定制项信息和配置规则信息。定制项信息包括所有定制项、定制项的实例及定制项的定制方式等；配置规则信息主要包括定制项之间的约束关系等。客户定制子系统根据产品系列信息形成产品分类导航功能和产品展示功能，并根据定制项信息和配置规则信息形成选项型定制功能、参数型定制功能和描述型定制功能。

2）客户定制子系统与销售管理子系统之间

客户定制子系统向销售管理子系统提供客户注册信息和定制需求信息。销售管理子系统向客户定制子系统提供订单反馈信息。

3）销售管理子系统与产品族管理子系统之间

销售管理子系统向产品族管理子系统提供产品型号信息。产品族管理子系统向销售管理子系统反馈相应型号产品的 BOM 表。

11.2.2 基于 Web 的定制产品智能配置系统的业务流程

1. 面向产品族管理人员的业务流程

产品族管理人员主要完成系统中产品族的管理工作，包括定义新的产品族、设置产品定制过程中的配置规则以及对产品族结构变化的管理。产品族结构变化的管理包括产品族的升级、产品族功能的增减、产品系列管理、零部件的参数及选项值的管理和产品可选件、替代件、配件等的数据管理。

图 11.5 所示为面向产品族管理人员的业务流程。产品族管理人员通过专用账号登录系统，进入产品族管理的界面。然后根据需要，选择操作。

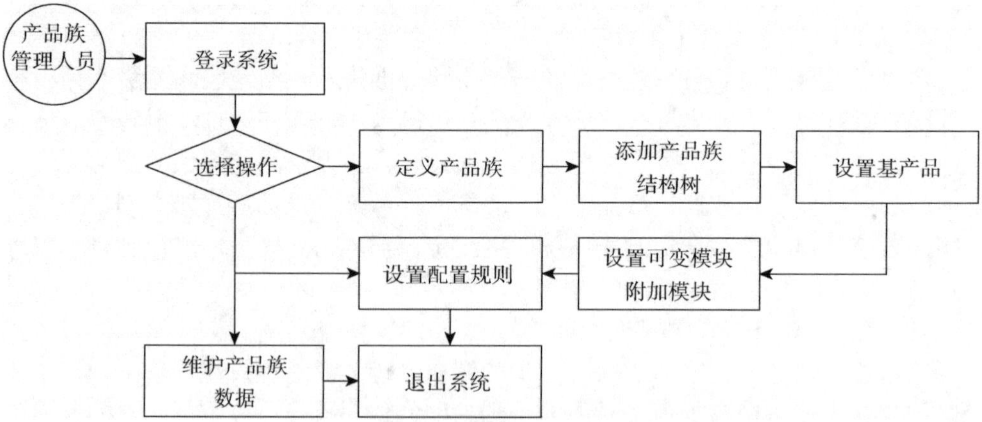

图 11.5 面向产品族管理人员的业务流程

2. 面向客户的业务流程

图 11.6 所示为面向客户的业务流程。客户远程登录系统之后，通过系统提供的产品分类导航栏，查找并选中一款最为满意的产品。如果对该款产品的配置已经非常满意，可直接将之添加到购物车，然后填写订单信息并向系统提交。如果对该款产品的部分配置不是很满意，则可以选择对该款产品进行定制。对于一般客户，系统只向客户提供选项型定制功能。如果选项型定制功能不能满足其需求，可选择重新查找产品或退出系统。对于 VIP 客户，如果选项型定制功能不能满足其需求，可再选择参数型定制功能或描述型定制功能。最后，客户将其定制需求信息向系统提交，整个产品定购过程结束。

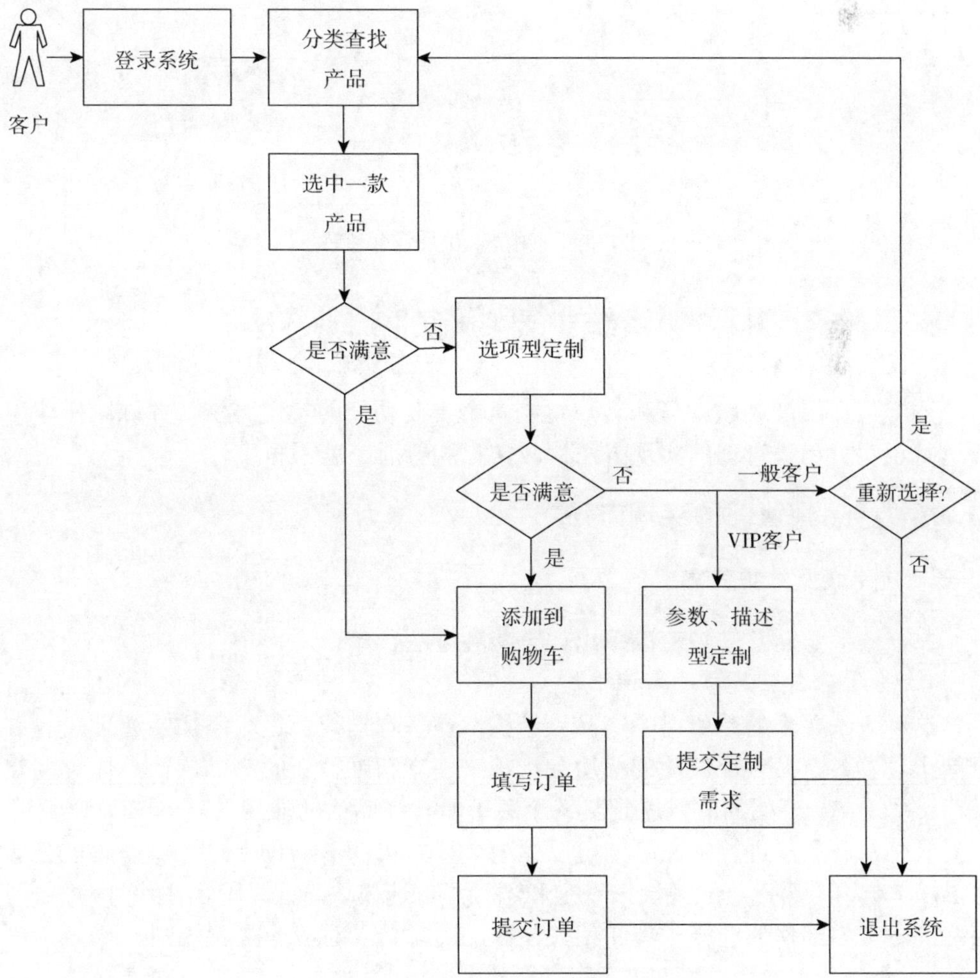

图 11.6　面向客户的业务流程

3. 面向销售人员的业务流程

图 11.7 所示为面向销售人员的业务流程。销售人员登录系统之后，主要需要完成以下业务操作：客户资料审核、客户订单查询、订单状态修改、客户订单审核以及订单信息发布。

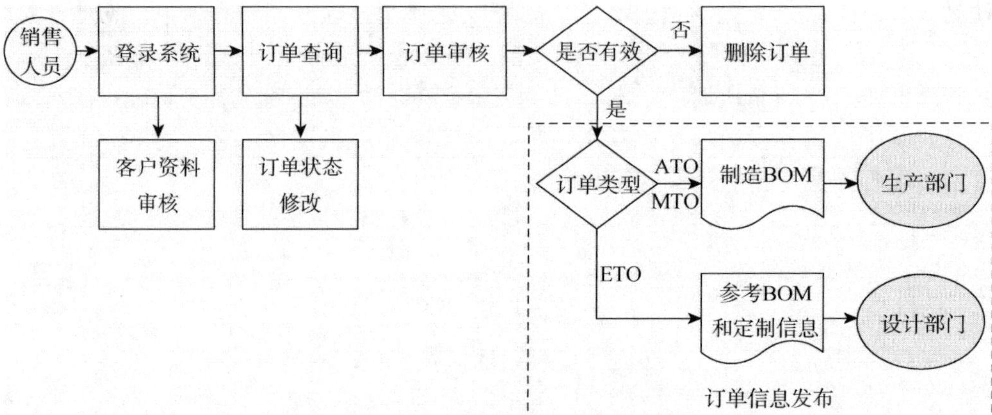

图 11.7　面向销售人员的业务流程

11.3　系统主要功能的实现方法

本节将介绍产品族管理和客户定制两个主要功能的实现方法，并以摩托车为例进行说明。销售管理的实现方法比较常见和普通，就不再赘述。

11.3.1　产品族管理的实现方法

1. 产品族定义及维护的方法

产品族的定义及维护可以采用如下两种方法。

1）基于基本框架的产品族维护

这种方法要求的是所有的产品族结构都在基本框架上进行添加，通过在基本框架上设置各产品族个性化的模块和选项来建立和维护新的产品族。具体实现方法为：系统在一开始的时候就定义一个关于所有产品族的通用的基本 BOM 结构，在对具体的产品族进行定义时则可以在这个基本 BOM 结构上进行操作。可在基本 BOM 结构上选择对应模块来设定和添加“可选模块”或“附加模块”，并导入对应的各类零部件的选择子集和相关参数，同时录入对应的配置规则。

2）基于实例的产品族维护

即通过在已有的产品族 BOM 结构的基础上的修改和维护，以产生新的产品族。具体实现方法为：首先确定新添加产品族的类别，即从已有的产品类别中寻找出最相近的产品族，进入“产品族定义”界面，导出最相近的产品族 BOM 结构树。在此基础上对 BOM 结构上各模块和选择子集进行修改操作。例如，要定义新的摩托车产品族 JL48，它与产品族 TM-50 最相近，属于同一类别，均属于“踏板车”，因此可以选定 TM-50 产品族 BOM 结构为基础。但 JL48 产品族的发动机选择子集与 TM-50 产品族不一样，需要重新导入。若其可定制模块还包括“燃料供给部分”，则可以在 TM-50 产品族 BOM 结构的一级节点上添加“燃料供给部分”子节点，并在此节点上再添加“油箱”和“供油系统”两个子节点，最后添加该两个子节点的选择子集和相关参数，同时进行配置规则的录入。从而完成新产品族 GBOM 结构的定义。

2. 产品族定义的具体过程

产品族定义包括产品族 BOM 结构的定义和可定制模块及其相关参数的确定。

产品族管理人员根据产品变化对产品族 BOM 进行管理，包括添加新的产品族 BOM 或者修改现有产品族 BOM。同时根据需要，在一定范围内还可以进行添加、删除或修改可定制模块及其相关参数的操作。

按照企业产品现状，将产品分为若干个产品类别。如将摩托车按照车型分为弯梁车、踏板车、越野车、街车、公路跑车、太子车等，而各个产品类别下面包括若干产品族（子类）。产品族管理人员可以对大类或其产品族（子类）进行添加设置。

1）产品族 BOM 结构树

产品族管理人员可在“产品族结构树管理”界面中选择对应的“产品类别”，点击“添加新的产品族”操作，选择输入新的产品族 BOM 结构树或者对已有的产品族 BOM 结构树进行修改等操作；同时还需在“基产品设置”界面中设置新增产品族的基产品（即缺省配置），给出基产品的价格和基本结构配置，作为产品族其他产品定价和生成的基础。在产品族 BOM 结构建立中，系统可以将产品族 BOM 结构建立成结构树的形式。下面以某 TM-50 摩托车产品族为例进行说明，其产品族 BOM 结构如图 9.5 所示。

2）产品族 BOM 结构树中各节点的设置

在进行某产品族定义时，除定义产品族 BOM 结构外，还需要对各类零部件的选择子集、可定制参数及其定制形式、配置规则等进行设置。以 TM-50 摩托车产品族 BOM 结构中的动力系统为例，在产品族定义过程中除对类零部件“发动机 50-11G”的选择子集“发动机 1”“发动机 2”等进行管理外，还需要设置定制参数、取值范围、可定制的形式及其相关配置规则，如图 11.8 所示。其具体操作可以在“可选模块设置”和“附加模块设置”中完成。

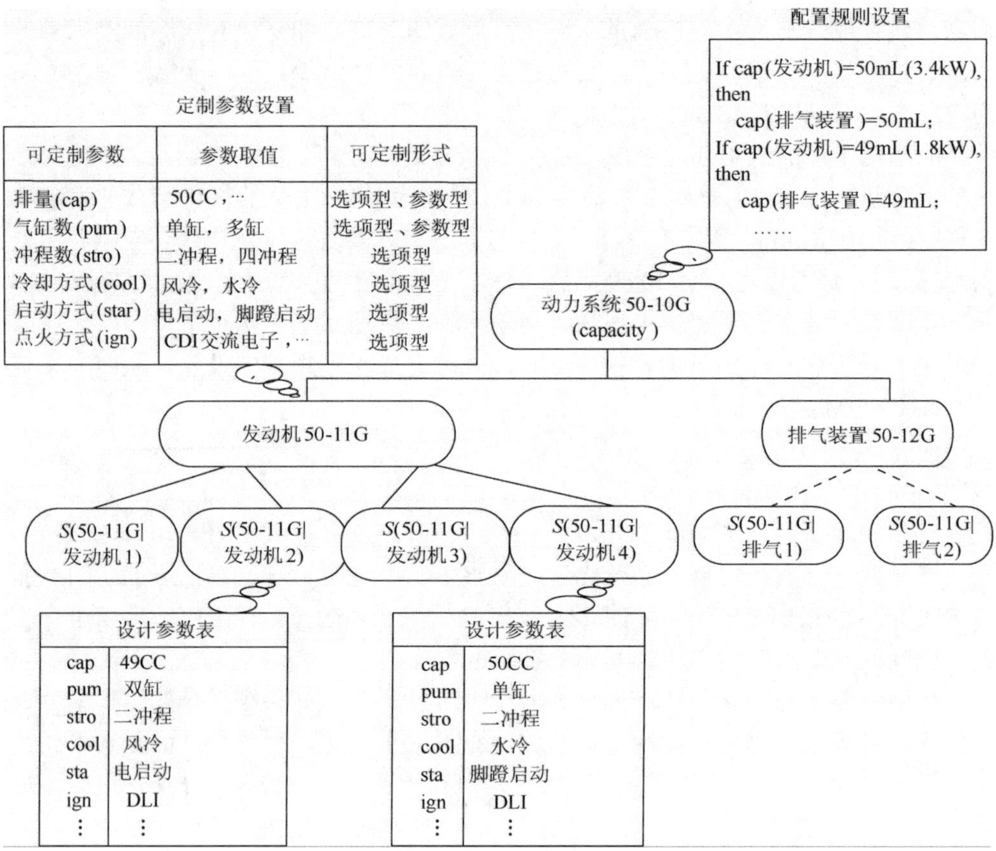

图 11.8 摩托车动力系统的选择树及相关配置规则

CDI：conderser diode ignite，电容二极管点火。DLI：distributorless ignition，无分电器点火

将可定制模块分为“可变模块”和“附加模块”。可变模块就是产品族结构中含有选择子集的模块；附加模块是在产品上可以另外添加的部件。在“可变模块设置”界面中，产品族管理人员可以对各产品族的可变模块进行设置，如把某产品产品族的“发动机”“车架”“前叉总成”“制动装置”设置成可变模块，并按照图 11.8 的方式定义其相关参数的定制形式。在“附加模块设置”界面中，产品族管理人员可以对附件模块中的子集进行添加，如可附加“挂篮”“坐垫”“整流罩”到“附加模块”中，同时还可设置附件的定制形式和价格等属性。

3）*产品族目录树*

为了更直观地表达产品族的结构，表 11.1 将摩托车产品族 BOM 结构以目录树的形式来体现。一级目录表示产品族的功能模块分类，二级目录表示各功能模块下面所包含的零部件类别，三级目录则表示各部件所包含的更低一级的零部件，四级目录表示对应的产品族中各零部件的可选子集。产品族目录树中的各节点都设置有与其相对应的设计参数。其中，可定制的设计参数都有一个对应的选择子集，并且在产品族定义的过程中，可以定义（是否可定制）、添加或修改该设计参数的定制型式（如选项型定制、描述型定制和参数型定制）；非定制的设计参数则为默认值。表 11.1 的摩托车产品族目录树中，定义了一级目录中的产品族各功能模块之间的关联关系，如燃油供给系统的性能受到动力系统的影响。一级目录中各功能模块与二级目录中各类零部件之间的组成关系（part-of）；二级或三级目录中的类零部件与各设计参数之间的概念-属性关系（attribute-of）；类零部件与选择子集中各选项之间的继承关系（kind-of）。

表 11.1　摩托车产品族的目录树

<table>
<tr><th rowspan="2">一级目录</th><th rowspan="2">二级目录（part-of）</th><th rowspan="2">三级目录</th><th rowspan="2">四级目录
可选子集（kind-of）</th><th colspan="2">节点特征参数</th><th rowspan="2">可定制形式</th><th rowspan="2">适合车型</th></tr>
<tr><th>设计参数（attribute-of）</th><th>是否可定制</th></tr>
<tr><td rowspan="6">动力系统</td><td>冷却系统</td><td></td><td rowspan="6">发动机 1、发动机 2
磁电式点火、蓄电池点火、电子点火
风冷、水冷
50CC、110CC、125CC、250CC</td><td>发动机型式</td><td>可定制</td><td>选项型</td><td>所有车型</td></tr>
<tr><td>润滑系统</td><td></td><td>点火方式</td><td>可定制</td><td>选项型</td><td></td></tr>
<tr><td>曲轴箱体</td><td></td><td>冷却方式</td><td>可定制</td><td>选项型</td><td></td></tr>
<tr><td>起动系统</td><td></td><td>发动机排量</td><td>可定制</td><td>选项型、参数型</td><td>所有车型</td></tr>
<tr><td>发动机总成</td><td></td><td>排气装置排量</td><td>可定制</td><td>选项型、参数型</td><td></td></tr>
<tr><td>排气装置</td><td></td><td>发动机功率</td><td>非定制</td><td></td><td></td></tr>
<tr><td rowspan="7">燃料供给系统</td><td rowspan="2">化油器</td><td rowspan="2"></td><td rowspan="2">5~8.5L、7.5~13L、12~16L</td><td>油箱容积</td><td>可定制</td><td>选项型、描述型</td><td></td></tr>
<tr><td>供油系统</td><td>非定制</td><td></td><td></td></tr>
<tr><td>空气滤清器</td><td></td><td></td><td></td><td></td><td></td><td></td></tr>
<tr><td>燃油箱</td><td></td><td></td><td></td><td></td><td></td><td></td></tr>
<tr><td>燃油箱开关</td><td></td><td></td><td></td><td></td><td></td><td></td></tr>
<tr><td>排气管</td><td></td><td></td><td></td><td></td><td></td><td></td></tr>
<tr><td>消声器</td><td></td><td></td><td></td><td></td><td></td><td></td></tr>
<tr><td rowspan="7">传动部分</td><td>离合器</td><td></td><td></td><td></td><td></td><td></td><td></td></tr>
<tr><td rowspan="3">变速器</td><td>起动机构</td><td rowspan="3">变速器 1、变速器 2</td><td>变速器档数</td><td>可定制</td><td rowspan="3">选项型、描述型</td><td></td></tr>
<tr><td>变速机构</td><td>传动比</td><td>非定制</td><td></td></tr>
<tr><td>变档机构</td><td>传动效率</td><td>非定制</td><td></td></tr>
<tr><td>传动轴</td><td></td><td></td><td></td><td></td><td></td><td></td></tr>
<tr><td>链条、链轮</td><td></td><td></td><td></td><td></td><td></td><td></td></tr>
<tr><td>后传动总成</td><td></td><td></td><td></td><td></td><td></td><td></td></tr>
</table>

续表

一级目录	二级目录（part-of）	三级目录	四级目录 可选子集（kind-of）	节点特征参数 设计参数（attribute-of）	是否可定制	可定制形式	适合车型
行车部分	车架总成	车架		面板颜色	可定制	选项型	
		前、后挡泥板		侧盖颜色	可定制		
				前围颜色	可定制		
		支撑架		前边轨颜色	可定制		
		搁脚杆		挡泥板	可定制		
	尾架			尾架型式	可定制	选项型、描述型	
	转向机构						
	前叉总成	上、下联板	弹簧式、液压式、复合式	前减震器类型	可定制	选项型	
		前减震器					
	后悬挂总成	上、下链壳组合		后减震器类型	可定制	选项型	
		后摇架焊接组合					
		后减震器组合					
	前、后车轮总成	轮鼓		轮胎规格（前、后）、轮毂型式	可定制	选项型	所有车型
		辐条					
		轮胎					
制动系统	制动总成	制动鼓盖	盘式制动器、鼓式制动器	前制动器型式	可定制	选项型	
		制动蹄块					
		制动踏板		后制动器型式	可定制	选项型	
		制动操纵部分					
电气仪表部分	点火系统			点火方式	可定制	选项型	
	照明系统	前大灯		样式、功率	可定制	选项型、描述型	
		尾灯					
附加模块	挂篮		挂篮 1、挂篮 2	挂篮样式	可定制	选项型、描述型	踏板车、弯梁车
	尾箱		尾箱 1、尾箱 2	尾箱样式	可定制	选项型、描述型	

4）规则设置

在产品族定义的同时，还需要进行规则的设置。规则的设置主要包括三个部分：FR—DP 的映射规则设置、客户端选项与 GBOM 配置模块的映射关系设置以及配置规则设置。

（1）FR—DP 映射规则设置。FR—DP 映射规则设置即在产品族定义的基础上，产品族管理人员需要设置功能要求与产品族定义中的设计参数之间的映射规则，从而建立起客户需求与产品族结构树之间的映射，以便于系统根据客户需求输出相应的客户 BOM。在“FR—DP 映射规则设置”中需完成映射规则的定义、添加、删除和修改等操作。

以某摩托车产品族为例，功能要求与设计参数之间的映射规则如表 11.2 所示。两者之间的映射关系有 1∶1，1∶*n*，*m*∶1 三种；同时，可定制的设计参数都对应有相应的选择子集。

表 11.2　FR—DP 映射规则

<table>
<tr><th colspan="2">功能要求</th><th colspan="2">设计参数</th><th>选择子集</th><th>相关规则</th></tr>
<tr><td rowspan="4">动力性能</td><td>爬坡性能（1∶2）</td><td colspan="2">发动机排量、变速箱档数</td><td rowspan="2">发动机实例 1、发动机实例 2</td><td></td></tr>
<tr><td>最高车速（1∶2）</td><td colspan="2">发动机排量、变速箱档数</td><td></td></tr>
<tr><td>燃油供应（1∶1）</td><td colspan="2">供油系统</td><td></td><td></td></tr>
<tr><td>燃油存储（1∶1）</td><td colspan="2">油箱容积</td><td>5~8.5L、7.5~13L、12~16L</td><td>容积随发动机排量增加而增加（依赖规则）</td></tr>
<tr><td colspan="2">起动性能（1∶1）</td><td colspan="2">起动装置</td><td>电起动系统、脚蹬式起动系统</td><td></td></tr>
<tr><td colspan="2" rowspan="2">制动性能、安全性（1∶2）</td><td rowspan="2">制动系统</td><td>前制动器型式</td><td rowspan="2">盘式制动器、鼓式制动器</td><td rowspan="2">制动器的布置方案与排量有关，排量小于 125CC 的前后均用鼓式，125~250CC 的前用单盘式，后用鼓式，大于 250CC 的均用盘式（关联规则）</td></tr>
<tr><td>后制动器型式</td></tr>
<tr><td colspan="2" rowspan="7">燃油经济性（1∶n）</td><td rowspan="3">动力系统</td><td>发动机功率</td><td rowspan="3">发动机 1、发动机 2</td><td rowspan="6"></td></tr>
<tr><td>发动机冲程数</td></tr>
<tr><td>冷却方式</td></tr>
<tr><td rowspan="3">传动系统</td><td>变速器档数</td><td rowspan="3">变速器 1、变速器 2</td></tr>
<tr><td>传动比</td></tr>
<tr><td>传动效率</td></tr>
<tr><td colspan="2">车架材料、发动机壳体材料（整车重量）</td><td>铝合金、铝钛合金、铝镁合金</td><td>受整车价格的约束</td></tr>
<tr><td colspan="2" rowspan="4">外观颜色（1∶4）</td><td colspan="2">面板颜色</td><td rowspan="4">红色、绿色、蓝色</td><td rowspan="4">颜色一致</td></tr>
<tr><td colspan="2">侧盖颜色</td></tr>
<tr><td colspan="2">前围颜色</td></tr>
<tr><td colspan="2">前边轨颜色</td></tr>
<tr><td colspan="2">汽缸数</td><td colspan="2" rowspan="2">发动机总成（m∶1）</td><td>单缸、多缸</td><td rowspan="2">不同的组合形成不同的发动机选择子集</td></tr>
<tr><td colspan="2">冲程数</td><td>二冲程、四冲程</td></tr>
</table>

续表

功能要求	设计参数	选择子集	相关规则
冷却方式（1∶1）	发动机冷却系	风冷、水冷	
点火方式（1∶1）	点火系	磁电式点火、蓄电池点火、电子点火	
排量（1∶2）	发动机排量	50CC、110CC、125CC、250CC	两者之间有相互对应的关联规则
	排气装置排量	50CC、110CC、125CC、250CC	
尾箱（1∶1）	尾箱	尾箱 1、尾箱 2	
挂篮（1∶1）	挂篮	挂蓝 1、挂篮 2	

（2）客户端选项与 GBOM 配置模块的映射关系设置。表 11.3 定义了部分客户端选项与 GBOM 配置模块的映射关系，并给出了客户端选项的相应描述。客户端选项及其描述一同在客户端界面展示给客户，以便帮助客户选择适合自己的选项。

表 11.3　客户端选项及其与配置模块对映关系示例

客户端选项		描述	配置模块
制动器	盘式制动器	散热性能好，制动性能稳定，用于大排量车	前制动器、后制动器
	鼓式制动器	结构简单，制造成本低，用于小排量车	
前减震器	弹簧减震器	结构简单，造价低，但是减震效果不十分理想	前减震器
	伸缩管式前叉液压减震器	减震效果较好，但成本相对较高	
后减震器	弹簧-空气阻尼式减震器	结构简单，成本低，但是减震效果不十分理想	后减震器
	弹簧-液压阻尼式减震器	减震效果较好，但成本相对较高	
发动机冲程	二冲程	爆发力强，提速快，但油耗较大，排污量较大	发动机
	四冲程	省油耐用，排污量小，噪声低，性能稳定，经济实惠，更合适长途旅行	
起动方式	电起动	以电动机为动力进行起动	起动装置
	脚蹬起动	以人力通过脚蹬进行起动	

（3）配置规则设置。在定义了各产品族以后，产品族管理人员还需要对产品族的配置规则进行设置，即在“配置规则设置”中完成添加、删除和修改等操作。产品族的配置规则包括产品族 BOM 结构树中各节点之间的关联关系、继承关系、概念-属性关系、组成关系，如表 11.1 所示。产品族中类零部件所对应的设计参数之间的互斥规则、关联规则、依赖规则等，如表 11.2 所示。其中，互斥规则表

示两个或两个以上定制零部件不能一起选择，不可以同时存在，如选择了白色的前围就不能选择其他颜色的前边轨；关联规则表示两个或两个以上定制零部件必须一起选择，如选择了 1.3L 的汽缸以及柴油作为汽缸燃料则必须选择 5 级变速器；除了互斥规则和关联规则之外，产品的配置规则有可能还存在组合规则、依赖规则等其他形式。因此，为了保证产品族的实用性，产品族管理人员可以对其他可能存在的规则进行设置和更新。

3. 数据维护

1）*产品族数据维护*

主要包括产品族信息和产品实例信息的查询、添加、修改和删除等功能。例如，摩托车产品族信息包括产品系列编号、车型、排量和车型描述等，如表 11.4 所示。某摩托车产品实例信息包括产品实例的名称、所属产品族编号、性能和技术参数特征等，如表 11.5 所示。

表 11.4　摩托车产品族的基本信息

车型	排量	产品系列编号（示例）	产品实例（示例）	车型描述
踏板车	50CC	TBC50	50QT-18A 50QT-10A	使用坐式车架，有塑料踏板，重心低、乘骑舒适、美观、适合城市代步
	70CC	TBC70		
	90CC	TBC90		
	100CC	TBC100		
弯梁车	100CC	WLC100	100-3（133L）	使用下弯梁车架，结合了骑式车和踏板车的特点，经济省油
	110CC	WLC110	110-19（352） 110-8（181T） 110-2	
	125CC	WLC125		
街车	110CC	JC1110		日常保养方便、行车灵活、经济省油、耐用、乘骑舒适、适合城市街道行驶
	125CC	JC125	125-99A（333） 125-16A（411C） 125-19E（425E）II 125-31B 125-35B（318E）II	
	150CC	JC150	150-F（418F）II	
太子车	125CC	TZC125	125E-6	车身长，座位低，手把高，适合在高速公路上长途旅行
	150CC	TZC150	150E（198F） 150E-10	
	200CC	TZC200		
	250CC	TZC250	250E-5（188F） 250E-3（388）	

续表

车型	排量	产品系列编号（示例）	产品实例（示例）	车型描述
越野车	125CC	YYC125	125L	重心高，车轮大，排气管出口高，适合在崎岖路面行驶
	150CC	YYC150	150GY-2（268）	
	200CC	YYC200		
	250CC	YYC250		
公路跑车	200CC	GLPC200		也称公路赛车，动力性能好
	250CC	GLPC250		
	600CC	GLPC600	600L	

表 11.5　摩托车产品实例的基本信息

产品实例名称	600 L	125-16A（411C）
所属产品系列编号	GLPC600	JC125
主要特征简介	600L 型产品是国内第一款自行设计生产拥有自主知识产权的两轮大排量水冷型用车，该车具有大排量产品的雄健感与速度感，整体造型流畅协调，优良的人-机工程设计融入了大量人性化与视觉化元素，驾乘舒适亲切，同时操纵灵活，具有公路车和越野车的双重性格	125-16A 劲力十足，以国家军品装备为基准，导入强大动力，耐久可靠性设计
价位	14 000 元左右	4 500~6 500 元
车体设计	豪华型	经典型
适行道路	城市型、山地型	城市、乡村路段
适驾人群	身高 170cm 以上的人群	身高 165cm 以上的人群
可靠性（试验里程）/km		
耐用性（试验里程）/km		
额定载重/kg		180
最高车速/（km/h）	170	95
经济油耗/（L/100km）	3.0	1.8
最小转弯半径/m	4	
起步加速时间（0 ~ 200m）（s）	10	
超越加速时间（30km/h、200m）（s）	11	
排放标准	欧 III	
最大噪声/dB		
最大爬坡角度/（°）		

产品族管理人员可以查看产品系列列表和每个系列的详细信息，添加新的产品系列需要输入系列编号、所属产品类别、主要特征描述、与产品系列对应的产品实例等，修改产品系列数据，如系列编号、名称、特征描述等。不再销售的产品系列可由产品族管理人员删除（一个产品系列被删除时，它所包含的整车数据同时被删除）。

产品族管理人员还可以查看每个产品实例的基本信息，包括产品实例的名称、所属产品系列编号、性能和技术参数特征等，为新产品实例添加基本信息，对产品实例的基本信息进行修改，或删除产品实例的基本信息。

2）*产品数据维护*

包括整车数据的查询、添加、修改和删除等功能。在产品系列中选定一个整车编号可以查看其详细信息，包括该车的所有部件、相关图片等信息。添加整车时要选定一个产品系列，输入整车编号，而各部件中包含的零部件可从零部件库中进行查看。

3）*零部件数据维护*

包括对零部件相关信息的查询、添加、修改和删除。

11.3.2　客户定制的实现方法

1. 产品分类导航功能

产品分类导航功能主要是方便客户快捷地找到所需要的产品。例如，摩托车产品分类包括大类和子类，大类即车型，子类即发动机排量。客户先选择大类，然后再选择大类下面的子类，即可找到所需要的摩托车产品。

1）*大类（车型）*

主要包括踏板车、弯梁车、街车、太子车、越野车和公路跑车。它们各自的用途及主要特征如下。

（1）踏板车。使用坐式车架，有塑料踏板，重心低、乘骑舒适、美观、适合城市代步。

（2）弯梁车。使用下弯梁车架，结合了骑式车和踏板车的特点，经济省油。

（3）街车。日常保养方便、行车灵活、经济省油、耐用、乘骑舒适、适合城市街道行驶。

（4）太子车。车身长，座位低，手把高，适合在高速公路上长途旅行。

（5）越野车。重心高，车轮大，排气管出口高，适合在崎岖路面行驶。

（6）公路跑车。也称公路赛车，动力性能好。

对一般客户而言，可能对上述六种车型不是很了解，因此可以通过注解的方式，帮助客户明白哪种车型最适合自己。

2）子类（排量）

不同车型分别对应不同的排量，如表 11.4 所示。

3）产品分类查找过程

客户先选择一种车型，然后选择一种排量，之后系统展示对应车型和排量的摩托车产品，展示内容可以包括产品图片、型号和名称、价格等。另外，客户还可以进一步查看产品的具体配置和技术参数情况。

现举例说明如下：某客户登录系统之后，通过大类选择的车型是街车，通过子类选择街车的排量为 125CC，之后系统根据客户的上述选择，展示满足选择条件的摩托车产品，如图 11.9 所示。

125-99A(333)
价格：6000 元
详细情况
定制产品
添加到购物车

125-16A(411C)
价格：5000 元
详细情况
定制产品
添加到购物车

图 11.9 摩托车产品展示

在图 11.9 中，有“详细情况”“定制产品”“添加到购物车”三个超级链接供客户选择。“详细情况”可以查看产品的性能、技术参数情况。“定制产品”转换到产品定制界面，如果是一般客户，则系统只向其提供选项型定制功能；如果是 VIP 客户，系统还应向其提供参数型定制和描述型定制功能。“添加到购物车”进入订单填写环节。

2. 选项型定制功能

选项型定制功能主要通过让客户选择定制模块的实例来实现定制。定制模块分为可定制模块和附加模块。不同的产品系列（或产品族）具有不同的定制模块，因此可定制模块及其实例需要由产品族管理人员事先定义好。从客户的角度来说，定制模块的不同实例表现为不同的选项，每个选项都有各自的标价，为方便客户的抉择，选项（定制模块实例）与产品原有定制模块实例有个价格差额。客户在选中某个选项时，即加上或减去这个差额，这样在选项型定制功能模块中，就可以根据客户的选择，进行实时报价。当选项型定制功能结束时，即可以得到一个新的总价格。

现举例说明如下：在如图 11.9 所示的摩托车产品中，如果客户选中的产品为“125-99A（333）”，然后决定对该款产品进行定制，则可点击超级链接“定制产品”进入选项型定制功能界面。表 11.6 所示为 125-99A（333）型摩托车的选项示例。

表 11.6　125-99A（333）型摩托车的选项示例

选项	描述	可选项	附图
制动器	降低产品行驶速度，或者使产品停止行驶	（1）鼓式制动器（包括在价格中） （2）盘式制动器（需加 50 元）	
减震器	缓和道路不平对车辆的震动和冲击，提高乘骑的舒适性，延长车辆的使用寿命及提高操纵性和稳定性	前减震器： （1）弹簧减震器（包括在价格中） （2）伸缩管式前叉液压减震器（需加 100 元）	
		后减震器： （1）弹簧-空气阻尼式减震器（包括在价格中） （2）弹簧-液压阻尼式减震器（需加 100 元）	
挡风板	使产品在行驶中导流，挡风，御寒。同时也起到防止正面冲击乘员，对人，对车都起到保护作用	（1）不需要挡风板（包括在价格中） （2）需要挡风板（需加 50 元）	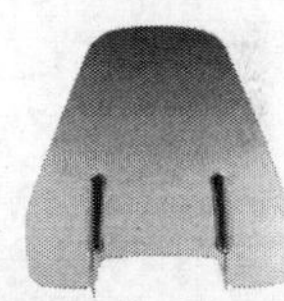
尾箱		（1）不需要尾箱（包括在价格中） （2）需要尾箱一（需加 50 元） （3）需要尾箱二（需加 50 元）	尾箱一  尾箱二 

3. 参数型定制功能

参数型定制功能是选项型定制功能的一种扩展。也就是说，对于一个定制项，其所有的选项都不能令客户很满意，这时系统向客户提供参数型定制功能，即允许 VIP 客户对该定制项的某些可定制特征参数进行数值描述。对于一个定制项，是否在提供选项型定制功能的同时再提供参数型定制，应由产品族管理人员根据实际情况事先定义好。

现以摩托车前大灯灯泡为例进行说明。如图 11.10 所示，如果选项型定制功能不能满足其要求，即定制项的所有选项都不能令 VIP 客户特别满意，系统向其提供描述型定制功能，如客户可对前大灯灯泡的可定制特征参数“单只灯泡功率”进行数值描述。

前大灯灯泡
□飞利浦12V 20/20W (包括在价格中)
□飞利浦12V 25/25W (需加10元)
□飞利浦12V 30/30W (需加20元)

如有其他要求，请在下面进行描述：

单只灯泡功率：	不小于		(W)

图 11.10　摩托车前大灯灯泡的选项型和参数型定制

4. 描述型定制功能

描述型定制功能也是选项型定制功能的一种扩展。也就是说，对于一个定制项（产品零部件或特征参数），其所有的选项都不能令客户很满意，这时系统向客户提供描述型定制功能，即允许 VIP 客户对该定制项进行语言描述。对于一个定制项，是否在提供选项型定制功能的同时再提供描述型定制，应由产品族管理人员根据实际情况事先定义好。

车轮
轮圈辐条组合式车轮 (包括在价格中)

辐板式整体车轮　(需加 50 元)

□型号一　　□型号二

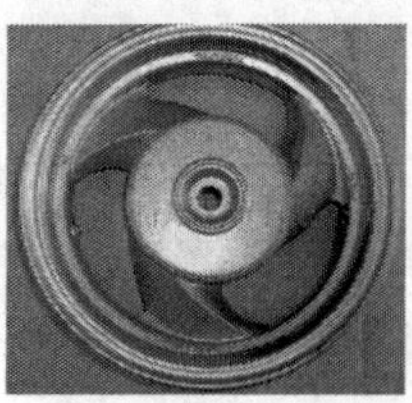

如有其他要求，请在下面进行描述：

要求为五角星形状的辐板式整体车轮。

图 11.11　摩托车车轮的选项型和描述型定制

现以摩托车车轮为例进行说明。如图 11.11 所示，对于 VIP 客户，如果定制项的所有选项都不能令其特别满意，系统可提供描述型定制功能，以便 VIP 客户能够在文本框中输入定制需求。

定制过程完成之后，VIP 客户将其定制需求信息提交给系统。系统将会记录该 VIP 客户所选择的产品型号及其定制需求信息（参数型或描述型），生成意向订单，由销售人员审核后，发给设计部门，然后进行快速报价并反馈给 VIP 客户。

参 考 文 献

安德森 D M,派恩 B J. 1999. 21世纪企业竞争前沿: 大规模定制模式下的敏捷产品开发. 冯涓，李和良，白立新译. 北京: 机械工业出版社

车阿大，林志航. 1998. 产品设计中获取用户需求的研究及软件系统的开发. 机械设计，（1）: 20-22

但斌. 2004a. 大规模定制——打造21世纪企业核心竞争力. 北京: 科学出版社

但斌. 2004b. 面向大规模定制的产品族功能性评价与选择方法. 管理工程学报，18（1）: 17-21

但斌. 2005. 大规模定制产品柔性分析. 管理工程学报，19（4）: 138-140

但斌，冯韬. 2005. 基于GBOM的产品族模型和配置方法. 管理学报，2（4）: 422-425

但斌，郭礼飞，经有国，等. 2012a. 客户需求驱动的大型复杂产品维护服务方法研究. 计算机集成制造系统，18（4）: 888-895

但斌，经有国，孙敏，等. 2012b. 在线大规模定制下面向异质客户的需求智能获取方法. 计算机集成制造系统，18（1）: 15-24

但斌，李兴华. 2006. 基于图文法的产品族表达方法. 系统工程与电子技术，28（6）: 873-876

但斌，李宇雨，黄波. 2011. 大规模定制环境下ATO供应链的混合补货策略研究. 计算机集成制造系统，17（6）: 1271-1278

但斌，李宇雨，黄波，等. 2012c. 企业驱动需求替代下ATO制造商补货策略研究. 计算机集成制造系统，18（6）: 1257-1262

但斌，林森，陈光毓. 2006. 一种面向大规模定制的产品平台扩展决策方法研究. 计算机集成制造系统，12（11）: 1747-1754

但斌，刘飞. 2001. 网络化集成制造及其系统研究. 系统工程与电子技术，23（8）: 12-14

但斌，刘瑜. 2005. 大规模定制营销探讨. 管理现代化，（1）: 23-25

但斌，饶凯，李海燕. 2009a. 大规模定制环境下供应链实施延迟生产的成本优化模型. 计算机集成制造系统，15（2）: 287-291

但斌，覃燕红，王江平. 2008a. 基于实例和CSP的产品配置方法研究. 重庆大学学报（自然科学版），31（5）: 511-514

但斌，王江平，刘瑜. 2008b. 大规模定制环境下客户需求信息分类模型及其表达方法研究. 计算机集成制造系统，14（8）: 1504-1511

但斌，姚玲，经有国，等. 2009b. 基于产品族实例本体模型的产品配置方法研究. 计算机集成制造系统，15（4）: 645-651

但斌，姚玲，经有国，等. 2010. 基于本体映射面向模糊客户需求的产品配置研究. 计算机集成制造系统，16（2）: 225-232

董建华. 2000. 面向大规模定制生产模式的产品设计技术研究. 大连理工大学博士学位论文

冯韬. 2004. 面向大规模定制生产模式的产品族配置管理. 重庆大学硕士学位论文

冯韬，但斌，兰林春，等. 2003. 面向大规模定制的产品族结构与配置管理. 计算机集成制造系统，9（3）: 210-213

冯韬，但斌，徐梅宣. 2006. 基于约束对象的产品族模型知识表示及配置方法. 工业工程与管理，11（3）: 64-68

冯志勇，李文杰，李晓红. 2007. 本体论工程及其应用. 北京：清华大学出版社

黄卿贤，胡谷雨，王立峰. 2005. 本体的概念、建模与应用. 解放军理工大学学报（自然科学版），6（2）: 123-126

黄烟波，张红宇，李建华，等. 2005. 本体映射方法研究. 计算机工程与应用，41（18）: 27-29

姜燕. 2009. MC 模式下基于本体的客户需求映射及其知识表达方法研究. 重庆大学硕士学位论文

姜燕，但斌. 2009. MC 模式下基于本体的客户需求映射方法研究. 工业工程，12（2）: 19-23

金芝. 2000. 基于本体的需求自动获取. 计算机学报，23（5）: 486-492

经有国. 2011. 面向消费类机电产品大规模定制的客户需求信息交互式获取及处理方法研究. 重庆大学博士学位论文

经有国，但斌，张旭梅，等. 2010. 基于本体的非结构化客户需求智能解析方法研究. 计算机集成制造系统，16（5）: 1026-1033

经有国，但斌，张旭梅，等. 2011. MC 半结构化客户需求信息表达与处理方法. 管理科学学报，14（1）: 78-85

兰林春，但斌，冯韬，等. 2004. 一种面向大规模定制的产品族分类方法. 重庆大学学报（自然科学版），27（7）: 97-101

李龙澍，程慧霞. 1998. 基于约束对象的知识表示研究. 电子科技大学学报，27（4）: 411-415

李仁旺，祁国宁，顾新建，等. 2001. 大批量定制生产及其实施方法初探. 中国机械工程，12（4）: 405-408

李士勇. 2004. 工程模糊数学及应用. 哈尔滨：哈尔滨工业大学出版社

李兴华，但斌. 2007. 基于图文法的产品族配置系统及其建模研究. 工业工程，10（2）: 63-66

李宇雨，但斌，郭钢. 2010. 拉动与推动混合供货方式下 ATO 系统的生产与补货策略研究. 管理工程学报，24（3）: 144-149

李宇雨，但斌，黄波. 2011a. 考虑客户驱动需求替代的产品生产组合及零部件补货策略. 系统工程理论与实践，31（3）: 471-479

李宇雨，但斌，黄波. 2011b. 顾客驱动需求替代下 ATO 制造商定价和补货策略. 系统工程学报，26（6）: 817-824

梁樑，周俊，罗彪. 2003. MC 模式下基于客户需求的产品配置优化分析. 管理科学学报，6（3）: 52-56

林森. 2005. 大规模定制制造企业的产品平台扩展策略及优化分析. 重庆大学硕士学位论文

林森，但斌. 2005. 面向大规模定制的产品平台管理模型. 管理工程学报，19（1）: 51-55

林志航. 1996. 计算机辅助质量系统. 北京：机械工业出版社
刘飞，李世新，刘胜. 2004. 面向大批量定制的用户需求协同配置思想及其应用. 机械工程学报，40（1）: 113-117
刘伟，伊辉勇. 2008. 面向在线定制的配置 BOM 及约束下在线配置过程研究. 管理工程学报，22（2）: 134-140
刘瑜，但斌，周博. 2004. 基于电子商务的大规模定制. 工业工程与管理，9（2）: 27-30
楼健人，张树有，谭建荣. 2004. 面向大批量定制的客户需求信息表达与处理技术研究. 中国机械工程，15（8）: 685-687
罗瑞荣. 2002. 警惕: 大规模定制的陷阱. 企业活力，（5）: 44-45
骆正清，陈增武，王泽兵，等. 1997. 汉语自动分词研究综述. 浙江大学学报（工学版），31（3）: 306-312
吕文涛，向阳，张波. 2008. 基于概念集群的本体映射方法研究. 计算机应用，28（11）: 2861-2863
马原. 2004. 支持大规模定制的产品需求管理系统研究与实现. 浙江大学硕士学位论文
派恩 B J. 2000. 大规模定制: 企业竞争的新前沿. 操云甫，等译. 北京: 中国人民大学出版社
祁国宁，顾新建，李仁旺. 2000. 大批量定制及其模型的研究. 计算机集成制造系统，6（2）: 41-45
祁国宁，顾新建，谭建荣. 2003. 大批量定制技术及其应用. 北京: 机械工业出版社
饶凯，但斌，刘瑜. 2007. 大规模定制下制造商实施延迟生产的生产成本优化模型. 计算机集成制造系统，13（9）: 1665-1671
邵晓峰，季建华，黄培清. 2001. 面向大规模定制的供应链模型的研究. 制造业自动化，23（6）: 22-25
史忠植，王文杰. 2007. 人工智能. 北京：国防工业出版社
覃燕红，但斌，张旭梅. 2008. 基于模块化产品族与客户需求转化的产品配置. 工业工程与管理，13（1）: 21-26
谭建荣，齐峰，张树有，等. 2005. 基于模糊客户需求信息的设计检索技术的研究. 机械工程学报，41（4）: 79-84
万雪峰，但斌，经有国. 2010. 在线大规模定制下基于客户需求模板的产品配置研究. 工业工程，13（4）: 69-73
王江平. 2009. MC 模式下的多类型客户需求信息识别和表达方法研究. 重庆大学硕士学位论文
肖新华，史明华，杨小风，等. 2007. 基于模块化产品实例的变型设计技术研究. 中国机械工程，18（7）: 803-807
姚德民，江沿滨. 1994. 新产品开发策略及策略组合研究. 航天工业管理，（7）: 4-7
姚玲. 2009. 基于本体映射面向模糊客户需求的产品配置研究. 重庆大学硕士学位论文
叶世琴，但斌. 2007. 大规模定制产品族模块定制属性分析模型. 工业工程，10（6）: 72-75
殷磊，王润孝，姜晓鹏. 2005. 基于本体的领域需求分析方法与模型研究. 计算机工程与应用，

（7）: 82-86
于鑫刚，李万龙. 2008. 基于本体的知识库模型研究. 计算机工程与科学，30（6）: 134-137
袁磊，张浩，陈静，等. 2006a. 基于本体化知识模型的知识库构建模式研究. 计算机工程与应用，（30）: 65-68
袁磊，张浩，陆剑峰. 2006b. 面向领域知识的本体知识模型 XML 表示框架. 计算机工程，32（1）: 186-192
袁洋，李善平. 2004. 基于语义 Web 的本体映射方法综述. 计算机科学，31（5）: 5-8
岳超源. 2003. 决策理论与方法. 北京: 科学出版社
张和明，熊光楞. 2001. 产品需求获取及其结构化建模方法. 计算机集成制造系统，7（10）: 18-21
张劲松，王启富，万立，等. 2003. 基于本体的产品配置建模研究. 计算机集成制造系统，9（5）: 344-345
张利. 2003. 大批量定制模型的客户驱动参数映射与描述结构研究. 合肥工业大学学报（自然科学版），26（6）: 1152-1156
郑丽萍. 2005. 本体映射的研究. 山东科技大学硕士学位论文
朱福喜. 2002. 人工智能原理. 武汉：武汉大学出版社
朱光菊，夏幼明. 2006. 框架知识表示及推理的研究与实践. 云南大学学报（自然科学版），28（S1）: 154-157
诸静. 2005. 模糊控制原理与应用. 北京: 机械工业出版社
Alford D，Sackett P，Nelder G. 2000. Mass customisation：an automotive perspective. International Journal of Production Economics，65（1）: 99-110
Bechhofer S，van Harmelen F，Hendler J，et al. 2004. OWL web ontology language reference. http://www.w3.org/TR/owl-ref[2004-04-10]
Bharati P，Chaudhury A. 2004. Using choiceboards to create business value. Communications of the ACM，47（12）: 77-81
Blecker T，Abdelkafi N，Kreutler G，et al. 2004a. Product configuration systems: state of the art，conceptualization and extensions. Sousse：Proceedings of the 8th Maghrebian Conference on Software Engineering and Artificial Intelligence: 25-36
Blecker T，Abdelkafi N，Kreutler G，et al. 2004b. An advisory system for customers’ objective needs elicitation in mass customization. Funchal：Proceeding of the fourth International ICSC Symposium on Engineering of Intelligent Systems （EIS 2004）
Chai J，Horvath V，Nicolov N，et al. 2002. Natural language assistant: a dialog system for online product recommendation. AI Magazine，23（2）: 63-75
Charles C. 2001. Lean manufacturing: a spectacular way. Manufacturing Computer Solutions，7（1）: 42-43
Chen Y H，Wang Y Z，Wong M H. 2001. A Web-based fuzzy mass customization system. Journal of

Manufacturing Systems，20（4）: 280-287

Chen Z X，Wang L Y. 2010. Personalized product configuration rules with dual formulations: a method to proactively leverage mass confusion. Expert Systems with Applications，37（1）: 383-392

Comstock M，Johansen K，Winroth M. 2004. From mass production to mass customization: enabling perspectives from the Swedish mobile telephone industry. Production Planning & Control，15（4）: 362-372

Da Silveira G，Borenstein D，Fogliatto F S. 2001. Mass customization: literature review and research directions. International Journal of Production Economics，72（1）: 1-13

Dan B，Guo L，Wang J，et al. 2011. Intelligent configuration method of product family for mass customization based on constraints and cases. Advanced Science Letters，4（6/7）: 2478-2482

Dan B，Li L，Zhang X，et al. 2005. Network-integrated manufacturing system. International Journal of Production Research，43（12）: 2631-2647

Dan B，Liu F. 2003. Mass customizing porcelain. American Ceramic Society Bulletin，82（9）: 9701-9705

Dan B，Tseng M M. 2007. Assessing the inherent flexibility of product families for meeting customization requirements. International Journal of Manufacturing Technology and Management，10（2/3）: 227-246

Davis S M. 1987. Future Perfect. Reading: Addison-Wesley Publishing Company Inc

Delgado M，Verdegay J L，Vila M A. 1994. A model for linguistic partial information in decision making problems. International Journal of Intelligent Systems，9（3）: 365-378

de Soto A R，Trillas E. 1999. Second thoughts on linguistic variables. New York：Proceedings of the 18th NAFIPS International Conference on Fuzzy Information Processing Society

Dewan R，Jing B，Seidmann A. 2000. Adoption of Internet-based product customization and pricing strategies. Journal of Management Information Systems，17（2）: 9-28

Du X，Jiao J，Tseng M M. 2001. Understanding the architecture of product family for mass customization. Hong Kong: Proceedings of 2001 World Congress on Mass Customization and Personalization

Eastwood M. 1996. Implementing mass customization. Computers in Industry，30（3）: 171-174

Erens F，Verhulst K. 1997. Architecture for product families. Computer in Industry，33（2）: 165-178

Feitzinger E，Lee H. 1997. Mass customization at Hewlett-Packard: the power of postponement. Harvard Business Review，75（1）: 116-121

Fogliatto F S，Da Silveira G. 2008. Mass customization: a method for market segmentation and choice menu design. International Journal of Production Economics，111（2）: 606-622

Fogliatto F S，Da Silveira G，Borenstein D. 2012. The mass customization decade: an updated review of the literature. International Journal of Production Economics, 138（1）: 14-25

Forza C, Salvador F. 2002. Managing for variety in the order acquisition and fulfilment process: the contribution of product configuration systems. International Journal of Production Economics, 76（1）: 87-98

Franke N, Schreier M, Kaiser U. 2010. The "I designed it myself" effect in mass customization. Management Science, 56（1）:125-140

Fung R Y K, Popplewell K, Xie J. 1998. An intelligent hybrid system for customer requirements analysis and product feature targets determination. International Journal of Production Research, 36（1）: 13-34

Gilmore J H, Pine II B J. 1997. The four faces of mass customization. Harvard Business Review, 75(1): 91-101

Gómez-Pérez A, Benjamins R. 1999. Overview of knowledge sharing and reuse components: ontologies and problem-solving methods. Stockholm: Proceedings of the IJCAI-99 Workshop on Ontologies and Problem-Solving Methods （KRR5）: 1-15

Grenci R T, Watts C A. 2007. Maximizing customer value via mass customized e-consumer services. Business Horizons, 50（2）: 123-132

Gruber T R. 1993. A translation approach to portable ontologies specifications. Knowledge Acquisition, 5（2）: 199-220

Günter A, Kühn C. 1999. Knowledge-based configuration: survey and future directions. Lecture Notes in Artificial Intelligence, 1570: 47-66

Hansen T, Scheer C, Loos P. 2003. Product configurators in electronic commerce – extension of the configurator concept towards customer recommendation. Munich: Proceedings of the 2nd World Congress on Mass Customization and Personaliztion （MCPC）

Hegge H M H, Wortmann J C. 1991. Generic bill-of-material: a new product model. International Journal of Production Economics, 23（1/2/3）: 117-128

Hermans G A. 2012. Model for evaluating the solution space of mass customization toolkits. International Journal of Industrial Engineering and Management, 3（4）: 205-214

Herrera F, Viedma H E, Martinez L. 2000. A fusion approach for managing multi-granularity linguistic term sets in decision making. Fuzzy Sets and Systems, 114（1）: 43-58

Huffman C, Kahn B E. 1998. Variety for sale: mass customization or mass confusion. Journal of Retailing, 74（4）: 491-513

Ishii K, Juengel C, Eubanks C F. 1995. Design for product variety: key to product line structuring. Boston: Proceedings of the 1995 Design Engineering Technical Conferences, ASME Design Engineering Division, 83（2）: 499-506

Jiao J, Tseng M M. 1999. A methodology of developing product family architecture for mass customization. Journal of Intelligent Manufacturing，10（1）: 3-20

Kay M J. 1993. Making mass customization happen: lessons for implementation. Planning Review，21（4）: 14-18

Kotha S. 1996. From mass production to mass customization: the case of the National Industrial Bicycle Company of Japan. European Management Journal，14（5）: 442-450

Kreutler G，Jannach D. 2006. Personalized needs elicitation in Web-based configuration system // Blecker T，Friedrich G. Mass Customization: Challenges and Solutions. New York: Springer Science + Business Media，Inc: 27-42

Kristianto Y，Helo P，Jiao R. 2012. Mass customization design of engineer-to-order products using Benders' decomposition and bi-level stochastic programming. Journal of Intelligent Manufacturing，23（5）: 1-15

Lau R S M. 1995. Mass customization: the next industrial revolution. Industrial Management，37(5): 18-19

Liechty J，Ramaswamy V，Cohen S H. 2001. Choice menus for mass customization: an experimental approach for analyzing customer demand with an application to a Web-based information service. Journal of Marketing Research，38（2）: 183-196

Liu C，Ramirez-Serrano A，Yin G. 2012. An optimum design selection approach for product customization development. Journal of Intelligent Manufacturing，23（4）: 1433-1443

Lombardoni A，Norrie M，Weibel N，et al. 2005. A systematic approach to the development of e-commerce sites for mass customization. Hong Kong：The Proceedings of the 2005 IEEE International Conference on e-Technology，e-Commerce and e-Service: 246-249

Louviere J J. 1988. Analyzing Decision Making: Metric Conjoint Analysis. Newbury Park: Sage Publications

Magretta J. 1998. The power of virtual integration: an interview with Dell Computer's Michael Dell. Harvard Business Review，76（2）: 72-84

McGuinness D L，van Harmelen F. 2004. OWL web ontology language overview. W3C recommendation，10（3）: 10

Meyer M H，Lehnerd A P. 1997. The Power of Product Platforms: Building Value and Cost Leadership. New York：Free Press

Miceli G，Ricotta F，Costabile M. 2007. Customizing customization: a conceptual framework for interactive personalization. Journal of Interactive Marketing，21（2）: 6-25

Moore W L，Louviere J J，Verma R. 1998. Using conjoint analysis to help design product platforms. Cambridge: Marketing Science Institute，Working Paper Report，No.98-113

Piller F T，Schubert P，Koch M，et al. 2005. Overcoming mass confusion: collaborative customer co-design in online communities. Journal of Computer-Mediated Communication，10（4）: 1-25

Pine B J. 1993. Mass Customization: the New Frontier in Business Competition. Boston: Harvard Business School Press

Pine B J, Peppers D, Rogers M. 1995. Do you want to keep your customers forever? Harvard Business Review, 73（2）: 103-114

Poulin M, Montreuil B, Martel A. 2006. Implications of personalization offers on demand and supply network design: a case from the golf club industry. European Journal of Operational Research, 169（3）: 996-1009

Sabin D, Weigel R. 1998. Product configuration frameworks - a survey. IEEE Intelligent Systems, 13（4）: 42-49

Schonfeld E. 1998. The customized, digitized, have-it-tour-way economy. Fortune, 138(6): 114-124

Shen J, Wang L, Sun Y. 2012. Configuration of product extension services in servitisation using an ontology-based approach. International Journal of Production Research, 50（22）: 6469-6488

Slywotzky A J. 2000. The age of the choiceboard. Harvard Business Review, 78（1）: 39-41

Spira J S. 1993. Mass customization through training at Lutron Electronics. Planning Review, 21(4): 23-24

Stormer H. 2009. Improving product configurators by means of a collaborative recommender system. International Journal of Mass Customisation, 3（2）: 165-178

Strobel R, Johnson A. 1993. Pocket pagers in lots of one. IEEE Spectrum, 30（9）: 29-32

Studer R, Benjamins V R, Fensel D. 1998. Knowledge engineering: principles and methods. Data & Knowledge Engineering, 25（1）: 161-197

Stump B, Badurdeen F. 2012. Integrating lean and other strategies for mass customization manufacturing: a case study. Journal of Intelligent Manufacturing, 23（1）: 109-124

Suh N P. 2001a. Design for mass customization. Hong Kong: 2001 World Congress on Mass Customisation and Personalization

Suh N P. 2001b. Axiomatic Design: Advances and Applications. New York: Oxford University Press

Svensson C, Barfod A. 2002. Limits and opportunities in mass customization for "build to order" SMEs. Computers in Industry, 49（1）: 77-89

Toffler A. 1971. Future Shock. New York: Bantam Books

Tseng M M, Du X H. 1998. Design by customers for mass customization products. CIRP Annals-Manufacturing Technology, 47（1）: 103-106

Tseng M M, Jiao J. 1996. Design for mass customization. Annals of the CIRP, 45（1）: 153-156

Tseng M M, Jiao J. 2001. Mass customization // Slavendy G . Handbook of Industrial Engineering: Chapter 25. 3rd ed. New York: John Wiley & Sons Inc: 684-709

Ulrich K T, Eppinger S D. 2000. Product Design and Development. 2nd ed. Boston: Irwin/McGraw-Hill

Ulrich P V, Anderson-Connell L J, Wu W. 2003. Consumer co-design of apparel for mass customization. Journal of Fashion Marketing and Management, 7（4）: 398-412

Uschold M, Gruninger M. 1996. Ontologies: principles, methods and applications. The Knowledge Engineering Review, 11（2）: 93-136

Wang Y, Tseng M. 2013. A Naïve Bayes approach to map customer requirements to product variants. Journal of Intelligent Manufacturing, 24（3）: 1-9

Welty C, McGuinness D L. 2004. OWL web ontology language guide. http://www. w3. org/TR/2004/REC-owl-guide-20040210[2004-04-10]

Wilson T. 1999. Custom manufacturing - Nike model shows web's limitations. Internetweek, （6）: 1

Wortmann J C, Muntslag D R, 1997. Timmermans P J M. Customer-driven Manufacturing. London: Chapman & Hall

Wyatt D, Wynn D, Jarrett J, et al. 2012. Supporting product architecture design using computational design synthesis with network structure constraints. Research in Engineering Design, 23（1）: 17-52

Yang D, Dong M, Chang X K. 2012. A dynamic constraint satisfaction approach for configuring structural products under mass customization. Engineering Applications of Artificial Intelligence, 25（8）: 1723-1737

Zamirowski E, Otto K. 1999. Product portfolio architecture definition and selection. Munich: International Conference on Engineering Design: 1513-1518

Zhang L L, Rodrigues B. 2013. A Petri net model of process platform-based production configuration. Journal of Manufacturing Technology Management, 24（6）: 873-904

Zhang L L, Xu Q, Yu Y, et al. 2012. Domain-based production configuration with constraint satisfaction. International Journal of Production Research, 50（24）: 7149-7166

Zhang Y, Jiao J. 2007. An asssociative classification-based recommendation system for personalization in B2C e-commerce applications. Experts Systems with Applications, 33（2）: 357-367

Zipkin P. 2001. The limits of mass customization. MIT Sloan Management Review, 42（3）: 81-87

后　记

2001 年 3 月，导师刘飞教授推荐我到香港科技大学做访问学者，师从国际著名大规模定制专家 Mitchell M. Tseng（曾明哲）教授。在曾教授引导下，我进入了大规模定制的研究殿堂，感受到大规模定制作为世纪之交的一种新的生产模式的如火如荼的研究和实践热潮。我虽驽钝，但在两位导师无私的、倾囊相授的指导下，通过一年的学习和研究积累，2002 年顺利获得了国家自然科学基金的资助，开始了项目“面向大规模定制生产模式的产品族数据管理”的研究工作，并于 2004 年在科学出版社出版了专著《大规模定制——打造 21 世纪企业核心竞争力》。在完成第一个国家自然科学基金项目后，2006 年又获得了持续资助，开始了项目“大规模定制环境下的客户需求信息识别与产品智能配置方法研究”的研究。次年，又获得了科技部的资助，进行国家 863 计划课题“面向典型离散制造行业的快速响应客户的产品开发平台”的研究。在两位恩师的指导和帮助下，通过项目组的努力，三个国家级项目都顺利完成，并且两个国家自然科学基金项目的绩效评估均为“优”。因此，有了将这三个项目的相关成果总结成专著出版的想法。借此机会，向两位恩师——香港科技大学 Mitchell M. Tseng 教授和重庆大学刘飞教授表示衷心的感谢！对国家自然科学基金管理科学部和科技部 863 计划的资助表示衷心的感谢！

本书主要由但斌、经有国博士撰写和统稿。重庆大学郭钢、张旭梅、张力教授，李浩、饶凯、李宇雨、孙清超、汤华茂、李光锐、徐建萍、罗妤、覃燕红博士，冯韬、兰林春、林森、李兴华、周金应、刘瑜、叶世琴、王江平、姚玲、姜燕、李晓艳、万雪峰、郭礼飞、彭霜硕士，以及在读博士生高华丽等参加了与本书相关的项目研究工作，在此表示衷心感谢！

本书的编写和出版得到中国科技出版传媒股份有限公司、重庆大学经济与工商管理学院的大力支持，在此表示衷心感谢！

此外，本书在写作过程中参考了大量文献，已尽可能地列在书后，但仍难免有遗漏，特别是一些资料经过反复引用已难以查实原始出处。这里特向被漏列文献的作者表示歉意，并向所有的作者表示诚挚的谢意！

但　斌

重庆大学经济与工商管理学院

2014 年 5 月于重庆